24.95

D1300805

DAVID PLANTE

LE SIXIEME FILS

Du même auteur :

— La Nuit des Corps (Gallimard)

A paraître :

— Les Bois (Bernard Coutaz)

Cet ouvrage a été publié avec le concours du
Conseil Régional Provence-Alpes-Côte d'Azur
Office Régional de la Culture.

© 1978 by David Plante
    publié par Victor Gollancz, Londres
    pour la première édition anglaise sous le titre
    "The Family"

© 1988 Éditions Bernard Coutaz, Le Mas de Vert,
    13200 ARLES pour la traduction française

ISBN 2-87712-004-X

DAVID PLANTE

LE SIXIEME FILS

ROMAN

TRADUIT DE L'AMERICAIN
PAR JEAN GUILOINEAU

EDITIONS BERNARD COUTAZ

A mon frère Donald Plante

D.P.

Il y a une autre Russie

GORKI, *Les Zukov*

Debout devant la fenêtre de la cuisine, il...

Daniel leva le store en faisant le moins de bruit possible, il garda la corde tendue dans la main et s'approcha de la grande fenêtre sombre. Il ressentit le froid de la vitre comme un souffle sur son visage. Il plaça la tête de façon à voir à travers son reflet, le lampadaire dans la rue et la neige qui tombait tout autour. Un vent silencieux poussait les flocons de biais et pendant quelques instants il eut l'impression que la pesanteur s'était déplacée et il se pencha légèrement sur le côté. La pesanteur se déplaça à nouveau et la neige changea de direction, puis, brusquement, les flocons se croisèrent dans tous les sens, et enfin, dans un mouvement rapide, le vent les souleva sans bruit.

Il laissa retomber le store. Entre deux lamelles, il vit une voiture monter la rue et s'arrêter devant la maison. C'était une voiture grise, ou qui semblait grise dans la lumière blafarde, avec des pare-chocs et un capot ronds, couverts de neige. Elle ressemblait à la voiture de son père.

Il se retourna en entendant s'ouvrir derrière lui la porte de la chambre de ses parents. Dans la faible lumière, les meubles lui apparaissaient immenses et il ne voyait que la porte ouverte avec, debout dans l'encadrement, son père en peignoir de bain.

"Tu n'es pas encore couché ?

— J'ai entendu une voiture qui s'arrêtait dehors."

Son père avait la main posée sur la poignée de la porte. Il se tenait dans le rayon de lumière qui venait de la cuisine et il se détachait dans l'obscurité. Son peignoir baillait sur sa poitrine. Quand son père se pencha en avant, le peignoir glissa un peu et Daniel vit jusqu'à son aisselle. Il entendit sa mère dire : "Jim". Son père retourna dans la chambre et referma la porte. Il empêcha le ressort de la serrure de faire claquer le loquet car, de la cuisine, Daniel vit la poignée, une poignée en verre, tourner lentement comme si elle avait bougé toute seule.

Dans la salle de bains, sous la lumière douce et jaune, il remplit le lavabo et approcha son visage de la surface de l'eau chaude. Il entendit qu'on frappait. Il secoua les mains et ouvrit la porte. C'était sa mère. Elle croisait les bras sur sa poitrine. Elle était toute décoiffée. Elle dit en français : "Tu ne dors pas encore ?" Il lui répondit en anglais : "J'y vais", et ils se croisèrent dans la porte, lui qui sortait de la salle de bains et elle qui y entrait. Pourtant, il s'arrêta et se retourna pour dire : "Mais tu me réveilleras de bonne heure, demain matin". Elle ne répondit pas. Sa chemise de nuit remontait sur ses grosses cuisses.

Il s'arrêta devant la porte de sa chambre. Il entendit le ronflement de son frère Edmond en face.

Il se déshabilla dans le froid et l'obscurité. On avait légèrement entrouvert la fenêtre intérieure ; de la neige s'entassait contre le chassis de la fenêtre extérieure. Il se mit rapidement au lit et se glissa contre son plus jeune frère, Julien, en collant sa poitrine contre son dos et ses genoux derrière ses jambes. Son frère bougea un peu puis s'immobilisa à nouveau. Daniel ne dormait pas. Il entendit sa mère revenir dans sa chambre. La tête du lit de ses parents se trouvait de l'autre côté du mur, derrière lui. Il entendit les ressorts grincer quand sa mère se coucha, puis ses parents parler, d'abord sa mère, ensuite son père.

Sa mère lui avait dit qu'à chaque fois qu'elle n'arrivait pas à s'endormir, elle se promenait en esprit dans la maison où elle avait grandi, pièce après pièce. Elle se souvenait de sa mère qui frottait la cuisinière, de son père qui remontait l'horloge de la cuisine, de la lueur rouge qu'on voyait à travers le mica du poêle à charbon dans la salle de séjour, de la lampe à acétylène sur la table ronde où l'on dînait... Comme s'il avait été à des kilomètres et à des années de chez lui, Daniel s'en alla en imagination dans les pièces de sa propre maison, un petit pavillon avec un porche à colonnes et des fenêtres mansardées, dans un quartier de Canadiens français de la ville de Providence, dans l'état de Rhode Island, aux Etats-Unis.

Il fit deux rêves, simultanément. Dans les deux, il était seul dans la maison, mais dans le premier il se trouvait dans l'entrée de derrière et il savait qu'il courrait un danger s'il ne fermait pas la porte tout de suite, mais il n'arrivait pas à faire tenir la clenche, et la clef tournait dans la serrure sans résultat. Dans le second rêve, il se trouvait dans l'autre entrée, sur le devant de la maison, et il savait qu'il devait se dépêcher d'ouvrir la porte pour sortir, mais il ne pouvait pas, la serrure était bloquée, la clef ne tournait pas.

La cloche de l'église sonna la première messe, ou plutôt émit un son fêlé. Il se demanda ce que les Indiens avaient pensé quand ils avaient entendu ce bruit pour la première fois. La cloche s'arrêta. Dans son demi-sommeil, il entendit ses parents dans la cuisine. Il entendit des bruits de bottes dans l'entrée de derrière, puis des voix rapides et la porte qu'on refermait. Il entendit une sirène d'usine. A l'autre extrémité du lit, son frère Julien lui tournait le dos. Il avait l'impression de posséder un corps intérieur qui refuserait de bouger même s'il bougeait ses jambes et ses bras réels. Sa mère ouvrit la porte — elle n'ouvrait et ne fermait jamais les portes, lentement, doucement, mais elle tournait d'abord la poignée, poussait comme s'il lui fallait appuyer de tout son poids et ouvrait avec fracas — et elle dit : "C'est l'heure". Il la détesta. Il leva les paupières et la vit fermer la fenêtre, la bloquer et mettre le radiateur en marche. Elle se pencha sur lui et lui ébouriffa les cheveux sur le front, du bout des doigts. A voix basse, comme quand elle avait parlé à son mari, elle dit : "Tu n'es pas obligé de te lever, tu sais, pas encore, sauf si tu veux vraiment aller à la messe. Il fait froid dehors. Il y a beaucoup de neige". Les yeux fermés, en essayant de soulever son corps trop lourd, il dit : "Non, j'y vais". Elle dit : "Alors, tu prieras pour nous".

Il sortit en courant de sa chambre glacée en sous-vêtements et se précipita dans la chaleur de la salle de bains. Les bas de sa mère séchaient sur le radiateur. Le peignoir de son père était accroché à une patère derrière la porte. Il l'enfila. L'odeur de son père se dégageait des milliers de fibres de laine emmêlées et hérissées. Il s'apprêtait à retourner dans sa chambre pour s'habiller, enveloppé dans le peignoir, mais il eut un petit frisson, et rapidement il l'enleva et le raccrocha à la patère.

Dans la cuisine, il s'assit sur un tabouret près du radiateur. La chaleur qui s'élevait faisait bouger les pages du calendrier accroché au-dessus et ouvert à mars 1952. Daniel regardait les pages bouger. Il tenait une chaussette dans la main droite. Il entendit la porte de la salle de bains et se retourna pour voir sa mère entrer dans la cuisine. Elle portait le peignoir de son père. Elle s'assit à la table et beurra une tranche de pain grillé. Daniel eut l'impression qu'elle ne l'avait pas remarqué ; puis elle se tourna à moitié pour le chercher des yeux et lui dit : *"Tu peux me rendre un grand service ?*[1]

— Quoi ? demanda-t-il.

— Offre ta communion pour une intention particulière."

Daniel dit : "Oui", et il continua à regarder sa mère. Elle étala de la confiture sur sa tartine et mordit dedans. Daniel enfila sa chaussette et quitta son tabouret. Sa mère ne le regardait plus, elle tournait les yeux vers les fenêtres de la cuisine, les fenêtres extérieures que le givre recouvrait en laissant passer une lumière blanche et glaciale qui rendait tout gris bleu dans la cuisine, même le visage de sa mère. Daniel s'assit à table en face d'elle. Il n'avait que des chaussettes et gardait les pieds un peu au-dessus du linoléum froid. Elle dit : "Tu vas manquer le début de la messe... ça ne comptera plus".

---

(1) Les phrases en italiques sont en français dans le texte. (N.d.T.)

Il dit : "Il me reste un petit peu de temps". Il faisait tourner un couteau sur la table vide.

Elle contemplait les murs de la cuisine. Elle dit : "On a mis vingt-cinq ans à payer cette maison. S'il meurt, elle sera à moi". Elle s'arrêta et regarda Daniel qui faisait tourner lentement le couteau, puis elle dit : "Daniel, il faut que tu y ailles".

La neige lui arrivait aux mollets. Il grimpa sur le petit talus qu'un chasse-neige avait formé sur le bas côté, pour marcher au milieu de la rue. Ses chaussures bougeaient dans ses snow-boots. Une lumière jaune filtrait du ciel grisâtre. Des paquets de neige tombaient des branches des érables et s'écrasaient en-dessous avec un son mat. Sur le terrain à côté de chez lui, les arbres dénudés et tristes du petit bois obscur se courbaient dans tous les sens sous le poids de la blancheur. Daniel imagina qu'il avait parcouru une grande distance pour arriver dans un autre pays, loin des rues couvertes de neige, des poteaux télégraphiques, du grand arbre blanc au coin, dans une immense étendue de neige, calme, immobile, où un trappeur indien vérifiait ses pièges...

A droite, les rues en pente descendaient vers la rivière. L'eau semblait noire à côté de la neige blanche et des morceaux de glace flottaient à la surface. Chaque portion de la rivière qu'on apercevait entre les rangées de maisons semblait la répétition de la précédente jusqu'à ce qu'apparaisse au beau milieu des bois, sur l'autre rive, le coin d'un bâtiment en briques, de deux étages, percé de grandes fenêtres protégées par des grilles et entouré d'une haute clôture en fer. Daniel traversa la rue suivante et vit la façade de l'usine de limes où travaillait son père, le portail et un pont métallique noir qui enjambait la rivière. Un groupe d'ouvriers se tenaient sur le pont et beaucoup d'autres dans la cour de l'usine. Ils étaient noirs et gris sur la neige blanche et une légère brume grise s'élevait autour d'eux. Daniel s'arrêta au milieu de la chaussée en entendant quelqu'un crier : "Hé !", et il vit son père franchir les portes de l'usine. Les hommes qui étaient à l'extérieur se mirent à hurler ensemble le nom de son père : "Jim Francœur,

13

Jim Francœur, Jim Francœur !" Daniel restait sans bouger et regardait les hommes au bas de la rue. Certains riaient maintenant, d'autres s'éloignaient.

Le sacristain faisait rouler le catafalque dans l'allée centrale de l'église obscure. Daniel marchait derrière lui. Le drap de velours noir du catafalque était bordé d'un galon doré à franges et, sur le sommet, il y avait une grande couronne d'épines brodée de fils d'or. Les franges traînaient sur le linoléum marron. A son banc, Daniel ouvrit son missel noir à la *Messe des défunts.*

Il suivait la cérémonie mais, de temps en temps, il perdait sa page, distrait par une image plus forte que les mots, le porche d'une maison d'un étage avec un fil à linge tendu entre les poteaux et de la neige déposée sur le fil, une boîte à ordure à moitié enfouie sous un amoncellement de neige, une portion de la rivière, dure et noire contre les berges molles et blanches, un bois lointain, aux arbres maigrelets avec une voiture retournée, un pont métallique noir, des citernes d'eau recouvertes de neige sur le toit, lui aussi couvert de neige, d'un long bâtiment de briques. Il lui semblait que ces images venaient combler une sensation de vide, comme s'il avait oublié quelque chose sans pouvoir se rappeler quoi ; la sensation contraignante prenait la forme d'un porche, d'une boîte à ordure, d'une rivière, d'une citerne, puis quelques instants plus tard elle était vide à nouveau ; même quand les images animées de son père dans l'entrée sombre de l'usine comblaient la sensation, ce n'était pas cela qu'il avait oublié, ce n'était pas cela qu'il essayait de retrouver.

En descendant l'allée centrale (tous les mouvements étaient lents dans l'église ; quand il s'approcha de l'autel, il eut l'impression de le voir s'éloigner) alors qu'il se vidait complètement la tête, il ne pensait pas à ce qu'il allait accueillir en lui, mais aux Indiens. Il pensait à la façon dont ils invoquaient leurs noms, dont ils invoquaient les pouvoirs d'un corbeau noir, d'un cerf qui court, d'un loup décharné, quand ils partaient à la chasse ou à la guerre. Et ils n'étaient plus des Indiens, mais un corbeau noir, un cerf qui court, un loup

14

décharné ; corbeaux, ils volaient, cerfs, ils couraient, loups, ils rusaient ; leurs plumes noires étaient des ailes, des andouillers leur poussaient sur la tête, leurs pieds se fendaient en deux, leurs colliers de dents de loup agrandissaient leurs mâchoires ; ils cessaient d'être ce qu'ils avaient toujours été, ils n'appartenaient plus à l'espèce humaine.

Revenu à son banc, il s'agenouilla et posa ses mains jointes sur le bord du banc de devant, il posa le front sur ses mains et ferma les yeux. Il pensait à l'intention particulière de sa mère. Comme il ne savait pas de qui il s'agissait, il ne pouvait y penser que comme à un espace vide et rond, un globe opaque et, par la force de sa concentration, il essaya que cet espace, ce globe, rayonne à son appel : il tendit son esprit et son corps dans ce but. Il n'avait aucune idée de ce pour quoi il priait, mais cela devait arriver ; il enfouit son visage dans ses mains pour étouffer un cri afin que cela arrive, un cri de désir si violent, le désir de faire que cela arrive et que, maintenant que cela arrivait, en répondant à l'intention particulière de sa mère, que cela réponde aussi à la sienne, parce que, sa mère et lui, et sa mère, son père et lui, et sa mère, son père, ses six frères et lui, et sa mère, son père, ses six frères, sa belle sœur et lui, ils ne faisaient qu'un, un seul monde, un seul désir...

Daniel voulait que quelque chose arrive. Il n'était pas en son pouvoir de faire que cela arrive, mais de tout son cœur et de toute son âme, il voulait que cela arrive. Il vit une plume sur le chapeau d'une dame, la branche de lunette d'un vieux monsieur, attachée avec du fil, une camarade de classe, de l'autre côté de l'allée, qui se frottait les dents avec le doigt. Non. Il fallait qu'il prie, pour sa mère, son père, ses six frères, ceux qui étaient à la maison et ceux qui n'y étaient pas...

A l'extérieur, la neige le fit loucher tandis qu'il descendait les marches de l'église. Il retraversa la rue qui descendait vers le pont de fer et l'usine et il vit que, dans la cour, les ouvriers faisaient un bonhomme de neige. L'un deux roulait par terre une boule de la taille d'une tête ; il la ramassa et la déposa sur le corps. Les autres lui jetèrent des boules de neige.

Il traversa la rue dans laquelle habitait sa grand-mère et

s'arrêta au milieu. Sa tante Oenone ouvrit la porte. Il vit sa grand-mère, les bras croisés, assise dans un rocking-chair près de la cuisinière à charbon. Oenone lui dit : *"C'est Daniel"*, et la grand-mère dit : *"Oui, je l'vois"*. Daniel s'assit sur une chaise poussée contre le mur.

"Je viens de la messe", dit Daniel en français.

Sa grand-mère ne savait pas parler anglais. La seule expression anglaise qu'elle connaissait, était "by and by", qu'elle prononçait "bymby".

Matante Oenone ("matante" en un seul mot, comme formule de politesse) s'assit devant la grande table de cuisine et étendit les bras mais sans toucher le plateau et en bougeant les doigts comme pour montrer les nombreuses bagues qu'elle portait aux deux mains. Elle dit : "Je devais y aller moi aussi, mais j'ai pris un laxatif", puis s'adressant à Daniel : "C'était une messe anniversaire pour le plus jeune frère de ta mémère, Polidore, qui est mort il y a un an.

— Qui c'était ?" demanda Daniel.

Matante Oenone dit : "Ta mémère ne parlait pas de lui quand il était vivant alors elle ne va pas le faire maintenant qu'il est mort".

La grand-mère regardait par la fenêtre. Son visage semblait dépourvu de chair, et n'avoir que des os et de la peau tendue dessus ; ses pommettes saillaient comme si les muscles qui se trouvaient en-dessous avaient été coupés et que les profondes rides verticales, qui marquaient chaque côté de son visage, avaient été les cicatrices des incisions ; ses yeux noirs, totalement ronds et toujours à demi-fermés, semblaient retenus au fond des orbites sombres par la peau, meurtrie d'avoir tant frotté contre les os ; ils étaient rapprochés du nez lui aussi uniquement fait d'os, mais avec une arête craquelée. Ses dents avançaient à un tel point qu'on aurait cru que dans sa façon naturelle de mordre sa mâchoire supérieure passait derrière sa mâchoire inférieure ; ses cheveux blancs et épais, tirés en arrière, dégageaient son haut front osseux et sa tresse formait un chignon sur la nuque. Elle avait un quart de sang indien.

"De quoi est-il mort ?" demanda Daniel.

Matante Oenone le regarda un long moment, sans savoir si elle pouvait lui répondre puis, les doigts brusquement immobiles, elle lui dit : "Du cancer".

La grand-mère remua dans son fauteuil.

Matante Oenone gardait les doigts immobiles. "Le cancer, dit-elle, tout comme mon pauvre père."

La grand-mère bougea à nouveau.

"Ça ne pardonne pas le cancer," dit Oenone.

La grand-mère se balança.

Matante Oenone leva les mains et pressa les majeurs contre ses tempes en remuant les autres doigts. Personne ne parlait. La tante appuyait de plus en plus fort sur ses tempes avec ses doigts. Elle baissa la tête, les yeux grands ouverts. L'œil droit était blanc à cause de la cataracte. Puis elle releva la tête et dit : "Je l'ai offert".

Daniel dit : "Ton œil..."

Elle dit : "Parfois, j'ai l'impression que ça bout. Je crois savoir un petit peu ce que c'est que d'être en enfer. Mais ils ne peuvent pas offrir leur douleur en sacrifice, moi si, je n'ai pas dormi de la nuit. Peut-être que le diable est dans mon œil, cet œil-là, et s'il me fait tellement souffrir, c'est pour m'obliger à le supplier qu'il l'enlève. Mais je ne le supplie pas, jamais. J'accepte. Je lui dis : "Merci, le diable, parce que toute la souffrance que tu m'envoies je peux l'offrir à mon Jésus". Ça a aidé mon pauvre père, je le sais, de pouvoir offrir son cancer en sacrifice. Je l'ai aidé pour ça. J'étais là avec lui, j'offrais mon pauvre père avec son cancer."

Daniel était au supplice dans son manteau doublé de laine.

Matante Oenone dit : "Quand j'étais novice au couvent, ils ont dit que je ne ferais pas une bonne nonne, ils ont dit que je ne connaissais pas assez la vie, que seule une femme qui connait la vie peut devenir une bonne nonne, et j'ai dû m'en aller. Je me suis mariée à un propre à rien, un soulot, qui a passé plus de nuits avec les catins à South Providence qu'avec moi. Il rentrait n'importe quand, à n'importe quelle heure, je

17

ne savais jamais quand, saoul, et je le laissais entrer, il fallait. Tu ne crois pas que j'en ai eu beaucoup à offrir ! J'ai vu ma fille aînée mourir de faim dans son berceau. Elle est devenue toute bleue et brusquement elle a grandi, ses bras et ses jambes se sont tellement allongés qu'ils dépassaient du berceau. J'ai vu ça. Mon mari est rentré cette nuit-là et quand je lui ai montré le bébé mort dans son petit lit, il s'est penché mais il était tellement saoul qu'il s'est affalé dessus. Je l'ai vu mourir lui aussi. Encore d'un cancer. Il est revenu vers moi pour mourir. Il a eu une mort horrible. Le cancer lui est sorti de partout. Il avait la peau comme de l'écorce d'arbre, avec du sang et du pus qui coulait des fissures. Je ne l'ai jamais abandonné..."

Oenone donnait aux incidents de sa vie la forme de petites épopées transmises, non pas de génération en génération, mais de visite en visite. Pour l'interrompre, la grand-mère dit à Daniel : "Ton père est passé ce matin, en allant au travail".

Matante Oenone dit : "Il m'a demandé de dire une prière pour lui donner la force, mais j'ai dû lui répondre que je ne pouvais pas. Il fallait qu'il compte sur ses propres forces pour faire comme ça lui plaisait. Moi, je ne l'aiderais pas".

La grand-mère dit à Daniel : "Tu lui diras que j'ai écrit une prière pour lui...

— Tu le soutiendrais dans n'importe quelle circonstance," dit Oenone à sa mère. La grand-mère ne répondit pas. A nouveau, Oenone pressa ses doigts contre ses tempes et ferma les yeux. Après quelques instants, elle regarda Daniel qui était plus compatissant que sa mère. (Une fois, Oenone avait raconté à Daniel que, quand elle était enfant, leurs parents ne leur achetaient jamais de jouets et le père de Daniel, plus âgé qu'elle, lui avait fabriqué une maison de poupée ; un matin, Oenone ne la retrouva pas et elle demanda à sa mère où elle se trouvait et sa mère lui avait répondu : "Tu l'avais laissée au milieu du passage alors je l'ai mise au feu", et Oenone vit le toit qui sortait du poêle à charbon, car la maison était trop grande pour y entrer toute entière, et qui brûlait.) Elle dit : "Il faut que je me baigne les yeux". Elle alla chercher une cuvette et un torchon dans l'office. Elle étala le torchon sur la table, y posa la cuvette, puis elle repartit dans sa chambre juste à côté de la cuisine et revint avec une bouteille. Elle s'assit et versa l'eau dans la cuvette. Elle enleva ses lunettes, trempa l'index et le majeur de la main droite dans l'eau, les secoua et très lentement, très délicatement, elle les posa sur ses paupières fermées.

La grand-mère utilisa le vrai prénom du père de Daniel, pas son surnom : "Arsace sait ce qu'il fait."

Oenone parla en gardant ses doigts ruisselants sur ses yeux. "Il n'en sait rien. S'il le savait, il suivrait le syndicat. Est-ce qu'il ne sait pas qu'il n'est qu'un *ouvrier* dans l'usine, pas le propriétaire ? Est-ce qu'il ne sait pas que le syndicat est de son côté, qu'il se bat pour lui. Ce n'est pas raisonnable. Ça ne rime à rien de forcer les piquets de grève." Elle dit "Picket line" en anglais. Matante criait. "Tu verras où son entêtement va l'entraîner...

— Ils vont tous perdre leur place, dit la grand-mère. Arsace sait ce qu'il fait.

— S'il regardait un peu mieux, il verrait que le syndicat fait grève pour qu'il garde son travail. Ils vont gagner, les grévistes. Et tu verras, ils ne mettront pas Arsace à la porte parce qu'il ne les a pas suivis. Il ne perdra pas son travail, et non pas grâce à son entêtement, mais grâce au syndicat en fin de compte..."

La grand-mère décroisa les bras et quitta lentement son rocking-chair. Elle sortit de la salle de séjour pour entrer dans sa chambre (de sa chaise dans la cuisine, Daniel pouvait en apercevoir un coin, le bras d'un fauteuil recouvert d'un napperon, l'angle d'un miroir dans lequel se reflétait un crucifix) et elle en ressortit en portant une boîte en bois. Elle reprit sa place, posa la boîte sur ses genoux et l'ouvrit. Elle fouilla dedans. Elle demanda à Daniel : "Tu vas aller lui porter son déjeuner ?

— Oui, dit Daniel.

— Tu lui donneras ça."

Daniel se leva et prit ce qu'elle lui tendait. C'était un vieux scapulaire attaché à une fine tresse en feuille de palmier séché. Il le glissa dans sa poche.

Puis Matante Oenone ajouta : "Rassure-le, je réciterai une prière pour lui." Daniel crut qu'elle voulait dire plus tard, mais elle se leva, elle lança son immense bras droit devant elle, aussi loin qu'elle pouvait le tendre, puis elle le ramena, avec différents mouvements du poignet, vers son front, sa poitrine, ses épaules ; elle se penchait pour marquer chaque point du signe de croix, et elle resta courbée, les mains jointes sur la poitrine, pour prier : *"O mon Jésus..."*

Daniel baissa la tête. Il n'arrivait pas à prier et il n'entendait pas sa grand-mère. Mais il entendit Oenone péter. Il retint sa respiration. Sa tante termina sa prière.

Oenone ouvrit la porte pour le laisser partir. Elle dit à sa mère : "Mon pauvre père aurait tellement aimé voir tous ses petits enfants. S'il pouvait revenir, seulement pour une heure..." La grand-mère dit : "Non. Je ne veux plus le revoir sur cette terre. Il a travaillé trop dur. Nous avons trop travaillé pour vouloir revenir après notre mort."

La matinée s'était assombrie. Sa mère, en blouse et tablier, lavait le réchaud à gaz. Les brûleurs faisaient un bruit de ferraille. Il s'assit à la table de la cuisine, près de son frère Julien, pour prendre son petit-déjeuner avant d'aller à l'école. Son frère Edmond avait laissé la porte de sa chambre ouverte. Il la voyait de sa place. Il était parti travailler. On aurait cru que la mère faisait du vacarme parce que la neige semblait isoler la cuisine des bruits extérieurs. Daniel se versa un verre de lait. Il savait que parfois sa mère pouvait se montrer aussi dure, aussi métallique que le réchaud ; en le nettoyant, elle claquait la porte du four, tirait et repoussait la grille, enlevait et cognait les brûleurs.

Il ramassa ses livres et attendit que Julien ait enfilé ses snow-boots par-dessus ses chaussures et enfoncé le bas des jambes de son pantalon dedans. Il savait qu'il dirait au revoir à sa mère seulement de loin, parce qu'il voyait bien que s'il s'approchait d'elle en ce moment pour l'embrasser, elle lui répondrait qu'elle n'avait pas le temps. Mais Julien lui, s'avança avec ses bottes qui craquaient et elle se pencha pour qu'il puisse l'embrasser. Julien prit ses livres sur une chaise et sortit derrière Daniel.

Ils ne parlaient pas. Daniel marchait en avant et se retournait de temps en temps pour vérifier si son jeune frère suivait toujours ; parfois, il le voyait qui lui tournait le dos et qui regardait de l'autre côté. La neige recommença à tomber dans l'air gris et froid. Quand Julien restait trop en arrière, Daniel lui disait de se dépêcher, mais rien d'autre. Ils passèrent devant un terrain vide au centre duquel se dressait un rocher en saillie dont les arêtes déchiquetées et sombres se découpaient sur la neige molle. Devant, à l'abri du vent, on pouvait voir un grand espace avec de l'herbe sèche et jaune. Daniel continua sa route mais il sentit que son frère n'était plus derrière lui. Il se retourna et vit Julien, debout sur le carré d'herbe, devant le rocher. Daniel le regarda s'avancer, prendre de la neige dans ses mains protégées par des mitaines, en faire une boule et la jeter sur le rocher. Puis, en silence comme toujours, il rejoignit Daniel.

Ils se séparèrent dans la cour de l'école paroissiale. Quand il se retrouva seul, Daniel cassa quelques glaçons qui pendaient à l'appui d'une fenêtre basse. Mère supérieure ouvrit la double porte noire de l'entrée de l'école et elle secoua une lourde cloche qu'elle tenait à deux mains, si bien que ses bras blancs sortirent de ses larges manches noires et, sous la doublure également noire qui ressemblait à de longs gants coupés aux poignets, Daniel aperçut l'intérieur blanc de ses avant-bras. Les élèves se mirent en rang dans la cour. Daniel rejoignit sa classe, des garçons et des filles qui se rangeaient sur deux files, par ordre de taille, et comme il s'agissait de la classe de fin d'études, ils partirent en premier, dans le plus grand silence.

Pendant la première heure de classe, il fut incapable d'écouter Mère Saint Joseph de Nazareth qui enseignait le catéchisme pour commencer la demi-journée. C'était en français. Il avait ouvert son livre sur son pupitre mais il regardait par la fenêtre. Il ne la voyait pas vraiment, il apercevait un avion gris environné d'une lueur blanche, froide mais douce.

21

Il sursauta quand, dans cette blancheur, un oiseau se posa sur le rebord en bondissant jusqu'à ce que son bec pointu soit dirigé vers lui. Il entendit la voix aiguë de Mère Saint Joseph de Nazareth dire en français : "Cet oiseau est le démon, ne le regardez pas." Daniel se retourna si vite qu'il eut l'impression que le visage dur et gris du professeur, encadré par le voile blanc et plissé, apparaissait derrière la fenêtre qu'il n'avait pas quittée des yeux. Il écouta Mère Saint Joseph de Nazareth.

Parce que le Christ était Dieu, il Lui avait fallu souffrir plus que tout autre être humain n'avait jamais souffert, il Lui avait fallu souffrir comme seul Dieu pouvait souffrir. Les faux dieux de toutes les autres religions, disait la sœur, ne souffraient pas, et beaucoup de non catholiques trouvaient le catholicisme étrange parce que son dieu souffrait... Et Daniel pensait que c'était effectivement étrange que son Sauveur ait souffert autant que Mère Saint Joseph de Nazareth le faisait souffrir. Sa souffrance dépassait toute souffrance, c'était pire que de se brûler ou de se couper, c'était pire encore que toutes les souffrances des missionnaires que les Indiens torturaient parce qu'ils étaient catholiques, en les suspendant à des crochets enfoncés dans leurs muscles, en leur posant sur le corps des tomahawks chauffés à blanc avant de les leur pendre autour du cou, en leur faisant des incisions profondes sur tout le corps qu'ils ouvraient pour les remplir de tourbe et y mettre le feu — tout cela n'était rien à côté des souffrances du Christ. Le Christ avait voulu, avait dû souffrir et Il souffrait pour nous, pour nous à chaque messe, jour après jour, pour l'éternité, dans toutes les parties du monde, et comme il n'y avait pas un seul instant où on ne disait pas une messe quelque part dans le monde, il n'y avait pas un seul instant où Il ne souffrait pas : le sang brûlant mêlé à la sueur, la couronne avec les plus grandes épines qu'on puisse imaginer, qui s'enfonçaient dans Ses yeux et dans Son cerveau, le port de la croix dont l'arête tranchante sciait les muscles de Ses épaules, les longs clous rouillés pour L'attacher à la croix, les premières tentatives qui avaient échoué parce qu'à cause du poids de Son corps les clous avaient déchiré la chair entre les os de Ses mains et Il était tombé en avant, et ils avaient dû enfoncer les clous dans les poignets. Et Mère Saint Joseph de Nazareth disait en élevant la voix que Sa plus grande souffrance, une souffrance que ne représentait aucun crucifix, c'est qu'Il était resté cloué à la croix pendant trois heures, sans même un linge pour le couvrir, mais *nu*, souffrant de Sa honte ardente. Et tandis qu'Il était là, le démon vint Le voir avec une dernière tentation grotesque : ne plus souffrir, renoncer à Sa souffrance, échapper à Sa souffrance par un simple acte d'inattention, ne plus jamais souffrir.

La vapeur du radiateur siffla. Daniel jeta un regard vers la fenêtre. Il y avait quatre moineaux sur le rebord.

Pendant que les garçons déjeunaient à la maison, la mère silencieuse nettoyait les placards de l'office. Alors qu'ils mettaient leurs manteaux pour repartir à l'école, elle donna à Daniel un sac de papier marron, le repas de son père. Daniel tint le sac loin de lui en regardant fixement sa mère. "Qu'est-ce qu'il y a ?" demanda-t-elle. Il ne put pas lui dire qu'il ne voulait pas porter le repas de son père. "Rien", répondit-il.

Ils s'arrêtèrent à la hauteur du pont de fer où des hommes piétinaient toujours la neige transformée en boue grise et, de temps en temps, d'un coup de pied, ils en jetaient un paquet dans l'eau noire. Daniel poussa l'épaule de son frère, mais Julien ne voulait pas traverser le pont. Daniel s'élança tout seul, sur le pont, dans la cour et il entra dans l'usine.

Il y règnait presque un silence d'église à part un vrombissement aigu au loin et un *tac tac tac* régulier, le bruit de deux ou trois machines. Il trouva son père près d'une fenêtre haute et large surmontée d'une imposte en demi-cercle, légèrement ouverte. Les nombreuses vitres semblaient recouvertes d'une peinture jaune à demi transparente et l'on voyait les traces des poils du pinceau. Une lumière d'un jaune blafard tombait sur son père en salopette et, dans l'immense atelier désert et immobile — à part la machine de son père et celle de deux ouvriers qui travaillaient de l'autre côté — on l'aurait cru dans la pauvre lumière gris jaune d'une sorte d'église, avec des poutres et des solives métalliques apparentes, dans une odeur de poussière et de graisse. Son père coupa le moteur de sa machine et le sol de l'atelier vibra un peu moins.

Daniel tendit le sac de papier marron à son père et le regarda en sortir un sandwich. Il le développa, mordit trois bouchées, mâcha consciencieusement puis avala. Il demanda : "Comment va ta mère ?" Cette façon qu'avaient le père et la mère de dire à leurs fils "ton père" et "ta mère" établissait une certaine distance entre celui qui posait la question et l'autre, comme si "ta mère" n'était pas nécessairement "ma femme", ou "ton père" "mon mari" — c'était peut-être la seule formule qui leur venait à l'esprit, incapables pour une raison quelconque d'accepter la familiarité de "ta maman", "ton papa", ou même "maman" et "papa".

"Elle n'a rien dit," répondit Daniel. "Rien ?" demanda le père. "Elle a dit qu'elle ne savait pas ce qu'on mangerait pour souper." "Je vois." Daniel attendit. Son père mangea le sandwich. Il ajouta : "Tu lui diras que tout va bien se passer." Daniel leva la tête et la baissa à nouveau. "Où est-ce qu'est Julien ?" demanda encore le père. "Il n'a pas voulu entrer," dit Daniel. "Pourquoi ?" Daniel haussa les épaules. Le père eut un petit sourire.

La lumière qui tombait des fenêtres éclairait les longues rangées de machines silencieuses et le plancher nu qui les séparait. Daniel s'attarda un peu en se promenant entre les machines. Son père mangeait sans bruit, les autres hommes s'étaient arrêtés eux aussi pour manger. Dans le silence, Daniel était plus attentif et, dans la pâle lumière jaune, il voyait des détails qu'il n'avait pas remarqués auparavant : les chassis qui soutenaient les machines étaient décorés de volutes de fer, sur une des poutres du plafond, on voyait le dessin en relief de feuilles de vigne et de fleurs, presque effacé sous les nombreuses couches de peinture, et, au sommet d'un pilier, un chapiteau d'énormes pétales. Dans cet atelier qu'il connaissait mal, son père appuyé contre le banc était tourné vers la grande fenêtre aux vitres jaunes comme s'il avait pu voir à l'extérieur.

Il avait une mâchoire anguleuse, un nez droit, des yeux

noirs et un corps maigre et fort ; en lui, à peine visible sous son apparence extérieure, il cachait un guerrier indien inflexible, toujours tendu mais calme.

Daniel se souvint du scapulaire. Il le sortit de la poche de son manteau et alla le porter à son père : "Mémère m'a dit de te donner ça."

Son père regarda le scapulaire et le glissa dans la poche de sa chemise sous sa salopette.

Après quelques instants, Daniel demanda : "Pourquoi est-ce que Mémère garde des bouteilles d'eau dans sa chambre ?

— C'est de l'eau qu'elle recueille le jour où on la bénit.

— Qui est-ce qui bénit l'eau ?

— Dieu."

Après l'école, Daniel lisait dans la cuisine et attendait qu'on ouvre et qu'on referme la porte extérieure, qu'on ouvre et qu'on referme la porte d'entrée et qu'on tourne lentement la poignée de la porte de la cuisine.

Dans l'office, sa mère s'arrêta d'éplucher des pommes de terre, elle enleva son tablier et alla dans la salle de bains pour se laver le visage, se coiffer et se mettre de la poudre et du rouge à lèvres. Daniel la voyait debout devant le lavabo, en train de se regarder dans la glace. Elle revint dans la cuisine. Elle s'assit à la table et Daniel continua à lire dans le rocking-chair. Il ferma son livre en marquant la page avec le doigt, pour laisser à sa mère l'occasion de lui parler si elle le souhaitait, mais, quand il avait levé les yeux de son livre et qu'il avait cru qu'elle le regardait, elle devait penser à autre chose. Finalement, c'est lui qui parla : "Il a dit que tout se passerait bien." Le rouge à lèvres et la poudre lui donnaient meilleur visage. Elle le regarda pour la première fois, presque surprise de le voir là. Sa bouche, ses yeux, son visage s'éclairèrent d'un sourire. Elle dit : "Tu n'as pas oublié mon intention particulière ?"

Julien entra dans la cuisine. Il dit : "Voilà mon père.

—Comment le sais-tu ?" demanda la mère.

Il dit : "Je l'ai vu par la fenêtre qui descendait la rue."

Le père prenait sa voiture pour aller à l'église le dimanche, pour rendre visite à sa mère ou à des parents mais pas pour aller au travail.

La mère se leva. Elle dit à Julien : *"Ouvre la porte pour ton père."*

Julien ouvrit la porte de la cuisine, puis la porte intérieure et il laissa la porte extérieure fermée jusqu'à ce que, par la petite fenêtre recouverte de givre, il puisse voir la casquette de son père. Daniel se tenait à côté de sa mère près de la porte de la cuisine. Il vit son père entrer, il le vit enlever lentement ses bottes de caoutchouc, monter les quelques marches qui menaient à la cuisine et embrasser sa femme (elle eut un mouvement brusque vers lui) puis lui tendre sa salopette roulée en boule, enlever soigneusement son épais manteau et le pendre dans le placard derrière le rocking-chair — ces gestes, à cause de leur régularité quotidienne, devenaient plus importants que tout ce qui aurait pu se passer. Il s'assit dans le fauteuil, délaça ses souliers, les enleva, enfila ses pantoufles et dit : "la grève est terminée. Ils ont obtenu ce qu'ils voulaient, ceux du syndicat, mais ça ne me concerne pas. On m'a nommé contremaître."

Quand Edmond, qui était imprimeur et le seul des cinq fils les plus âgés qui vécût encore à la maison, revint du travail, son père ne lui dit rien.

Pendant le souper, la mère dit à Edmond en fronçant les sourcils : "Ton père a été nommé contremaître." Edmond écarquilla les yeux, regarda son père et dit : "Ça alors !" Son père mangeait sa soupe. Edmond répéta : "Ça alors !" et il prit sa cuiller à la manière d'un enfant, le poing serré autour du manche et il dit, en regardant sa mère : "Qu'est-ce qu'il en pense ?"

Le père dit : "Je me souviens de mon premier travail. J'avais sept ou huit ans. J'ai passé toute la journée à nettoyer des vieilles briques, je tapais dessus pour enlever le ciment, et je les empilais pour faire un tas impeccable. A la fin de la journée, le vieux pour qui je travaillais m'a dit : "Qu'est-ce que tu préfères, dix cents ou un régime de bananes ? Je lui ai répondu : "Ni l'un ni l'autre", et avec l'épaule j'ai poussé de tout mon poids contre le tas de briques jusqu'à ce qu'il s'effondre et je suis parti."

Edmond se leva avant que les autres aient fini.

Sa mère lui dit : "Il y a une lettre pour toi".

Edmond s'arrêta, le visage impassible. "Une lettre ?

— Je l'ai posée sur le frigo."

Edmond ne bougea pas, comme s'il avait craint de ne rien trouver en allant chercher la lettre. Puis il s'avança lentement, la prit et la tint devant lui. Il ouvrait de grands yeux et on aurait cru qu'il ne regardait pas l'enveloppe mais à travers elle. Il dit : "C'est mon copain Bobby". Il s'en alla avec la lettre dans la salle de séjour.

Le père, la mère et les garçons quittaient la table quand Edmond revint dans la cuisine. La lettre dépassait de la poche de sa vieille chemise militaire kaki. Il dit d'une voix brusque : "Il m'écrit encore que je devrais descendre au Kentucky. Il dit que je devrais y aller avec ma voiture".

Sa mère répondit : "Oui", mais son père ne dit rien.

Edmond monta dans sa chambre pour changer sa chemise militaire contre une autre en laine à carreaux rouges et blancs. Dans la cuisine, il mit son manteau et sortit.

Le père alla lire son journal dans la salle de bains. La mère lavait la vaisselle dans l'évier de l'office. Daniel l'essuyait. Au-dessus du rebord arrondi de l'évier, il y avait une fenêtre par laquelle on voyait l'arrière de la maison voisine, aux érables dénudés, et une rue qui descendait la colline appelée Violet Hill, vers laquelle le soleil blanc déclinait dans le ciel gris. Pour faire de la mousse, la mère agitait l'eau de la bassine à vaisselle, une bassine ronde en métal dont l'émail tacheté gris et noir était très écaillé. D'une certaine façon, elle représentait le centre de la vie familiale ; le père et la mère l'avaient achetée quand ils meublaient leur nouvelle maison, la mère disait qu'elle était plus vieille que n'importe lequel des sept garçons, et c'était toujours avec une tristesse indéfinie mais très vive que Daniel voyait sa mère la sortir de sous l'évier, l'y déposer, la remplir d'eau chaude, faire mousser le savon et y plonger les verres et les mains comme en cet instant précis. Elle rinçait les verres et les reposait sur l'égouttoir comme si Daniel n'avait pas été là. Au dehors, Violet Hill semblait bleu gris et, au-dessus, le soleil pâle s'enfonçait dans les nuages gris sombre. Devant la fenêtre, de l'autre côté de la petite cour, il y avait une vieille barrière grise en bois. A l'angle du trottoir se dressait un pilier en briques surmonté d'une boule de pierre blanche, elle-même recouverte d'une demi-sphère de neige.

La cour était plongée dans l'obscurité et on ne distinguait la barrière, la voiture et les boîtes à ordures que dans la pâle lueur grise de la neige. Daniel dit à sa mère : "Regarde !" Elle leva les yeux de la bassine ; si elle vit ce que Daniel avait voulu lui montrer, elle ne manifesta rien, mais il avait attiré son attention, et comme si cela la décidait brusquement, elle dit, en restant immobile quelques instants : "Enfin, il sait ce qu'il fait." Elle rejeta les épaules en arrière, se mordit la lèvre infé-rieure puis regarda Daniel et lui demanda, avec une voix volontairement attentive et claire : "Regarde quoi ?"

Il avait voulu lui demander de regarder le soleil, mais maintenant que ses yeux le fixaient, il ne pouvait plus. Il dit : "Non, rien". Il posa le torchon. "Il faut que j'aille à la salle de bains.

— Ton père y est, répondit-elle.

— Il faut que j'y aille.

— Il va encore te dire que ça te prend toujours quand il s'y trouve."

Il alla jusqu'à la porte de la salle de bains et frappa. "Papa, dit-il. J'ai besoin d'aller aux toilettes.

— Oui," répondit son père.

Daniel sautait d'un pied sur l'autre. "Il faut que j'y aille vraiment, tout de suite."

Il entendit une fenêtre qui s'ouvrait, puis la chasse d'eau, puis le couvercle du siège qui retombait. "Papa". Il entendit la fenêtre qui se refermait. Le père enleva le verrou, ouvrit la porte et sortit dans un nuage de fumée. Il serrait les lèvres ; il jeta un regard sévère à Daniel. La mère arriva en s'essuyant les mains au torchon.

Daniel dit "Je ne vois rien à cause de la fumée. Je ne vais même pas trouver les cabinets". La mère dit au père : "Si tu as envie de fumer, Jim, fume où tu veux ; c'est autant ta maison que la mienne. Tu n'as pas besoin de te cacher dans la salle de bains". Le père dit : "Mais je ne fumais pas !

— Regarde la fumée !" dit la mère.

Le père alla s'asseoir dans son rocking-chair pour finir son journal.

Il faisait sombre dans la maison. Ils écoutaient la radio dans la salle de séjour. Entre les programmes, la radio ronflait et dans les ronflements on entendait des voix lointaines qui parlaient des langues étrangères.

Le samedi matin, seul au lit, Daniel contemplait les roses bleues du papier de sa chambre. Son corps était celui d'une autre personne qu'il tenait serré et immobile contre lui, tandis que lui-même restait allongé sans bouger en respirant à peine, les yeux grands ouverts. Puis brusquement, il bondit hors du lit, dans le froid.

La mère faisait le lit dans la chambre d'Edmond. Daniel la regarda tirer les draps très froissés de la couche étroite où Edmond avait dormi. Il y avait trois autres lits pliants dans la salle de séjour.

Il demanda : "Où est papa ?

— Au sous-sol. Il range son établi."

Daniel descendit le rejoindre. Dans un coin du sous-sol, son père avait un grand établi très lourd et quatre tiroirs pour les outils. L'un d'eux était rempli de limes. Il en avait de toutes les sortes, depuis les limes fines et longues jusqu'aux rapes épaisses au gros manche de bois. Julien travaillait avec son père devant l'établi. Les quatre tiroirs étaient ouverts, et dans celui du haut s'entassaient des outils graisseux, des tours, des étaux, de petits moteurs en pièces détachées, de gros engrenages, des poulies, des arbres de transmission — des pièces de machines que le père avait réunies au long des années en pensant peut-être qu'un jour il en aurait assez pour monter un petit atelier dans le sous-sol, sans doute pour fabriquer un outil — et tandis que Daniel restait assis sur une caisse et regardait, Julien prenait les outils posés sur l'établi et les passait à son père qui les rangeait sur des plateaux coulissants.

Daniel se releva, regarda la caisse à outils sur laquelle il était resté assis, une vieille caisse bosselée, avec des éclaboussures de peinture qui avait appartenu au père de son père, un charpentier, et il souleva le lourd couvercle. Une odeur de graisse s'en dégagea. Il fouilla parmi les vieux rabots, les chignoles et les tampons pour imiter le grain du bois, et il avait l'air de chercher quelque chose. Il trouva des fils à plomb, des cordons enroulés et de la craie bleue, des mètres pliants et des niveaux à bulle d'air.

Son père lui dit : "J'essaie de mettre un peu d'ordre ici, tsi gars, et tu mets du désordre là".

Daniel referma la caisse. Il regarda son père assembler les éléments en bois d'une maquette de machine, une rectifieuse de précision. Il quitta son père et son frère et se dirigea vers une autre partie du sous-sol où, dans un coin, on avait entassé des chaises à haut dossier sur une table en chêne, un buffet massif, un placard vitré, un poêle et une vieille glacière, les meubles de la mère de sa mère.

Daniel se souvenait de sa grand-mère dans sa chambre et celle de Julien ; la nuit, elle gémissait et elle demandait souvent le bassin. Une fois, Daniel avait hurlé : "Vieille sorcière !"

Il remonta dans la maison et partit à la recherche de sa mère. Il la trouva dans la chambre des parents en train de faire le lit. Il dit : "Je vais t'aider," et il se mit en face d'elle, coincé entre le lit et un coffre en cèdre. Elle étala un drap. Il l'attrapa et ils le tendirent.

Elle dit : "A chaque fois que je mettais un enfant au monde, le docteur Lalande se tenait au pied du lit, ton père à la tête, et moi je serrais la main de ton père. Je disais "je n'y arriverai pas, je ne peux pas". Il me promettait toujours que ça se passerait bien. Des garçons l'un après l'autre. Le docteur disait une nouvelle fois : "C'est un garçon". Je lui demandais : "Il est

31

normal, docteur ? Il a tous ses doigts et tous ses orteils ?" Le docteur répondait : "Vous n'avez pas à vous inquiéter tous les deux, vos enfants sont parfaits". Je serrais la main de ton père."

Daniel eut un petit frisson tandis que sa main défroissait le drap.

"Des garçons, l'un après l'autre répéta-t-elle. Vous sept, tous parfaits."

Il alla dans sa chambre. Le lit était fait, il se jeta en travers. Une sorte de liquide chaud semblait monter et descendre, monter et descendre en lui. Il posa les mains sur sa poitrine comme pour en sentir le flux et le reflux.

Il retourna dans la cuisine où sa mère établissait la liste des courses du samedi matin sur un coin de la table. Elle y avait posé un coude et elle appuyait le front dans sa main ; l'autre main tenait un bout de crayon au-dessus d'un morceau de papier. Elle avait l'air d'essayer d'équilibrer une équation impossible. Elle demanda à Daniel : "Dis-moi ce qu'il faut acheter.

— Un gros jambon," répondit-il.

Elle fit une grimace. "J'en ai assez du jambon.

— Des côtes de porc," dit-il.

Elle dit : "Cuites comment ?

— Sur le grill.

— Le grill va être gras et sale."

Elle laissa tomber son crayon sur le morceau de papier. "Non je ne trouve rien. La même chose, toujours et encore. On ne change jamais. Ton père n'aime pas qu'on essaie quelque chose de différent. Je n'en peux plus de tout ça, pas toi ?"

Daniel n'eut pas le temps de répondre. Son père, suivi de Julien, entra dans la cuisine et s'arrêta près de la porte. Daniel resta dans le rocking-chair de son père, en se balançant, les yeux rivés au sol. Il sentait que son père le regardait et il se disait qu'il ne se lèverait pas pour lui donner le fauteuil. Sa mère dit : "Donne le rocking-chair à ton père". Daniel se leva. Son père prit sa place. Daniel alla s'asseoir devant la table, à côté de Julien, en face de la mère.

Elle dit : "Parfois je pense que je ne verrais pas d'inconvénient à quitter cette maison. Nous habitons ici depuis plus de vingt-cinq ans, bientôt trente. Parfois, je ne verrais pas d'inconvénient à changer. Je sais, nous avons travaillé dur. C'est votre père qui l'a construite. Et je sais qu'elle est bien faite et qu'on ne peut plus avoir une maison aussi solide aujourd'hui, mais je me demande si nous allons rester ici jusqu'à notre mort..." Elle s'adressa à son mari : "Qu'est-ce que tu en penses, Jim ? Nous allons rester ici ?"

Il répondit : "Moi, je vais y rester".

La mère dit à Daniel : "Tu vois, il ne veut pas partir".

Le père l'interrompit : "Maintenant, ça suffit, *ma p'tite fille*".

Elle continua : "Mais moi aussi, j'habite ici, je n'ai rien à dire sur la maison, je n'ai pas à dire si on doit rester ou déménager. J'imagine qu'on doit se considérer heureux d'avoir au moins une maison, il y en a tellement qui n'en ont pas..."

Le père arrêta de se balancer et dit : "Ça va comme ça, maintenant."

Elle le regarda pendant un bon moment. Daniel attendait. Puis brusquement elle se leva, s'avança rapidement jusqu'au rocking-chair, mit ses bras autour de la tête du père, se pencha vers lui et l'embrassa sur le front.

Puis elle se redressa et le père se balança. La mère retourna près de la table, ramassa son crayon et écrivit la liste des courses.

Edmond entra, le visage rougi par le froid et dit : "Je suis allé en ville. J'ai acheté plein de disques de chansons du sud." Daniel et Julien l'accompagnèrent dans la salle de séjour où il mit les disques sur l'énorme combiné radio-phono. La musique répétitive et nasillarde semblait à Daniel ainsi qu'à Edmond celle d'un pays lointain. Edmond dit : "Je descends au Kentucky, vraiment ; là-bas, je vais rejoindre mon vieux copain de régiment, Bobby".

Pour pouvoir sortir la Dodge de la cour, le père, Edmond et les deux garçons enlevèrent la neige entassée à la pelle. Quand ils l'eurent fait rouler jusque dans la rue, ils fixèrent des chaînes aux roues arrière. La mère les regardait par la fenêtre de la cuisine couverte de givre. La gelée, très blanche sur les bords de la vitre, diminuait vers le centre et donnait l'impression que sa tête n'appartenait pas à un corps mais flottait dans l'obscurité de la pièce.

Dans l'après-midi, le père et les deux garçons allèrent en voiture jusqu'à l'atelier du fils aîné, Richard; un étage d'une usine de textile abandonnée, sur la même rivière que l'usine de limes, mais au beau milieu d'un bas-quartier de taudis à moitié effondrés. Le sol de l'atelier était recouvert de planches épaisses et gauchies, sans peinture, pleines d'échardes, certaines n'étaient plus fixées, et elles étaient séparées par des fentes et percées de trous, si bien que Daniel pouvait voir en-dessous une couche de poussière, des morceaux de brique, de vieux journaux froissés et jaunis et des sacs de papier marron, des vis et des clous rouillés, des crottes de rat et sans aucun doute des quantités de vieux paquets de fil emmêlé et pourri, des bouts de tissu, des morceaux de métiers à tisser et des navettes. Dans un coin, il y avait une masse grise, du coton brut mangé aux mites.

Richard tournait le dos à la porte d'entrée. Il travaillait. Le père et Julien allèrent le voir. Daniel resta en arrière pour regarder par une fenêtre — sale, avec des vitres cassées et réparées avec du papier collant — la rivière où les chassis rouillés de deux voitures, l'un derrière l'autre, semblaient conduits par des fantômes qui, en regardant l'eau filer rapidement à côté d'eux, s'imaginaient qu'ils continuaient à se déplacer même dans la mort. Il faisait froid dans l'atelier. Daniel alla rejoindre Richard, son père et Julien. Richard, le seul autre garçon à avoir comme lui les yeux bleus et les cheveux châtain clair de leur mère, prit son jeune frère par la nuque, le fit trébucher vers lui et lui serra le visage contre son épaule. "Comment ça va ?" demanda-t-il. Il relâcha Daniel qui dit, après avoir retrouvé l'équilibre : "Très bien."

Le père dit : "Il ne faut pas qu'on t'empêche de travailler". Richard se remit immédiatement à l'ouvrage. Avec une grande perceuse électrique, il faisait de minuscules trous dans de petits cubes d'acier. Après quelques instants, le père dit : "Tu ne veux pas que je te remplace ?" Richard s'éloigna. Le père perçait les trous comme s'il ne faisait pas attention, et sa facilité démontrait son savoir-faire. De petits serpentins d'acier s'élevaient de chaque cube quand la mèche s'y enfonçait. (En les contemplant, Daniel s'étonna : pourquoi s'intéressait-il toujours au secondaire —pourquoi ne s'intéressait-il pas autant aux cubes d'acier qu'aux serpentins qui en sortaient ?)

Tandis que son père travaillait, Richard lui demanda : "Il ne s'est rien passé à l'usine de limes ?"

Le père fit un signe du pouce par-dessus son épaule comme pour montrer quelqu'un derrière lui et il parla du coin de la bouche : "J'ai été nommé contremaître."

Richard se contenta de le regarder ; le père tenait le levier pour faire descendre la mèche qui tournait avec un sifflement aigu au-dessus du cube d'acier, mais il ne l'abaissait pas. Richard dit d'une voix triste : "Allez, arrête la perceuse et viens t'asseoir dans mon bureau." Le père ne bougea pas. Richard tendit la main et coupa l'électricité. Mais au lieu de partir vers son bureau, il resta devant son père avec le même air triste et, finalement, il leva les mains, les posa sur les épaules de son père et dit : "Je suis content pour toi, vraiment", puis il se retourna et s'éloigna.

Le père donna une tape sur l'épaule de ses plus jeunes fils pour leur dire de venir aussi et il suivit Richard dans ce qui était son bureau, sans rien d'autre pour le définir que la vieille table de chêne qu'on avait dû laisser dans les rebuts de la filature. Richard s'assit à son bureau, son père s'installa en face de lui, les garçons restèrent debout près de leur père. Richard posa les bras sur des papiers et des prospectus et dit : "Maintenant, raconte moi".

Le père voûta les épaules et tendit le menton. Il dit : "Ton père a fait ce qu'il a jugé le mieux". Richard baissa légèrement la tête. Le père dit : "Il est peut-être entêté, mais son travail c'est tout pour lui". Richard le regardait fixement. Le père dit d'une voix neutre : "Il a tenu tête au syndicat. Tout seul". Richard dit : "Je vois".

Le père n'ajouta rien. Il tendit la main et prit un papier sur le bureau. C'était un prospectus publicitaire sur la rectifieuse de précision, l'invention de Richard ; une photo montrait la machine sur un fond noir, avec au-dessous, en lettres roses, ETABLISSEMENTS FRANCŒUR ET CIE, SA, Providence, Rhode Island, et au-dessus, également en rose, l'emblème de la société, une roue de rectifieuse avec des ailes. Le père demanda : "Comment est-ce qu'elles se vendent ?"

Richard demanda : "Les rectifieuses ?" Le père resta silencieux. "Ce n'est pas le moment d'en parler, ajouta Richard, pas après ce que tu m'as appris. Mais tu ne m'as rien raconté."

Le père dit : "Alors, elles ne se vendent pas.

— Si elles se vendent", répondit Richard.

Le père regarda autour de lui comme s'il s'était trouvé dans un atelier rempli de machines produisant des pièces qui seraient assemblées pour donner des milliers de plateaux de rectifieuses de précision, afin de répondre aux commandes que le courrier apportait chaque jour sur le bureau de son fils. "Tu auras ton atelier," dit-il.

Richard gratta l'eczéma de ses mains qui avait commencé des années plus tôt, à l'armée. Il dit : "Avant, je ne m'étais jamais rendu compte que nous étions pauvres".

Le père ne dit rien.

Richard continua : "Je n'avais pas non plus remarqué quelque chose de drôle : parce que je suis pauvre je ne peux pas faire le métier que je veux. Tu sais, papa, l'argent ne m'intéresse pas vraiment ; ce qui m'intéresse, c'est de faire mon travail, de fabriquer ces rectifieuses. Ce sont de bonnes machines, je le sais. Ce ne sont pas les commandes qui manquent, ce sont les matières premières. J'ai travaillé sept jours par semaine et quinze heures par jour. Je ne peux pas fournir. Ce qui me manque, c'est l'argent, assez d'argent. C'est idiot, je le sais, mais jusqu'à ces derniers jours je n'avais jamais pensé en même temps au travail, à mon travail, mon travail personnel, et à l'argent. Je croyais que je pouvais travailler suffisamment pour gagner l'argent dont j'avais besoin pour travailler...

— Tu ne peux pas embaucher quelqu'un ?

— Je n'en ai pas les moyens. Même si on me payait immédiatement les livraisons que nous avons faites, je n'aurais pas les moyens de continuer à travailler, sans parler d'engager quelqu'un ou d'emmener ma femme au restaurant. Je ne suis sans doute pas un homme d'affaires, comme tous les membres de la famille, mais je ne veux pas en être un, je veux faire mon travail, pas celui de quelqu'un d'autre. Ça reste toujours très simple pour moi.

— Ben oui, dit son père bêtement.

— Sur mon bureau, j'ai quinze commandes, mais je suis en faillite."

Le père resta silencieux pendant quelques instants, puis il demanda : "Qu'est-ce que tu vas faire ?

— Je ne suis qu'une petite entreprise ; je vais me laisser acheter par une société plus importante. Ils vont prendre la suite et je travaillerai pour eux. Je serai dessinateur. Cela signifiera que ma famille devra quitter Providence."

Le père se leva. Richard l'imita, fit le tour de la table pour venir à côté de son père et dit : "Je te rembourserai tout ce que tu as mis dans l'affaire, papa. Je te rembourserai tout avec les intérêts".

Le père dirigea ses yeux noirs vers Richard et le regarda pendant un long moment avant de commencer à boutonner son lourd manteau. "Tu ne peux pas me rembourser," dit-il.

Richard se détourna puis revint rapidement vers son père. Il tendit la main et dit : "Tu vaux mieux que moi. Tu aurais pu faire marcher l'affaire". La main sur le dernier bouton de son manteau, le père, immobile pendant une seconde, fixa Richard, puis il tendit la main, serra la main de son fils avec raideur et la relâcha aussitôt.

Richard détourna le regard. Il frotta le dos rougi de ses mains.

Son père dit : "Ton eczéma, encore.

— Parfois, je souhaite être dispensé de mon travail comme je l'ai été de l'armée, grâce à lui."

Le père fit un pas vers la porte.

Richard dit : "Tu te souviens, juste après mon mariage avec Chuckie, on habitait à la maison avec toi et maman, je travaillais à l'usine et je suivais les cours de dessin industriel tous les soirs pour apprendre à dessiner les vérificateurs que j'avais dans la tête ? Je rentrais à la maison avec mes dessins et je te les montrais. Tu disais "oui, oui"."

Dans la voiture, Daniel pensa aux deux carcasses qu'il avait vues dans la rivière et, en regardant filer les bas-côtés recouverts de neige, il imagina que, dans la voiture silencieuse, son père, son frère et lui étaient en réalité immobiles et que les bas-côtés se déplaçaient.

Sa mère écrivait des lettres sur la table de la cuisine.

Son père dit : "J'aurais dû le savoir.

— Quoi ? demanda-t-elle.

— Il va fermer l'atelier," répondit-il. Elle leva les mains, un porte-plume dans l'une d'elles, sans rien dire. Il disparut dans sa chambre.

La mère posa les bras sur le papier à lettres. Elle dit à Daniel : "Ton père n'a jamais pensé que Richard travaillait sérieusement.

— Pourquoi ?

— Je ne sais pas. Mais je me souviens que quelques jours avant que Richard parte à l'armée, un soir, il est rentré saoul. Il avait dix-neuf ans. Il nous avait acheté des cadeaux. Il riait en nous les montrant. Ton père ne riait pas. Moi non plus. Richard a toujours pensé qu'il n'était pas sérieux, pas aussi sérieux que son père. Il avait quitté le collège à seize ans. Ton père n'avait rien trouvé à redire mais il n'admettait pas qu'il boive. Il voulait le mettre à la porte. Je lui ai dit : "Non, laisse-moi m'en occuper". J'ai envoyé ton père au lit. J'ai donné une tasse de café à Richard et je l'ai envoyé au lit à son tour. Il a réveillé ses frères qui dormaient depuis longtemps. Le lende-main matin, c'était un samedi, j'ai emmené Richard dans la salle de séjour pour être seule avec lui et je lui ai dit : "Hier soir, toi et tes copains, vous êtes allés à Boston, au strip-tease du Old Howard" Richard a répondu : "Non, je te jure". Je lui ai dit : "J'en suis sûre". "Comment ?" m'a-t-il demandé. Je lui ai répondu : "Je le sens". Je n'ai pas pu m'empêcher de sourire. Il a souri aussi. Il a dit : "Tu es un peu sorcière". Je lui ai dit, d'un ton sévère j'espère, pourtant je voyais que Richard grimaçait en entendant ma voix, parce que si j'essayais d'être sérieuse, il savait que je ne pouvais jamais l'être vraiment, car il n'ignorait pas que je voulais lui poser des questions sur le Old Howard, je lui ai dit : "Ecoute, ton père et moi, nous ne supporterons plus cela. Si tu recommences, je ferai ce qu'il voulait faire hier soir. Je te jetterai dehors. Et tant pis pour toi si tu dois dormir dans la rue. Nous ne tolérerons pas que l'un de vous salisse notre nom". Elle fixa Daniel pendant un moment. "Et souviens t'en, toi aussi." Elle baissa les yeux. "De toute façon, il a eu la gueule de bois tout l'après-midi et il n'est pas sorti, ce qui ne lui arrivait pas souvent, je peux te le dire. Puis mon frère Louis est passé nous voir. Il savait qu'il pouvait venir tant qu'il n'était pas saoul, mais quand il était là, il allait souvent à la salle de bains et à chaque fois qu'il en sortait, l'alcool à quatre-vingt dix avait baissé dans la bouteille. Cet après-midi-là, il avait bu, et il mangeait un peu ses mots. A chaque fois qu'il sortait de la salle de bains, il était un peu plus saoul. Je ne savais pas quoi faire. Ton père est descendu au sous-sol. Puis Louis est parti. J'étais seule avec Richard. Je me demandais si je devais me servir de Louis pour faire la leçon à Richard, mais quelque chose m'a arrêtée, je savais peut-être que je n'arriverais pas à être sérieuse, pas comme ton père, alors je lui ai dit : "Tu sais, Louis, c'est celui de mes frères que je préfère". Ses yeux se sont emplis de larmes, les miens aussi."

Elle regarda vers la fenêtre, puis, brusquement, elle eut l'air de se rappeler quelque chose qu'elle avait oublié. Elle dit : "Je crois que je vais ranger le grenier.

— Maintenant ? demanda-t-il.

— Je veux me débarrasser de vieilles choses."

Ils mirent des pulls supplémentaires contre le froid du grenier non chauffé et, Daniel en tête, ils gravirent l'échelle, située dans le placard de la mère, entre les vêtements, jusqu'à la trappe qu'il ouvrit. Il l'aida à prendre pied dans le grenier obscur et glacial, sous le toit en pente, rempli de caisses poussiéreuses et de paquets enveloppés dans du papier journal.

Aidée de Daniel, elle empila dans l'espace dégagé près de l'ouverture de la trappe, des choses qu'elle sortait des boîtes ou des journaux qu'elle déchirait : des vêtements et des chaussures d'enfant, un cadre avec des centaines d'épingles pour fixer et maintenir tendus des rideaux de dentelle amidonnés qu'on voulait faire sécher, des photos dédicacées de vedettes du cinéma muet. Elle dit : "Je crois qu'il va falloir appeler ton père pour descendre tout ça".

Daniel alla le chercher. Il le trouva au sous-sol, assis sur une chaise cassée près de la chaudière. Il fumait. Quand il vit Daniel, il jeta sa cigarette dans le four ouvert.

"Elle nettoie le grenier", dit Daniel. Il fit une grimace.

Daniel erra au milieu des cartons tandis que ses parents travaillaient. Il ouvrait les rabats des caisses et regardait dedans. Sa mère y avait rassemblé ce qui ne servait plus et qui avait appartenu à la famille, à sa mère et à son père, à son mari et à elle-même, à ses fils quand ils étaient partis au service militaire, à l'université, et elle avait rangé les cartons dans le grenier. Elle y ajoutait tout ce que les garçons oubliaient quand ils venaient à la maison en permission ou en vacances : des chaussettes militaires, des baleines de col, des cravates, des livres.

Une odeur de poussière monta vers le visage de Daniel quand il ouvrit une caisse qui contenait des affaires de son père. Il en sortit des haltères. Il y trouva également plusieurs rasoirs à manche et des cuirs à rasoir profondément entaillés, une paire de patins en acier trempé pour patinage artistique et un manuel sur l'art d'éxécuter des cercles et des dessins immenses mais très délicats en recoupant des cercles sur la glace, un ancien bandage herniaire, une paire de chaussures pointues avec des boutons sur le côté, un vieux costume cintré à rayures, avec une veste étroite boutonnée très haut, et une brochure sur la forme physique, que Daniel ouvrit sur la photo d'un homme musclé soulevant un rocher. Il releva ses deux pull-over et coinça le livre dans la ceinture de sa salopette.

Sa mère dit : "Daniel !

—Oui, oui," répondit-il.

Il ouvrit la caisse d'Edmond. Il n'y avait pas grand-chose dedans : des illustrés, un pistolet à amorces, des images représentant le Christ jeune homme, des puzzles, des fausses dents, un stylo à encre, des chemises et des cravates militaires et, retenues par un élastique, des lettres envoyées à ses parents quand il était à l'armée. Daniel les prit.

Sa mère dit : "On va redescendre. Tu peux prendre le reste." Il ne savait pas si elle s'adressait à lui. Il alla la rejoindre avec les lettres d'Edmond. Son père remplissait un sac marron avec des paires de chaussures d'enfant. Elle demanda à Daniel. "Qu'est-ce que c'est ?

—Des vieilles lettres, dit-il.

—Jette-les ici, et elle montra du doigt un tas de lettres sur le sol.

—Qu'est-ce que c'est ? demanda Daniel à son tour.

—Des lettres que j'ai écrites à Richard et à Albert pendant la guerre. Je leur en écrivais une par jour. Ils les ont gardées et rapportées dans leurs sacs, je les ai rangées ici et maintenant je les jette.

—Pourquoi ?

—Ça n'intéresse personne.

—Peut-être...

—Non, dit-elle. Jette-les sur le tas."

Daniel laissa tomber les lettres d'Edmond sur les autres ; elles glissèrent et entraînèrent une petite avalanche d'enveloppes.

Dans la grisaille de l'après-midi, Daniel essaya de faire la sieste mais il ne parvint pas à s'endormir. Son esprit était devenu un corps qui avait conscience de lui-même, de sa peau et de ses cheveux, et il n'arrivait pas à rompre suffisamment cette sensation pour s'enfoncer dans le sommeil, loin de son corps-esprit. Il se leva.

Il trouva sa mère à nouveau en train d'écrire des lettres sur la table de la cuisine. Elle lui demanda s'il voulait lire les deux qu'elle avait déjà écrites. Tandis qu'il lisait, comme dans l'obscurité, elle en termina une troisième. Les lettres étaient adressées à ses frères partis au loin, en Corée, à Cambridge dans le Massachusetts, à Miami en Floride, et toutes étaient différentes, sauf la phrase : "Ton père me demande de t'envoyer de ses nouvelles, qui sont bonnes. Il a été nommé contremaître, à l'usine de limes. Nous sommes tous contents pour lui." La phrase lue trois fois, avec comme seule variante la place des virgules, ne rendait absolument pas compte de la situation du père ; Daniel fut frappé de voir que sa mère ne comprenait pas.

Il ne dit rien des lettres. Il voulait retrouver son père. Il demanda où il se trouvait. "Au sous-sol," dit la mère.

Une seule lumière était allumée au sous-sol et Daniel ne vit pas immédiatement ce que faisait son père. Julien se tenait près de lui, devant l'établi, et le regardait. Avec une hachette, il coupait ce qui semblait être des caisses de bois peu solides, puis il porta les morceaux dans la chaudière. Quand il ouvrit la porte pour les jeter, le feu éclaira son père et Julien d'une vive couleur rouge — puis il y eut un ronflement, et le père et Julien devinrent jaune clair. Le père regarda brûler ce qu'il venait de jeter avant de retourner vers son établi pour couper d'autres caisses.

C'est là que le père et son fils aîné Richard avaient travaillé ensemble, nuit après nuit dans la lumière jaune d'une ampoule nue, à une maquette en bois de la rectifieuse capable d'atteindre une précision du dix-millième de pouce que Richard avait conçue et qu'il voulait fabriquer. Richard avait donné la maquette de bois à son père. C'était elle qu'il cassait pour la brûler. Il avait presque fini.

Au souper, Edmond parlait anglais avec un accent de canadien français qu'il avait pris l'après-midi chez le marchand de glace près de l'église. Ni son père ni sa mère ne parlaient anglais avec un tel accent. Edmond prenait les accents très facilement. Une fois, Daniel l'avait entendu parler à la Polonaise aveugle, la femme de l'Italien qui habitait à côté, elle s'était perdue en essayant de rentrer dans sa cour et, les mains tendues dans le vide, elle était tombée sur la barrière des Francœur ; Edmond l'avait aidée à se relever en criant comme si sa cécité l'avait rendue également sourde : "Pas avoir cassé osses ?" Maintenant, il dit à ses parents : "M. Dufresne, il m'a dit, ton père s'en est bien tiré. Eux autres, ils en parlaient tous. Ils m'ont demandé, crisse, qu'est-ce qu'il va faire de tout son argent. Je leur ai dit, vous avez qu'à lui demander. Ils ont rigolé. Il n'y a pas de problème, vous savez. Ils m'ont dit, pourquoi ton père et ta mère, ils viennent jamais ici pour prendre un ice-cream soda avec nous autres ? Pourquoi est-ce que vous n'y allez pas de temps en temps ? Tabernac, vous n'allez jamais nulle part ? Je vais vous emmener, pour vous payer un ice-cream soda. Ils sont vraiment gentils, eux autres, vous savez. Crisse, ils sont tous de la paroisse." Mais ses parents ne répondaient pas. Il s'arrêta.

Daniel fut le dernier à prendre son bain. Il y resta très longtemps. Ensuite, au lieu d'aller retrouver ses parents, Edmond et Julien qui écoutaient la radio dans la salle de séjour, il alla dans sa chambre et referma la porte sans bruit. Il ouvrit le tiroir du bureau qui contenait tous ses objets personnels. Il en examina le contenu : un carré de métal poli, un tube de verre très fin, une bouteille de parfum vide, un morceau de frange et un gland de rideau, un petit crâne d'écureuil. (Comme si le simple fait de déposer des choses dans son tiroir et de le fermer créait un petit univers fictif et clos, il ne gardait des objets que sous l'effet d'une curieuse contrainte qui l'obligeait à sauver ceux qui signifiaient pour lui beaucoup plus qu'en réalité, mais quand sa collection était dans le tiroir, il éprouvait envers elle une étrange répulsion qui, parfois, le forçait à tout jeter dans la corbeille à papiers, parce qu'ainsi, pêle-mêle, elle représentait pour lui trop de choses, une abondance d'idées et de sentiments intimes, épaisse et presque écœurante.) Il sentit une légère vibration dans son ventre. Il souleva le bord du journal qui tapissait le fond de son tiroir et aperçut un coin du petit livre sur la forme physique qu'il avait trouvé dans la caisse de son frère, au grenier. Il se dit qu'il allait le regarder rapidement et le remettre en place ; il le sortit avec soin en serrant le coin entre le pouce et l'index. Il s'assit sur son lit et examina la couverture. Des flots de rubans s'entrelaçaient dans les lettres du titre *Promotion et conservation de la santé, de la force et de l'énergie mentale* par Lionel Strongfort. Il l'ouvrit. La brochure commençait par le credo de Lionel Strongfort. — "Je crois au droit divin de chaque être de posséder un corps, fort, beau et rayonnant d'énergie" — et sur l'autre page, en regard du credo, une photo de lui en slip, portant des spartiates, debout sur un tapis d'Orient. Avec le sentiment qu'il n'aurait pas dû le faire, Daniel lut, en concentrant son attention de façon à écarter le quelque chose interdit, le credo, l'avant-propos, l'introduction, le texte. La préface était de Lord Douglas, marquis de Queensberry, et le texte de Lionel Strongfort affirmait avec autorité la nécessité de développer la santé, la vigueur et la symétrie du corps. Daniel lut :

> Les parents devraient obliger leurs fils à adopter la méthode de Strongfort pour développer cette viri-lité, ce courage, cette fibre morale et cette détermina-tion qui les conduiront toujours plus loin, toujours plus haut et qui protègent l'existence même des influences dégradantes. La prise de conscience des effets des habitudes pernicieuses (Daniel ne connais-sait pas la signification de ce mot) et de leurs consé-quences sur notre descendance a fait de l'eugénisme (il ne connaissait pas celui-ci non plus) une des disci-plines fondamentales de notre époque et on peut affirmer sans se tromper que le temps n'est pas loin où le mariage actuel sera considéré comme un crime. Une étude rapide des statistiques concernant les idiots, les dégénérés, les enfants atteints de malfor-mations, montre sans contestation possible quel-ques-uns des résultats terribles d'habitudes aussi déplorables, et les asiles sont pleins de leurs victimes réduites en esclavage et, dans la plupart des cas, sans aucune faute de leur part.

Daniel savait qu'il devait ranger ce livre et ne pas le lire. Il entendait le murmure de la radio dans la salle de séjour. Il essaya d'évoquer l'image du corps souffrant du Christ, il essaya de L'élever du gouffre qui se trouvait sous les mots

44

auxquels ses yeux ne cessaient de revenir. Il ne voulut pas lui apparaître et, à la place, il vit le corps d'un homme quand il passa involontairement du texte à la photo. Il croyait que toutes les photos de Strongfort étaient des hommes différents, debout, prenant la pose, levant des poids, dans sa chambre. Il se voulait un intime de cette race étrange. Il enleva sa robe de chambre et se mit devant le grand miroir accroché au-dessus de son bureau, pour poser comme sur les photographies, en faisant jouer ses muscles, en levant le bras comme pour lancer le javelot, en prenant la position du discoblole, du gladiateur, de l'archer, les positions de la sculpture classique. Mais d'une certaine façon, les photos étaient plus nues que son corps ; il avait l'impression que la nudité de l'homme sur les photos n'était pas seulement dans la peau, la poitrine et les cuisses. L'homme était nu en public. Il examina toutes les photos et il s'examina. Il essaya, en faisant jouer ses muscles et en prenant des poses, de retrouver cette virilité, ce courage, cette fibre morale et cette détermination qui devaient le conduire toujours plus loin, toujours plus haut. Il voulait aller plus loin et plus haut. S'il ne pouvait pas prier le Christ de l'aider, il pouvait prier les photos de Lionel Strongfort de l'aider à déshabiller son corps jusqu'à la nudité, une nudité plus grande que celle de son corps physique. Il voulait ce corps nu, le corps rendu puissant par ces images en noir et blanc. Debout devant le miroir, il examina les muscles des jambes, les pieds grands et forts, les chevilles ; il examina les muscles des cuisses, les creux de chaque côté des fesses, l'abdomen, la poitrine, les épaules. Des sensations mesquines, abominables, le traversaient, comme s'il avait dû, sous l'effet d'une contrainte, tendre la main pour saisir quelque chose, mais il n'y avait rien à saisir. Il laissa l'extrémité de son doigt errer sur la photo. Quelle envie, quelle envie ! Il pensa : *Ah Dieu, ah Dieu !* Puis voici ce qui arriva : au-delà de l'image de Lionel Strongfort dans la pose du gladiateur, l'épée et le bouclier disparurent en laissant apparaître le corps dans sa perfection et il vit Lionel Strongfort, le beau Lionel Strongfort, cloué sur une croix, sans la feuille de vigne pour cacher cette partie de lui-même qui, exposée au regard de tous, lui causait une honte si passionnée que cette partie, par pure passion, se mit à se dresser. Le corps entier de Daniel se révolta contre ce qu'il voyait ; il avait une vague envie de vomir. Il referma le livre. Il refusait de se laisser aller à des attouchements sur cette partie de lui-même qui, toute seule, comme si elle avait eu en elle des centaines, des milliers de petites morts et de petites résurrections, s'était dressée. Il s'assit sur le bord de son lit. Il serrait sa partie dressée entre ses cuisses. Il rouvrit le livre et le posa sur ses jambes. Il n'y pouvait rien. Il allait s'affaiblir, perdre ses dents et ses cheveux, toute sa force, il allait devenir idiot, mourir, mais il n'y pouvait rien. Il allait commettre un péché mortel, il resterait impénétrable à la grâce, il irait en enfer, il se retrouverait seul et sans espoir, mais il n'y pouvait rien. Il serra les jambes. Il se dit : si le Christ avait ressuscité dans Son corps et s'Il était maintenant physiquement au ciel, alors Son corps, parce que c'était Son corps, était aussi le corps de Dieu, ou au moins un tiers de Dieu, et parce que c'était le corps de Dieu, ou au moins un tiers de Dieu, et parce que c'était le corps de Dieu, il lui fallait être encore plus beau que le corps de Lionel Strongfort et pourquoi, pourquoi, pourquoi ne pouvait-il être, pourquoi était-il condamnable de vouloir être le corps de Dieu ? C'est ce qu'il voulait. Il voulait avoir vu le Christ nu sur la croix, il voulait avoir touché Ses chevilles brûlantes et ensanglantées, il voulait avoir aidé à descendre de la croix le grand corps aux membres ballants et l'avoir tenu dans ses bras pendant que les autres étalaient un drap sur le sol, il voulait y avoir déposé le corps et l'avoir enveloppé dans ce drap presque collant qui s'imprégnerait lentement d'un reste de buée chaude sortant du corps. Comment pouvait-il s'arrêter ? Il écarta les jambes. L'érection libérée souleva la mince brochure, elle sauta et tomba sur le côté. *Ah Dieu, ah Dieu,* dit-il presque à voix haute et il se plia en deux pour saisir son sexe entre ses mains au moment où son frère Julien entra dans la chambre. Daniel ne bougea pas, il garda les yeux baissés mais au bord de sa vision, il put apercevoir Julien se diriger vers le bureau, ouvrir le tiroir et, comme s'il n'avait pas été là, quitter la pièce en claquant la porte derrière lui. Daniel ne pouvait pas s'en empêcher. Même l'entrée de son frère dans son univers le plus intime, rendant tout à coup cet univers entièrement public, ne pouvait l'arrêter et l'obliger à se rhabiller ; peut-être que cet acte intime en devenant public, rendit Daniel encore plus désespéré, par le fait même qu'il imaginait que d'autres l'observaient ; peut-être que dans cette intimité qu'il recherchait, ses désirs les plus ardents étaient en rapport avec un public immense, universel ; peut-être que son désir allait vers un corps entièrement exposé au public, un corps nu, placé au beau milieu du monde, et chacun regardait ce corps avec étonnement à cause de sa nudité, avec respect à cause de sa beauté, de sa santé, de sa vigueur, de sa symétrie, avec amour à cause de son mystère total, et c'était à ce corps, à ce corps précis, qu'il faisait l'amour. Il n'y pouvait rien.

Il eut la sensation de s'être tué. Il s'essuya avec un mouchoir qu'il enfonça sous son oreiller. Il remit son slip, éteignit la lumière et se coucha. Il voulait s'endormir avant le retour de son frère mais il en fut incapable. Il écoutait les voix de la radio sans pouvoir distinguer les mots.

Quand Julien entra enfin, le corps de Daniel se raidit. Il n'ouvrit pas les yeux mais Julien faisait autant de bruit en se déhabillant que s'il avait été seul dans la chambre. Julien se glissa dans son côté du lit, immédiatement son souffle changea à chaque respiration et il s'endormit. Daniel le sentait très loin de lui ; il pensait que s'il tendait le bras au maximum, sa main ne rencontrerait que le vide, qu'il ne toucherait pas son frère. Il s'efforça de s'endormir. En vain. Il se rapprocha lentement de son frère, si lentement que lui-même n'avait pas conscience de ses mouvements mais il se retrouva brusquement, comme dans son sommeil, en contact avec le corps de son frère. Julien s'éveilla suffisamment pour se détourner de Daniel tout en se rapprochant de lui, le bras de Daniel autour de la taille, et Daniel s'endormit.

Le dimanche matin, Daniel, habillé pour la messe, était assis sur le bord du lit d'Edmond et l'écoutait parler d'une voix traînante du Kentucky où il n'avait jamais mis les pieds, et Daniel regardait aussi comment son frère avait roulé les manches de son maillot de corps afin qu'elles soient très hautes et très serrées autour de ses bras, il regardait sa barbe noire qui poussait sur sa peau fine et ses vêtements jetés sur une chaise à côté du lit. Leur père entra dans la chambre, Daniel se leva et Edmond sauta rapidement du lit.

Tandis qu'Edmond s'habillait, Daniel détailla, posée sur le bureau de son frère, au centre d'un carré de dentelle qui ressemblait à une nappe d'autel, une statue peinte, en plâtre, du Christ enfant, avec des traits fins et précis, une tunique rouge assez courte, les jambes et les pieds nus, et tenant trois grands clous de charpentier dans une main et un marteau dans l'autre. Appuyées au pied de la statue, il y avait des images pieuses du Christ jeune, sciant du bois, rabotant des planches et plantant des clous dans des poutres. Edmond vint derrière Daniel pour regarder lui aussi son petit autel consacré à la jeunesse du Christ. Edmond prit la statue et les images pieuses tombèrent, puis il la tint un instant contre sa poitrine avant de la reposer et de remettre soigneusement les images en place.

Daniel alla à l'église dans la voiture d'Edmond, les autres dans la voiture du père.

Il demanda : "Qu'est-ce que tu feras quand tu seras au Kentucky ?

— Sûrement pas ce que je fais ici.

— C'est différent au Kentucky ?"

Edmond ne répondit pas ; il n'était pas allé au Kentucky.

A la messe, Daniel et Julien s'agenouillèrent entre leur père et leur mère, Daniel à côté de sa mère, Julien à côté de son père. Edmond s'agenouilla de l'autre côté de sa mère, ayant été le premier à entrer dans le banc ; le père, comme d'habitude, était entré le dernier. Les parents disaient leur chapelet. La mère avait retiré le sien, un chapelet avec une chaîne d'argent et des perles bleues en cristal, des mains de sa mère morte, juste avant qu'on ferme le couvercle du cercueil ; elle frottait chaque perle entre le pouce et l'index. Le regard de Daniel alla des mains de sa mère à l'autel. Il lui sembla très loin, et il ne le distinguait pas suffisamment pour comprendre où le curé en était de la messe. Il avait la vague impression que la messe durait depuis des heures. Il avait mal dans le dos. Ses yeux se tournèrent vers sa mère. Elle non plus ne regardait pas l'autel. Ses lèvres bougeaient et elle semblait fixer ce qu'elle priait. Daniel eut l'impression qu'elle apparaissait brusquement à côté de lui et il resta immobile. Elle avait un visage, des joues, un front très clairs, ouverts, lumineux. On aurait cru qu'elle avait une tête de petite fille juste en dessous et qu'on voyait à travers sa peau, comme si dans une clarté soudaine, une ouverture, une lumière, le visage d'une petite fille, son visage de petite fille, s'était révélé et, tout en riant, elle n'avait pas conscience d'avoir à nouveau quatorze ans. Daniel la regardait intensément. Il se demanda : savait-elle à quatorze ans ce qu'elle aurait souffert à cinquante ? — Brusquement, Daniel s'imagina capable de renverser et d'arrêter le cours du temps, capable de la garder comme elle était à quatorze ans, de la protéger de son frère aîné, de sa mère et de son père, de l'empêcher de vieillir, d'éprouver des désirs sexuels et de tomber amoureuse, d'être obligée de travailler, de se marier et d'avoir des enfants, de la protéger de l'âge. Un an de plus et elle serait détruite ; elle devait rester comme elle se trouvait à ce moment-là et c'est ainsi que Daniel devait la garder. Il imagina qu'il prenait la petite fille dans ses bras et qu'il la serrait contre lui. Il voulait sauver sa mère ; il voulait la sauver s'il le pouvait, mais comment faire ? Elle bougeait les lèvres, elle se tourna vers Daniel et le regarda. Daniel continua à la regarder et essaya avec toute la force rayonnante de son amour, de lui communiquer qu'il la protégerait si personne d'autre ne le faisait, mais dans sa naïveté, elle ne se rendit compte que d'une chose, qu'il ne suivait plus la messe, et elle montra des yeux l'autel pour lui indiquer qu'on devait faire attention à ce qui se passait là-bas. Il essaya mais il continuait à ressentir que sa mère, agenouillée à côté de lui, était une fille de quatorze ans, sans défense et il était terrifié à l'idée de ce qui pouvait lui arriver.

M. le curé quitta l'autel pour monter en chaire et les fidèles s'assirent. Le curé parlait comme s'il avait eu la gorge et la langue couvertes de plaies. Daniel aurait voulu s'en aller. Son corps, qu'il écrasait contre le dossier, luttait contre cette immobilité imposée pour pouvoir se lever. Du sermon, il n'entendit qu'une succession de bruits.

C'était en français. Le curé ne parlait jamais en anglais. Chaque mois, quand il passait dans les classes pour donner les résultats, il faisait chanter aux enfants : *"Ô Canada ! Terre de nos aïeux."*

"Nous savons, nous devrions savoir que quand Jésus Christ est monté aux Cieux, il y est monté physiquement et s'est présenté devant son père. Maintenant, l'Amour du père resplendit et projette l'Ombre du Corps du Fils en travers de notre terre, ici-bas. Cette Ombre vivante aussi vraie que Son Corps est vrai, c'est la sainte Eglise Catholique et Romaine. Nous-mêmes, qui formons cette Eglise, l'Ombre du Corps du Christ, nous formons le Corps Mystique du Christ sur la terre. *Nous* sommes le Corps du Christ ici-bas." Il marqua une pause. "Le corps a de nombreuses parties et toutes ces parties fonctionnent ensemble. Les pieds tiennent fermement sur la terre et les jambes se raidissent quand les bras se tendent vers le sol et que les mains saisissent un fardeau pour le soulever, et le cou laisse passer les instructions qui viennent de la tête afin que les membres sachent où il faudra déposer le fardeau." Il s'arrêta à nouveau et fixa les fidèles de ses yeux noirs. "Regardez vos mains, regardez vos doigts. Aussi vrai que ces mains et ces doigts existent, les mains et les doigts de l'Eglise existent. L'Eglise elle aussi possède un cou, une tête. Savons-nous quelles parties du corps nous formons ?" Daniel essaya, essaya aussi fort qu'il le pouvait, d'empêcher son esprit d'évoquer avec une précision grotesque, l'image de la partie sombre, complexe, de l'immense corps allongé et il savait que le curé ne désignerait jamais personne pour la former, mais sans elle le corps ne pouvait être complet. "Quelle partie sommes-nous, nous dans cette église, dans cette paroisse de Notre-Dame de Lourdes, nous qui sommes ouvriers, quelles parties composons-nous ? Je vous demande de regarder vos mains et vos doigts. Quelles parties du corps contribuent le plus à la vie du corps, le nourrissent, l'habillent, travaillent pour lui donner un toit et un lit ? Pourrait-il survivre sans les mains ? Tentez seulement d'imaginer un corps sans mains qui essaie de s'habiller, de manger, de faire marcher une machine. Le corps de l'Eglise serait aussi impuissant. Vous les ouvriers, vous êtes les mains et les doigts de l'Eglise. Vous qui travaillez avec vos mains, vous êtes les mains du Christ. Qu'importe votre travail, enfoncer des clous, scier du bois..." il fit un geste comme si l'activité lui était apparue dans l'air et qu'il la saisissait, "... fabriquer des limes, vous ne travaillez pas que pour vous mais pour le corps entier. Et si vous ne le faites pas..." le curé hurla brusquement ; toutes les épaules sursautèrent. "Quand vous ne travaillez pas dans et pour le Corps du Christ, vous travaillez pour rien !" Il baissa la voix. "Etre avec lui, voilà ce qu'il nous faut désirer, et ceux qui, ici-bas, se consacrent à Son Corps Mystique, seront avec Lui, dans Son Corps, après le Jugement dernier." Il leva les mains. "Alors, à nouveau autour de ces os notre chair, à nouveau dans nos têtes ces yeux, ces oreilles, ce nez et cette bouche — mais tous glorifiés dans le Corps du Christ, Grand, Ressuscité, digne d'adoration."

Daniel eut l'impression que son corps grandissait.

Le père attendit d'être dans l'entrée pour remettre son manteau. Lui, sa femme, Edmond, les garçons, se tenaient près d'un bénitier, à l'écart des autres paroissiens. Par les portes, qui s'ouvraient et qui se refermaient, Daniel vit qu'il neigeait. Au-delà des flocons gris, il apercevait des amoncellements de neige devant l'église. De l'endroit où il se trouvait, il ne voyait que de la neige et il imagina l'église isolée dans une immensité désertique couverte de neige, la neige qui tombait dans des plaines infinies et qui s'entassait sur des arbustes rabougris, qui comblait des crevasses aux bords déchiquetés et recouvrait les crêtes rocheuses glacées. Il imagina que les fidèles avaient parcouru un long chemin qu'ils devraient refaire au retour. Il vit la porte de côté s'ouvrir et M. le curé entrer, vêtu d'une soutane d'un noir brillant. Des paroissiens l'entourèrent aussitôt. Avec ses yeux noirs que des cernes rendaient parfaitement ronds, sa petite tête blanche ressemblait à un crâne.

Le curé dit quelques mots à ceux qui l'entouraient et Daniel remarqua que ses yeux noirs regardaient droit vers eux, vers lui, ses frères, sa mère, son père. Daniel n'eut pas besoin de le dire à son père ; sachant que le regard était un ordre, le père s'avança. Les paroissiens reculèrent. La mère prit la main de Daniel et celle de Julien et les rapprocha d'elle. Quand le père revint, il dit : "Il veut me voir plus tard". La mère demanda : "pourquoi ?" Le père haussa les épaules. Seuls les enfants bougeaient dans l'entrée. Le père conduisit sa famille à travers leur groupe pour se diriger vers la porte, et un homme sortit de son silence comme s'il en prenait brusquement la décision et dit en levant la main comme pour une sorte de salut : "Comment ça va, Jim ?" Daniel retint son souffle avec inquiétude tandis que son père cherchait le visage de l'homme, comme s'il ne se souvenait pas de lui — en réalité, il s'agissait d'un paroissien très connu, M. Labrie, qui tenait la station service — puis il sourit, leva la main pour rendre le salut et dit : "Ça va mieux." C'était un geste de pure forme, comme celui d'un candidat aux élections partant en campagne.

En sortant de l'église, Edmond alla chez le marchand de glaces.

Contrairement à son habitude, le père garda sa cravate et ne déboutonna pas son col en rentrant après la messe, quand il s'assit pour lire son journal. Ils étaient tous dans la salle de séjour. A l'intérieur, il faisait aussi gris que dehors ; on avait l'impression qu'il pouvait se mettre aussi à neiger faiblement dans la maison. Comme un homme politique qui sait exactement quel choc il veut produire et qui n'en dit rien, le père ouvrit le journal aux dernières pages, celles des petites annonces, le plia en deux, puis encore en deux et le tenant très haut, comme si sa déclaration s'adressait à de nombreuses personnes, à toute une foule, il dit : "Et bien, fillette, si tu veux une autre maison, nous allons t'en acheter une".

La mère lisait un journal de New-York. Comme nouvelles, il ne donnait que des faits divers nationaux : des enfants battus, des viols, des meurtres, des incendies. Elle le replia et fronça les sourcils : "Une autre maison ?

— Nous allons acheter une maison à la campagne. Une grande maison, assez grande pour nous tous, tous les garçons, leurs femmes et leurs enfants."

Elle se leva et resta debout sans bien savoir où aller tandis que le père lisait à voix haute les descriptions rapides des maisons. Elle se sentait un peu perdue. Elle alla dans la cuisine. Elle regarda fixement la bouilloire. Elle alluma le gaz. L'eau se mit à chanter. Le père entra dans la cuisine en tendant le cou, à la recherche de sa femme.

Il demanda : "Qu'est-ce qu'il se passe ?"

Elle dit : "J'attends que l'eau soit en train de bouillir pour faire une tasse de thé".

Il dit : "Tu viendras la boire dans la salle de séjour ?"

Elle répondit : "Je la boirai ici, à la table de la cuisine".

Il posa ses poings fermés sur ses hanches et la regarda. Elle tenait la poignée de la bouilloire. Il leva une main qu'il se passa dans les cheveux, plusieurs fois de suite, du front vers la nuque. "Dis-moi ce qu'il y a," dit-il.

Elle fixait la bouilloire. De la vapeur s'échappait par le bec.

Il insista : "Qu'est-ce qu'il y a ?"

Elle dit : "Je ne sais pas.

— Tu dois bien le savoir, répondit-il.

— Ne parle pas si fort, dit-elle.

— Je veux savoir ce qui ne va pas."

Sa main se raidit sur la poignée de la bouilloire. Elle serra les dents un instant. "Je ne sais pas."

Il se passa à nouveau les doigts dans les cheveux, cette fois rapidement, à plusieurs reprises. "Ecoute, fillette..."

Elle cria brusquement : "Non !"

Il essaya de la prendre dans ses bras.

Elle lui échappa.

Il retourna dans la salle de séjour. Daniel et Julien étaient debout, silencieux. Il s'assit, reprit son journal, l'ouvrit à la rubrique des sports, qui ne l'intéressait pas et le tint devant lui pour lire. La mère fit irruption dans la pièce.

"J'en ai assez ! cria-t-elle. Je ne le supporte plus, vraiment plus."

Le père dit sèchement. "Ça suffit.

— J'essaie d'être une bonne épouse. J'essaie de faire tout ce que tu attends de moi.

— Ça suffit.

— Qu'est-ce que tu veux ? Qu'est-ce que tu veux ?"

Il la regarda avec de grands yeux. Il avait l'air de goûter son propre vomi qui lui était remonté dans la bouche. Il ne disait rien. Julien quitta la pièce. Daniel se mit à trembler.

"Tu ne me dis rien ! Tu fais toujours ce que tu veux ! Tu ne me parles jamais de ce que tu fais ! Je veux savoir !"

Le père regardait à ses pieds ; il avait l'air de ne pouvoir cracher son vomi et d'être obligé de le ravaler.

Daniel se leva entre sa mère et son père. Il sentait son corps trembler. Son père l'attrapa et l'attira vers lui. Blotti entre les jambes de son père, les bras de son père autour de lui, la tête sur l'épaule de son père, son tremblement se transforma en sanglots sans larmes. Il s'accrocha au corps sombre et dur qui sentait le métal et la graisse. Sa mère hurlait. Il ne comprenait pas ce qu'elle disait. Chacun de ses cris résonnait en lui. Son père lui donnait de petites tapes dans le dos. Il ne pouvait arrêter ses sanglots. Il avait l'impression de se voir de très haut et bien qu'il fût semblable, il ne savait plus qui il était, il était devenu quelqu'un qu'il ne connaissait pas, une personne si différente de lui, pouvant faire des choses dont lui, Daniel Francœur, se sentait incapable. Avec un sanglot qui se transforma soudain en cri, cette personne ferma les yeux, serra ses bras autour de son père et l'embrassa, et frotta sa joue contre celle du père, rugueuse et pourtant bien rasée, contre son cou sous son oreille. Le père l'étreignit et se mit à le bercer en disant : *tais-toi, tsi gars, tais-toi, tais-toi tsi gars.* " La mère avait cessé de hurler. Elle se tenait debout, au-dessus de son mari et de son fils.

Les portes extérieures s'ouvrirent et se refermèrent en claquant, et Edmond entra dans la salle de séjour avec son manteau. Il écarquilla les yeux. "Encore ! Je m'arrête chez le marchand de glaces pour prendre un ice-cream soda et tailler une petite bavette et je rentre à la maison pour trouver ça ! Encore !" Il tenait un gant dans chaque main ; il les jeta par terre ; ils claquèrent sur le sol, l'un après l'autre. "Je croyais que c'était fini entre vous deux ! Je croyais que vous étiez devenus des adultes, trop vieux pour ce genre de disputes ! Vous allez encore recommencer ? On ne peut pas avoir un peu la paix dans cette maison ?" Ses parents ne répondirent pas. Edmond cria : "Pour moi, plus tôt je pourrai m'en aller d'ici pour descendre au Kentucky et mieux ce sera.

— Ça fait un an que tu dis ça," répondit la mère avant de quitter la pièce.

Le père relâcha Daniel qui avait toujours la poitrine secouée de sanglots. Il s'assit sur le canapé. Le père resta où il se trouvait, sur le bord d'un fauteuil. Edmond poussa un grognement qui se voulait à la fois un reproche supplémentaire, au cas où ce serait nécessaire, et un mot de conclusion inarticulé, il enleva son manteau, le jeta sur le dossier d'une chaise, ramassa un journal tombé par terre et s'assit pour le lire.

Les conversations du déjeuner se résumèrent à des demandes polies, donne-moi le pain, le beurre, le sel. Daniel avait l'impression que le silence qui enveloppait la table était un grand espace vide. Dans son immensité, il ressemblait presque au silence de l'église avant qu'on allume les lumières et que la messe commence. Il croyait que la tension qui existait encore était due au silence et il fut irrité quand Edmond qui ne s'en rendait absolument pas compte, se mit brusquement à parler des discussions qu'il avait eues chez le marchand de glaces, comme il était irrité quand on allumait les lumières dans l'église et que le prêtre entrait. Personne ne lui répondait. De temps en temps, la mère disait distraitement : "C'est vrai ?"

mais elle n'écoutait pas. Edmond reposa violemment sa fourchette sur la table ; tout le monde sursauta. Il dit : "Alors, si c'est comme ça... !"

Edmond s'en alla dans sa chambre et referma la porte. Le silence retomba dans la maison comme du brouillard. Le ciel s'éclaircit et le soleil se mit à briller. La mère regarda par la fenêtre de la salle de séjour. Le père était allongé sur le canapé. Daniel et Julien étaient assis chacun sur un fauteuil. La mère tourna à nouveau les yeux vers la salle de séjour. Sa voix sembla résonner un peu dans le silence quand elle dit : "On devrait sortir".

Le père ne répondit pas directement.

"Les garçons devraient sortir, dit-il. Ils ne vont jamais nulle part, ils ne voient jamais rien en dehors de la maison et de la paroisse."

Le père ferma les yeux.

La voix de la mère se durcit ; elle parlait comme pour lutter contre le désir immense de s'allonger elle aussi, de s'allonger par terre et de fermer les yeux. "Si tu ne veux pas les emmener, je vais le faire. Il faut qu'ils voient un peu le monde extérieur."

Le père se posa l'avant-bras sur le front. "Fais comme tu veux," dit-il.

Elle mit son écharpe, son manteau, ses snow-boots, ses gants. Dehors, l'air était lumineux, froid, immobile. La mère et les garçons allèrent jusqu'à l'arrêt du bus. Elle marchait lentement, en espérant peut-être que Jim la rappelle avant qu'elle ne soit trop loin.

En ville, ils durent prendre un autre bus, froid, bondé, dont les fenêtres poussiéreuses et baignées de soleil d'un côté se reflétaient dans les fenêtres sombres de l'autre côté, et ils quittèrent la ville. Ils descendirent devant les grandes portes d'un parc. La glace recouvrait les grilles, les arbustes à droite et à gauche de l'entrée ressemblaient à des tas de neige qui s'affaissaient et s'effondraient sous leur propre poids et, sur un des piliers, la plaque verte sur laquelle on pouvait lire : PARC ROGER WILLIAMS, était glacée.

La mère ne savait pas où emmener ses fils. Ils se promenè-rent au hasard dans les sentiers dégagés à la pelle, sous des branches dénudées et blanches. Parfois, ils traversaient de petits bosquets, les troncs noirs des arbres se dressaient dans la neige claire et molle et les hautes branches se balançaient dans un vent silencieux ; on voyait des empreintes de pattes dans la neige et, derrière les arbres noirs, le ciel avait des teintes violettes et blèmes. Au loin, au milieu d'une grande étendue de neige, on apercevait une petite maison de bois avec une grosse cheminée et le tronc épais et sans feuilles d'une glycine attaché au toit. Ils y allèrent, pas tant parce que cela les intéres-sait que pour avoir un but à leur promenade. Quand Daniel et Julien suivirent leur mère dans l'entrée étroite, Daniel ne pensait pas à la cabane de Betsy Williams mais à la neige qui l'entourait.

Ils regardèrent le rouet près de la cheminée en briques, les meubles sombres très bien encaustiqués, le plancher taillé à la main. Ils grimpèrent un petit escalier en colimaçon qui conduisait dans une petite chambre avec un bois de lit isolé par un cordon. Daniel regarda la neige par les fenêtres aux nombreuses vitres qui déformaient le paysage. Les ombres grises et rouges s'allongeaient. Il essayait d'imaginer derrière lui, dans la maison, l'étrange vie d'autrefois.

La neige humide craquait sous leurs pieds tandis qu'ils allaient de la vieille maison vers le musée de briques jaunes, aux fenêtres éclairées de jaune. En haut de l'escalier intérieur, au centre de la salle principale, il y avait une cage de verre. Un jeune homme portant un chapeau pointu avec des oreillettes, se tenait à côté. Il n'y avait personne d'autre. La mère, Daniel et Julien passèrent de l'autre côté.

Dans le cube de verre éclairé, on pouvait voir une maquette délicate de la galaxie. Le soleil était une ampoule électrique et les planètes avec leurs satellites pendaient au bout de longs fils qui vibraient légèrement en faisant tourner les planètes autour du soleil et les satellites autour des planètes. Les satellites minuscules étaient blancs et les planètes tache-tées de vert, de bleu, de rouge et de gris.

La mère s'éloigna. Ils passèrent devant un coquillage gigantesque posé sur un socle et entrèrent dans une petite salle. Elle contenait des objets de fabrication indienne exposés dans de longues vitrines. La mère continua, en jetant à peine un coup d'œil. Les garçons la suivaient en regardant attentivement les tomahawks, les ceintures de perles, les colliers, les sacs de sorciers décorés de plumes, les calumets, les arcs et les flèches, les avirons et, sur l'une des vitrines, un grand canoe en écorce de bouleau.

La mère vint rejoindre les garçons penchés sur une vitrine qui contenait les tentes et les personnages immobiles d'un campement indien miniature. Elle dit : "Votre père ne m'avait pas dit qu'il avait du sang indien, avant notre mariage".

Julien lui demanda : "Tu ne l'aurais pas aimé ?"

Elle sourit.

Les garçons continuèrent à observer le petit campement, dans lequel des hommes minuscules, à la peau rouge sombre et aux longs cheveux noirs, étaient accroupis autour d'un feu. Une femme, qui transportait un plateau d'écorce contre ses petits seins nus, s'avançait vers eux.

Ils quittèrent le parc par de petits sentiers et Daniel, autant pour parler à sa mère et la faire sortir de son silence continuel, que pour savoir, lui demanda : "Est-ce que papa a connu sa grand-mère indienne."

Sa mère répondit : "Non, il ne l'a jamais vue.

— Est-ce que mémère connaît leur langue ?

— Non, je ne le crois pas."

Ils durent attendre le bus pendant longtemps. Le froid s'élevait de la glace et ils avaient mal aux jambes. Il n'y avait personne d'autre à la station. Julien demanda à sa mère si elle était sûre qu'un bus allait passer. Elle ne répondit pas mais on voyait clairement qu'elle essayait de dominer sa peur au fur et à mesure que le froid devenait plus vif et que la nuit descendait, si rapidement que les voitures allumèrent leurs veilleuses. Elle regardait fixement vers le haut de l'avenue dans l'espoir de voir arriver le bus. Elle se retrouvait toujours seule et vulnérable à chaque fois qu'elle faisait acte d'autorité ; quand cela arrivait, elle était seule et, seule, elle avait peur. Daniel, et Julien lui aussi, ressentait cette peur qui émanait d'elle comme un froid triste émanant de sa froideur et de sa tristesse. Elle se pencha pour voir plus loin dans l'avenue. Julien lui prit la main comme s'il avait eu peur qu'elle s'avance sous les voitures qui passaient ; elle se retourna vers lui ; il ne lâcha pas sa main.

Ils trouvèrent la maison vide et les lumières éteintes. La mère regarda dans toutes les pièces, en allumant, suivie de Daniel et de Julien. Daniel dit : "Il est peut-être parti chez mémère". La mère s'assit dans le rocking-chair de la cuisine ; elle se balança comme si elle avait voulu se secouer. Julien dit : "Il est peut-être au sous-sol". Elle cessa de se balancer puis, après quelques instants, elle se leva et sortit en laissant les portes de la cuisine et du sous-sol ouvertes. Daniel et Julien restèrent dans la cuisine, Daniel entendit la voix de la mère : "S'il te plaît, remonte, remonte, ne reste pas ici. Je te le demande, s'il te plaît..." Il y eut un long silence et Daniel entendit des pas dans l'escalier du sous-sol, il recula quand son père, qui semblait avoir deux fois sa taille, une tête et des mains énormes, s'arrêta à la porte et regarda autour de lui avant d'entrer. Il se dirigea immédiatement vers sa chambre et referma la porte derrière lui. La mère s'assit à nouveau dans le rocking-chair et recommença à se secouer plus qu'à se balancer. Puis elle resta immobile pendant un moment. Finalement, elle se leva et disparut dans la chambre.

Quand le père en ressortit, il était habillé pour aller voir le curé. Il se peigna soigneusement devant le miroir de la salle de bains. Il dit à Daniel et à Julien : "Pourquoi est-ce que vous ne mettez pas vos manteaux pour venir au presbytère avec moi ?"

Les manteaux déboutonnés, la casquette à la main, ils se tenaient debout de chaque côté de leur père qui, le pardessus sur les genoux, était assis en face du curé. Le curé avait un coude posé sur l'accoudoir de son fauteuil et appuyait la tempe sur trois doigts ; on aurait cru que la pointe de ses doigts s'enfonçait dans les rides blanches qu'ils formaient sur sa peau. Il dit : "Evidemment, vous devez savoir ce que vous faites...

— Oui, dit le père.

— J'espère que vous ne pensez pas qu'à vous. J'espère qu'au moins vous n'oubliez pas votre femme et vos fils...

— Je ne les oublie pas," dit le père rapidement.

Le curé retira les doigts de sa tempe ; les rides y demeurèrent. "Je ne vous demande pas de vous rappeler vos devoirs sociaux, vos devoirs envers vos camarades de travail, envers votre paroisse, envers votre Eglise..." Il s'arrêta un instant. "Voilà seulement ce que je veux vous dire, au cas où vous ne le sauriez pas : vous avez pris un risque."

Le père secoua la tête.

"Que voulez-vous ?" demanda le curé.

Le père le dévisagea ; il serrait les mâchoires.

"Vous allez contre ce qu'il y a de plus naturel en vous, vous ne le voyez pas ? ...contre ce qui, au plus profond de vous, détermine votre vie et celle de votre famille, contre votre cœur d'ouvrier. Vous voulez prendre un tel risque ?"

Le père se tapa la poitrine avec l'index.

Le curé leva les mains : "Ce n'est pas vous qui avez de l'importance. Je pense à quelque chose de plus important, à un syndicat catholique ici..."

Le père dit : "Je n'ai pas de raison de m'en mêler, s'ils ne se mêlent pas de mes affaires.

— Vous auriez pu avoir leur protection si vous étiez resté avec eux.

— Je ne veux pas de leur protection.

— Non," dit le curé. Il se leva. Le père aussi. Le curé lui demanda :

— "Vous êtes Républicain, n'est-ce-pas ?

— Oui.

— Qu'est-ce que le Parti Républicain a jamais fait pour les ouvriers ?"

Le père resta silencieux.

Le curé dit : "Vous allez gagner plus d'argent.

— Oui. Je vais acheter une grande maison à la campagne, dans les bois, près d'un lac."

Cette nuit-là Daniel rêva des placards de ses parents, de

celui de sa mère dans leur chambre, un grand placard éclairé par une petite fenêtre aux vitres de couleur dont la lumière donnait à ses robes des teintes jaunes et violettes, il se tenait au milieu d'elles, environné de jupes qui se balançaient et d'une odeur de talc, et du placard de son père, derrière le rocking-chair dans la cuisine, où il restait sans bouger dans l'obscurité, parmi les vieilles chaussures et les vêtements d'où se dégageait toujours une odeur métallique et pénétrante, sans doute la véritable odeur de la famille, et il rêvait, comme s'il pouvait faire deux rêves en même temps, des deux placards à la fois.

Le dimanche suivant, après la messe, le curé qui se tenait près d'une des portes de l'entrée, prit le père par le coude et l'arrêta pour lui demander avec une brièveté un peu sèche, s'il pouvait donner un coup de main à l'organisation d'une soirée d'avant le carême, afin de recueillir de l'argent pour l'église. Le père accepta immédiatement. Le curé savait peut-être qu'Arsace Francœur verrait surtout le but de la soirée : non pas s'amuser mais trouver des fonds.

NOTRE-DAME DE LOURDES PROVIDENCE
RHODE ISLAND

Soirée du Bon Vieux Temps
Mascarade, danse, lunch,
Samedi soir, le 9 mars 1953, à 8 heures
Salle de l'école
Don : $ 1,00. [1]

Le père prit un billet pour la famille comme s'il s'était agi du bal présidentiel qui suit une campagne électorale victorieuse. Daniel examina le billet et demanda à son père : "Si ça se passe le soir, comment peut-on servir un lunch ?" Le père ne répondit pas. Daniel retourna la carte.

Avec les compliments de
Modeste Vanasse
Pompes Funèbres
1240 Charles Avenue
Providence, Rhode Island.

---

(1) En français dans le texte (N.d.T.)

Sous les tuyaux qui couraient le long du mur de la salle d'école, le sous-sol dans lequel avait lieu la soirée, on avait aligné des chaises pliantes. Des vieilles femmes y étaient assises. Sur le sol inégal, on avait installé d'anciennes tables de bridge, empruntées au Club Français de la paroisse, et des gens aux épaules voûtées y jouaient au whist. La mère, Daniel et Julien étaient assis devant une table mais ne jouaient pas.

Daniel jeta un coup d'œil vers l'entrée où Edmond, à l'extérieur, parlait avec le concierge de l'école, à l'intérieur. Il se rendit compte qu'il ressentait un petit frisson étrange à chaque fois qu'il regardait son frère. Il parlait au concierge comme s'il ne connaissait personne d'autre dans la salle. Il pouvait discuter de la même façon avec le gros qui travaillait à la station service, avec le vieux qui cirait les chaussures dans un coin de la boutique du cordonnier, ou avec le boiteux qui vendait les journaux à la porte de l'église, le dimanche matin. Edmond s'entendait bien avec tous ces gens très connus dans la paroisse et que Daniel trouvait bizarres. Daniel le regardait, puis ses yeux s'arrêtèrent sur des camarades d'école qui jouaient à jeter des sous contre le mur, sur une femme, coiffée d'un large chapeau à fleurs, assise toute seule, sur une bouteille de boisson à base de plantes, tombée par terre, et sur sa mère.

Elle regardait au-delà de lui et il se retourna pour voir à l'autre bout de la salle, sur la scène, son père qui vendait des billets de loterie devant une petite table. Il mettait les talons des billets dans un tonneau muni d'une manivelle. Il avait l'air très occupé. Le curé se trouvait aussi sur la scène, au fond, derrière le père, au milieu de grands paniers d'osier pleins de fleurs ; deux vieilles *bonnes femmes de la paroisse* à la mine sévère se tenaient à ses côtés et parlaient, mais il regardait au loin, dans la salle, les sourcils froncés.

Daniel quitta sa mère et son frère et se dirigea vers la sortie pour aller aux toilettes. Il passa devant les vieilles femmes assises sur une longue rangée, devant le mur, sous les tuyaux. Il sentait qu'elles le regardaient. Aucune ne souriait et très peu parlaient. Elles avaient les coins de la bouche qui tombaient, du poil au menton et de gros bras à la chair flasque qu'elles tenaient croisés. Daniel marchait à une certaine distance d'elles, en s'imaginant qu'elles dégageaient une odeur. Il ressentit brusquement envers elles une haine qui l'étonna ; il les haïssait et il ne pouvait oublier sa haine que pour se demander pourquoi, tout à coup, il haïssait leurs bouches, leurs mentons lourds, leurs bras. Quand il s'aperçut qu'une des femmes le fixait avec des yeux méchants comme s'il avait fait quelque chose de mal, il pensa que pendant un instant le temps avait fait machine arrière et que, rétroactivement, ce visage avait brusquement déclenché sa haine. Il la fixa lui aussi avec des yeux méchants ; mais elle regardait derrière lui, les joueurs de whist. Il savait que sa famille n'avait jamais eu beaucoup d'importance dans la paroisse ; les familles du centre les avaient toujours considérés comme des parias, car une famille avec des traits indiens marqués — ce qui était faux dans leur cas — serait toujours composée de parias, ils iraient à l'église, ils feraient leur première communion, ils recevraient la confirmation, ils prendraient part avec les autres aux rencontres organisées par l'église, mais ils n'entreraient jamais dans le cercle intime de l'église, ils ne recevraient jamais les sacrements secrets, ils ne seraient jamais invités dans les soirées privées de ceux qui croyaient que leur cercle intime, leurs sacrements secrets et leurs soirées privées étaient la vraie religion ; celle de ces vieilles femmes.

Avant de quitter la salle, il se retourna vers la scène, où son père tournait la manivelle du tonneau pour mélanger les billets de tombola. Les joueurs de whist s'étaient arrêtés pour regarder. On avait fait venir Julien pour qu'il glisse la main par une petite porte sur le côté du tonneau et qu'il sorte le premier talon de billet. Daniel ne voyait plus que son père. Avec un brusque élan de tout son sang, il pensa, il dit presque : non, non.

Daniel sortit avant qu'on ait tiré le premier billet. Il alla aux toilettes mais ne revint pas dans la salle. Il resta près de la porte, à côté de caisses empilées contenant des bouteilles de soda vides avec des pailles qui sortaient des goulots. Il entendait son père appeler les numéros. Il se dit brusquement : Oui. Il entendit son père crier au-dessus du bruit : "Cent vingt-huit !"

Daniel se détourna. Par une fenêtre du sous-sol, il vit un visage blanc qui le regardait, le visage d'un petit garçon. Il le fixait avec de grands yeux. Daniel eut l'impression que ce visage lui montrait tout ce qu'il ne comprenait pas. Il restait sans cligner des yeux, sans sourire. Daniel aurait voulu lui poser des questions auxquelles il savait déjà qu'il ne répondrait pas ; pas seulement sur ce qu'il désirait, mais pourquoi, pour quelles raisons incompréhensibles, il désirait ce qu'il n'avait pas ?

Il revint dans la salle de l'école. Sa mère et Julien n'étaient plus à la table. Il vit d'abord son frère entre son père et sa mère, de l'autre côté, et regardant vers la salle. Les parents se tenaient debout devant le curé dont le haut front blanc bougeait entre leurs têtes. Daniel recula. Il vit les corps de son père et de sa mère se balancer légèrement, l'un dans un sens, l'autre dans l'autre sens, puis tous les deux ensemble. Il vit le curé lever la main droite. Daniel eut l'impression qu'il les mariait et que Julien était le témoin de cette cérémonie guindée. Brusquement, la mère tendit la main et la glissa sous le bras gauche du père ; le père serra le bras contre lui et posa la main droite sur les mains de la mère.

La voiture était un énorme bloc de glace noire. Dans la faible lumière des lampadaires, Daniel voyait sa respiration se transformer en buée devant son visage. Les chaînes cliquetèrent autour des pneus. Daniel ferma les yeux un instant.

Puis il demanda : "On va vraiment acheter une maison à la campagne ?"

Le père dit : "Oui.

— Quand est-ce qu'on va l'acheter ?

— On va commencer à chercher dès qu'il fera plus chaud. On ira se promener à la campagne pour voir les maisons."

Daniel sentit ses nerfs se détendre lentement.

Arsace Louis Pylade Francœur naquit le 8 novembre 1898 à St Barthélémi, près de Trois-Rivières, dans la province du Québec au Canada. A deux ans, ses parents l'emmenèrent à Providence, dans l'état de Rhode Island, aux Etats-Unis, dans la paroisse de Canadiens français de Notre-Dame de Lourdes. A leur arrivée, ses parents possédaient quatorze cents.

Quand il était enfant, Arsace disait souvent : *"J'aime ça"*, et on l'a surnommé Jim. Seule sa mère continua à l'appeler Arsace. Il fut naturalisé à vingt et un ans ; ses parents ne le furent jamais. Il eut treize frères et sœurs. La plupart moururent. Son préféré, le petit André, mourut à deux ans.

Aricie Mélanie Atalie Lajoie naquit en 1902 à Providence, dans l'état de Rhode Island. Les deux branches de sa famille vivaient aux Etats-Unis depuis des générations, depuis que les Anglais avaient chassé les Français d'Acadie en 1755.

On appelait Aricie, Reena. Elle avait douze frères et sœurs. Elle alla à l'école primaire de la paroisse puis au collège ; elle le quitta au cours de la première année parce que sa mère l'avait obligée à porter une culotte de gymnastique bouffante tout à fait démodée. Son premier travail au cours de la Première Guerre mondiale consista à vérifier des obus de mortier ; comme d'autres jeunes filles, et quelques hommes dont les parents s'étaient débrouillés pour qu'ils n'aillent pas à l'armée, elle prenait les gros obus dans une caisse, un à la fois, et elle les levait vers la lumière qui tombait des hautes fenêtres sales de l'entrepôt, pour regarder par le petit trou du détonateur, en tournant lentement l'obus, et voir s'il n'y avait pas une minuscule fissure. Ensuite, elle fut téléphoniste. Des années plus tard, quand elle donnait un numéro au téléphone elle le faisait encore comme on le lui avait appris en tant que téléphoniste.

Elle était du nord de la paroisse, lui du sud.

Au sud, il n'y avait que des habitations de deux étages avec un balcon à chaque étage, de vrais Canadiens français. Le curé ne faisait jamais de visites dans la partie nord, mais on le voyait souvent dans la partie sud. La grand-mère, la mère d'Arsace, vivait dans la partie sud avec ses six enfants survivants sur les quatorze.

L'église se trouvait entre les parties nord et sud.

Quand Reena et Jim voulurent acheter une maison, ils cherchèrent au nord. On en trouvait aux murs recouverts de planches, avec des porches qu'on appelait des piazzas, le long de trottoirs non pavés, avec de l'herbe qui poussait au bord. Trois autres paroisses s'y rejoignaient : l'irlandaise, la polonaise et l'italienne. Jim et Reena achetèrent une maison à un angle, devant des Italiens. Une Polonaise aveugle mariée avec un Italien habitait d'un côté et, au coin opposé, une immense famille irlandaise, mais leur maison se trouvait dans la paroisse française.

Jim et Reena Francœur se marièrent en 1923. Ils eurent sept fils : Richard, né en 1924, Albert, né en 1925, Edmond, né en 1927, Philip, né cinq ans plus tard en 1932, André en 1933, Daniel, sept ans plus tard, en 1940, Julien, né en 1942.

Daniel et Julien firent tourner les grandes fenêtres extérieures du côté de la maison, et y regardèrent ; Daniel s'y reflétait ainsi que le ciel bleu, de plus en plus sombre. Quand il les déplaçait d'un côté, l'image démultipliée du soleil embrasait les vitres et, de l'autre, il y voyait apparaître les herbe folles qui poussaient au pied des fondations de ciment et, très loin, les planches blanches qui recouvraient les murs.

L'air qui entrait par les fenêtres était chargé des odeurs de la haie vive, des érables, de la maison, mêlées au parfum des églantiers qui séparaient la cour d'avec le jardin voisin.

La mère était assise devant la table de la cuisine, un journal étalé devant elle et, sur le journal, un miroir rond à pied, un verre d'eau avec un peigne plongé dedans (des bulles minuscules se formaient entre les dents du peigne), une boîte de porcelaine remplie d'épingles à cheveux dont le couvercle avec des fleurs peintes était posé sur le côté, un filet à cheveux. Elle se regardait dans le miroir et séparait des mèches de cheveux, y passait le peigne humide, les tordait en les tournant, les enroulait étroitement sur sa tête où elle les fixait avec des pinces qu'elle ouvrait d'abord entre ses dents. Elle avait déjà fait la moitié de sa tête. On voyait son crâne blanc entre les mèches séparées. L'autre moitié de ses cheveux étaient raides. Ses oreilles, son nez et son menton apparaissaient énormes et très blancs. La peau tendre de son visage semblait tirée par endroits sous le menton, sous les lobes des oreilles, de chaque côté de la bouche, et attachée au crâne comme le capitonnage d'un fauteuil. Julien cirait ses chaussures. Le père lisait un vieux magazine. La mère mettait beaucoup de temps à se coiffer. Elle sépara la moitié des cheveux restants du sommet jusqu'à l'oreille et, sans regarder dans le miroir mais comme dans une aura qui l'aurait entourée, elle divisa les cheveux au-dessus de sa tempe en carrés égaux.

Daniel se demanda pourquoi il observait sa mère comme l'exemple d'une femme en train de se coiffer, à une certaine époque, dans une certaine culture, de la même façon qu'il aurait observé une Egyptienne se raser la tête et mettre en place sa perruque, s'il avait pu remonter le temps.

Alors qu'elle attachait ses pinces à cheveux, la mère baissa son peigne tout en continuant à tenir une mèche dans l'autre main et dit : "J'ai l'impression qu'Albert va venir."

Le père sortit pour aller acheter des clous à la quincaillerie, Julien sur les talons, comme s'il était attaché à son père.

La mère dit à Daniel : "Et pourtant je me demande comment Albert peut vouloir revenir à la maison." Elle enroula ses cheveux et y enfonça une épingle. "Tu sais, continua-t-elle, ton père ne voulait pas qu'il s'engage dans les Marines. Il lui a dit que s'il s'en allait malgré son interdiction, il ne lui adresserait plus jamais la parole. Albert m'a dit qu'il n'arrivait pas à comprendre pourquoi ton père ne voulait pas le laisser partir. Je lui ai répondu : "Je ne comprends pas non plus." Il m'a dit qu'il fallait qu'il parte. Il y avait la guerre. Il est allé en ville et il s'est engagé. Quand est arrivé le moment où il devait quitter la maison, j'étais entre lui et son père et je ne savais pas de quel côté me tourner. Je savais que si Albert sortait et refermait la porte, ton père tiendrait parole. Puis Albert s'est retourné et a dit "Au revoir, papa", mais ton père s'est levé de son rocking-chair et a disparu dans l'autre pièce. J'ai regardé Albert ouvrir la porte d'entrée, sortir et la refermer. J'ai dû fermer la porte de la cuisine. Je me suis précipitée dans la salle de séjour et je suis restée derrière la fenêtre. J'ai vu Albert remonter la rue, sortir un mouchoir de sa poche et s'essuyer les yeux. Une semaine après, on a reçu les vêtements qu'il portait serrés dans une petite boîte. Je les ai déballés et rangés dans le grenier.

— Et quand il est revenu... dit Daniel.

— Quand il est revenu, tout d'abord je ne l'ai pas reconnu. J'ai couru ouvrir la porte. Il avait les cheveux très courts, le visage bronzé et décharné, sa pomme d'Adam semblait très grosse. Il m'a souri et m'a prise dans ses bras. Pendant qu'Albert s'asseyait à la table de la cuisine et me parlait, ton père se balançait dans son rocking-chair et lisait son journal. Albert rentrait le menton et gardait la nuque raide, même en parlant. Il m'a dit : "Papa aurait pu leur en apprendre sur le dévouement et la discipline." Ton père abaissa son journal et lui dit : "Les Marines auraient dû renforcer le dévouement et la discipline s'il avait fallu gagner la guerre." Albert lui sourit et dit : "Oui, c'est vrai, papa". Ton père lui a tout dit sur les Marines." Elle enroulait des mèches de cheveux autour d'un doigt et y plantait une épingle pour en faire une boucle. "Quand je me suis retrouvée seule avec lui pour prendre le thé, alors que ton père était au travail, il m'a raconté ce qu'il avait vécu pendant ses classes. "J'étais au stand de tir, a-t-il dit, et on m'a dit de m'allonger par terre, mais j'avais les fesses qui dépassaient. J'ai essayé de m'enfoncer dans le sol, mais le sergent a hurlé que j'avais toujours le cul trop haut et lui, un énorme gaillard, cent kilos peut-être, il s'est assis sur moi et tu sais ce qu'il a dit ?" Je ne savais pas quoi répondre. "Le sergent, il a dit : "Souviens-toi bien de ça, souviens-toi que tu es né dans la rue, ta mère était une pute et tu seras jamais plus haut que ça. T'es à plat ventre et t'as pas intérêt à l'oublier." Je lui ai dit : "Albert !" Il m'a dit : "Tu n'as pas besoin d'être choquée, c'est comme ça, et c'est comme ça que ça doit se passer..." Je n'ai pas pu lui dire que je ne voulais plus rien entendre. J'ai ajouté : "Mais comment est-ce qu'ils ne se rendent pas compte que ces jeunes gens ont des mères ?" Albert a hurlé, en me faisant un peu peur : "Quand tu te bats, tu n'as plus de mère !" Il m'a dit ça, à moi..." Elle a enveloppé ses cheveux dans un fichu.

Quand la mère, le père et Julien s'en allèrent faire les courses comme chaque samedi, Daniel resté seul erra dans la maison. Il ouvrit le bureau dans la salle de séjour pour fouiller dans le classeur ; il souleva le couvercle du coffre dans la chambre de ses parents pour regarder dans les vieux vêtements, les costumes de première communion, les taies d'oreiller à franges, en satin, avec d'un côté les emblèmes des Marines et de l'autre des poèmes à la mère, un morceau de soie bleue ; il ouvrit le placard de sa mère et il fouilla dans les boîtes remplies de chiffons qu'elle rangeait sous ses vêtements pendus ; il repoussa les vêtements sur le côté et, très rapidement comme s'il y avait eu quelqu'un dans la maison en train de l'écouter, il grimpa à l'échelle jusqu'à la trappe qui conduisait au grenier et l'ouvrit.

Plus tard, dans l'office, alors qu'il aidait sa mère à sortir ses achats des grands sacs de papier marron, Daniel demanda : "Tu crois vraiment qu'Albert va venir ?

— Oui.

— Pourquoi est-ce qu'on ne sort pas les objets japonais qu'il a envoyés et que tu as rangés au grenier pour les mettre ici afin qu'il les voie ?

— Les mettre où ?

— Dans la salle de séjour."

Albert arriva sans prévenir, alors qu'ils étaient déjà couchés. Daniel entendit la sonnette de la porte d'entrée dans son sommeil et sans s'éveiller tout à fait il entendit des bruits de pas, de portes, la voix de ses parents et, comme s'il rêvait, il entendit la voix connue et inconnue d'Albert, à la fois douce et gutturale, qui disait : "Regardez-moi ça !" Daniel s'éveilla et écouta mais ne se leva pas. Il resta au lit et imagina son frère dans la salle de séjour, avec ses parents, parmi les objets japonais. Puis il entendit claquer la porte de la chambre d'Edmond et Edmond qui criait : "Et ben, ça alors !"

Albert était parti depuis si longtemps que Daniel ne se souvenait de lui que sur les photos mises en vrac dans une boîte, rangée dans un tiroir du bureau familial, des photos qui retraçaient sans ordre sa carrière dans les Marines : une photo de lui, avec son casque de pilote, la jugulaire détachée, debout près d'un cockpit ouvert, une photo de lui au garde à vous mais tout seul, dans son uniforme blanc de lieutenant (il le lavait lui-même, puis le faisait tremper, les mains gantées, dans un mélange d'eau et de crème blanche pour chaussures, si bien qu'en séchant l'uniforme et les gants devenaient d'un blanc intense et mat et sur la photo il luisait comme un ectoplasme), une photo de lui dans le camp de jeunes recrues, en rang avec d'autres soldats de son régiment ou, assis à l'écart, le col de chemise boutonné, le nœud de cravate bien serré et l'extrémité repliée dans la chemise, tandis que les autres, penchés les uns vers les autres avec des bouteilles de bière, la chemise ouverte, riaient, une photo de lui en train de recevoir un grade, une photo de lui, dans l'encadrement d'une porte, les plis de son uniforme de commandant raides et craquants, le visage dans l'ombre de la visière de sa casquette, un stick sous le bras.

Daniel entendit Albert dire : "Félicitations, papa." Daniel

se rendormit au bruit du vent qui soufflait dans le petit bois devant la fenêtre de la chambre.

Au matin, la maison vibrait de silence. La mère demanda à Daniel et à Julien de ne pas faire de bruit, mais un couteau qui tombait sur la table de la cuisine ou l'eau qui coulait dans le lavabo, ébranlait tout. Quand la porte de la chambre s'ouvrit, ils se retournèrent, mais seul Edmond en sortit en tenue de travail et s'en alla silencieusement. Albert dormait derrière la porte close mais, parce que Daniel ne l'avait pas encore vu, il restait lointain, proche et lointain, il se trouvait dans la maison et loin de là, dans son ancienne chambre et dans les endroits inconnus qu'il avait fréquentés au cours des dix dernières années et peut-être que, si Daniel ouvrait la porte sans bruit, il ne trouverait pas la chambre familière de ses frères aînés, mais une pièce avec des nattes de paille, des portes coulissantes, plongée dans l'obscurité et le silence, sans personne, à part Albert couché par terre.

Quand il revint de l'école pour le déjeuner, Albert dormait toujours. Daniel et Julien s'assirent sur des chaises dans la cuisine et regardèrent la porte de la chambre. Ils virent la poignée tourner, la porte s'ouvrir et ils sautèrent sur leurs pieds. Ils restèrent immobiles un instant puis Daniel se précipita pour jeter les bras autour d'une silhouette dans laquelle il n'avait pas encore reconnu son frère aîné qui, lui-même, perdu dans les brumes du sommeil, recula comme si on l'attaquait, si bien que Daniel perdit l'équilibre et s'affala à moitié contre lui ; Albert posa les mains sur les épaules de Daniel à la fois pour le rattraper et pour le serrer dans ses bras, et il le tint devant lui quelques instants. Puis Daniel se recula et Albert lui sourit, mais même à ce moment-là, son visage décharné et mal rasé gardait l'expression de surprise créée par l'attaque de son jeune frère. Daniel se retourna vers Julien, debout près de sa chaise, qui regardait fixement Albert jusqu'à ce que celui-ci lui dise : "He, viens ici que je te file un direct sur le nez", et Julien sourit.

Albert portait un pantalon de treillis vert, un maillot de corps blanc et des sandales de paille retenues par une lanière qui passait entre le pouce et le deuxième orteil. Il tendit très haut ses poings fermés, secoua la tête et s'assit devant une tasse que sa mère avait posée sur la table. Daniel l'observait avec attention, en essayant de voir dans ces vêtements un homme qui était son frère, à la fois accessible et étranger. Le pantalon était un pantalon du corps des Marines, celui qu'il portait dans la grande maison sombre et sinistre des Marines, dans laquelle chaque pièce de vêtement, même les lacets de chaussure et les épingles, était assignée à une tâche militaire particulière. On portait ce pantalon, ainsi que ce maillot de corps serré, aux manches tendues par les muscles d'Albert, pour des tâches dont Daniel ne savait rien, des tâches en rapport avec la guerre.

La guerre avait formé le corps d'Albert, dur et musclé, qui avait enduré l'inimaginable, récemment en Corée, avant à Guam, aux Philippines, à... mais la famille ne savait pas vraiment où. Quand il eut bu sa tasse de thé et allumé une cigarette, il se tourna vers Daniel et Julien, puis écartant sa chaise de la table et relevant les manches étroites de son maillot de corps pour dégager ses épaules, il dit : "Venez vous deux, un de chaque côté." Daniel et Julien prirent position — ils faisaient cela à chaque fois qu'Albert se trouvait à la maison ; il pensait peut-être qu'il s'agissait d'un rituel que Daniel et Julien attendaient, cependant Daniel pour sa part aurait aimé lui dire qu'il n'en avait pas envie, mais c'était peut-être Albert qui voulait — ils serrèrent les poings et ils attendirent qu'Albert un peu avachi sur chaise, leur dise : "Allez-y, frappez fort !" et les deux jeunes garçons abattirent leurs poings sur ses biceps tandis qu'Albert, qui se balançait d'avant en arrière sous les coups en riant, disait : "Plus fort ! Plus fort !" Daniel et Julien durent s'arrêter de frapper car c'était l'heure de retourner à l'école pour l'après-midi. Ils enfilèrent leurs vestes lentement. Albert dit : "Je serai là quand vous reviendrez." Mais ils restaient devant la porte. Albert tira sur la casquette de Julien qui lui couvrit les yeux mais au lieu de faire la même chose à Daniel, il lui saisit la nuque comme s'il avait voulu lui faire plier les genoux et il l'attira vers lui. Le visage de Daniel heurta le côté de sa poitrine et il respira l'odeur métallique avant de reculer puis, sans regarder Albert, il se détourna pour partir. Albert était allé si loin à la guerre que son corps ne ressemblait à aucun autre.

Le soir, il retrouva Albert assis à la même place, la tasse de thé toujours devant lui mais il portait une longue robe japonaise bleue, avec des caractères japonais de chaque côté de la poitrine, et attachée à la taille par une ceinture noire. La robe entrouverte laissait voir sa poitrine d'un blanc jaunâtre ; son cou rouge brun s'arrêtait à une ligne très nette comme s'il avait porté un maillot de corps absolument transparent sauf une légère teinte jaune pâle et comme si son cou, son visage et ses bras avaient été sa véritable couleur. Il avait pris une douche. Les cheveux courts et raides de sa nuque étaient humides. Des gouttes d'eau coulaient sur sa tempe et sur le côté de son visage comme des gouttes de sueur. La mère se tenait assise en face de lui, de l'autre côté de la table, une tasse devant elle. Les fenêtres de la cuisine étaient ouvertes ; les feuilles du grand érable balayaient la grille. Albert n'arrêtait pas de se frotter les yeux comme s'il n'était pas encore réveillé. Julien alla dans sa chambre et ferma la porte. Daniel s'assit à table, à côté de sa mère. Albert parlait du Japon, dans la tenue qui convenait. Il était peut-être revenu de là-bas pour en parler.

La toute petite île du Japon flottait à un pouce au-dessus de la table. Albert disait souvent "comme c'est charmant, charmant." Venant de lui l'expression semblait vraiment étrange. On aurait cru qu'il parlait des Japonais en japonais. "Ah, et les jeunes filles charmantes," ajouta Albert. Sa mère dit : "Je crois que je n'irai jamais au Japon, mais tu nous as envoyé tellement de choses de là-bas que ce n'est peut-être pas nécessaire." Albert resta silencieux. "Tu ne veux pas voir ce que tu nous as envoyé ?" demanda-t-elle. Il dit oui, mais il ne bougea pas. On aurait cru que toutes les Japonaises l'entouraient et qu'il ne pouvait pas les quitter autant par politesse que parce qu'il appréciait ce qu'il appelait, "leur charme, leur charme". "Elles ont de petits rires tellement délicieux, tu sais, les jeunes filles. Et avec une serviette elles font une fleur qu'elles te tendent en riant et on se dit, qu'elles sont adorables ! Qu'elles sont adorables, quand l'une d'elles, comme ça, récite un joli poème et tout le monde écoute." Il regarda par la fenêtre.

Sa mère lui demanda : "Est-ce que tu vas en épouser une, Al ?"

Il abattit sa paume sur la table. "Mais qui parle d'en épouser une ?

— Oh !" fit-elle. Elle cligna des yeux. "Ce serait merveilleux si elles venaient ici et que tu leur montres la façon dont nous vivons..."

Il ne releva pas. Elle eut l'impression qu'il était seul, comme si tous les Japonais avaient disparu rapidement.

Elle dit aussitôt : "Viens voir ce que tu as envoyé. J'en ai mis un peu partout, mais c'est à toi."

Il la suivit dans la salle de séjour où, sur le piano, il y avait des boîtes de verre dans lesquelles, sur des socles laqués, de petites femmes délicates, au visage de porcelaine blanche, au kimono ouvert sur leurs pieds comme si elles ne marchaient que pour en montrer la doublure couleur pastel, étaient arrêtées surprises de découvrir brusquement l'endroit où elles se trouvaient. La mère dit : "J'aurais peut-être dû tout laisser dans le grenier, cela aurait été plus sûr..." Albert ne répondit pas ; il regardait à peine ce qu'il avait acheté dans un autre pays et envoyé dans d'énormes caisses de teck. La salle de séjour était remplie d'objets : une grosse lampe avec un abat-jour en papier translucide dans lequel on avait incorporé des feuilles et des herbes, un plateau rond en verre dans lequel on voyait des fleurs et des papillons, des estampes, avec des cadres de bois, représentant des lunes, des glycines ou des saules, des plateaux et des bols en laque, de petits coffres avec de nombreux tiroirs s'ouvrant chacun avec un gland de soie, beaucoup d'éventails jetés aux endroits disponibles, abandonnés par les Japonaises qui s'étaient enfuies rapidement. Tout cela ne semblait pas intéresser Albert.

Elle dit : "Tu as été tellement généreux. Tellement..."

Il agita la main. "Ça n'est rien," dit-il. Il détourna le regard. "J'ai pensé que ça vous intéresserait. Je me suis dit aussi

74

que les gosses pourraient apprendre quelque chose sur un autre pays." Daniel, resté en arrière, s'avança comme si on l'avait appelé, mais Albert ne sembla pas s'intéresser plus à lui qu'aux lampes, aux plateaux, aux bols et aux éventails. Il suçait ses dents et passait sa langue autour.

Pour Daniel, ces objets étrangers définissaient un espace clair presque visible, qui ne ressemblait à aucun autre espace qu'il connaissait et, en dehors, dans une grande confusion, il y avait le linoléum usé avec de grandes fleurs bleues, les fauteuils mal rembourrés, le radiateur, le lampadaire recourbé, la douille, la prise et les fils, les vieux magazines et les vieux journaux ; il savait qu'il n'avait conscience de ces objets familiers qu'à cause des objets étrangers qui n'étaient plus à leur place, et il regarda fixement un cendrier en verre sur un petit napperon de dentelle.

"Un jour, toi aussi tu auras une maison et tu pourras y mettre tout ça... dit la mère.

— Qu'est-ce que je ferais d'une maison ?" demanda Albert.

Ils revinrent dans la cuisine. Elle demanda à Daniel d'aller chercher des pommes de terre au sous-sol et elle les éplucha sur un journal étalé sur la table. Albert s'assit en face d'elle et la regarda.

Il dit brusquement : "Mais si un jour j'achète une maison, ce ne sera sûrement pas par ici."

Elle répondit d'une voix neutre : "Non. Tu ne veux pas avoir une famille, Al ?"

Albert se déplaça légèrement : "J'y ai pensé.

— Tu n'as pas encore rencontré la bonne, hein ?"

Il dit : "Maman, pourquoi est-ce que les solutions que tu apportes à tous les problèmes sont toujours aussi banales ?"

Elle le regarda, un couteau terreux dans une main et une pomme de terre terreuse dans l'autre.

"C'est parce que ça ne t'intéresse pas vraiment ?
— Je..."
Il la coupa. "Non, ça ne fait rien, ça n'a pas d'importance.
— Mais je..." dit-elle.

Il dit : "Ça ne fait rien, c'est moi qui suis banal.

— Je ne sais pas ce que tu veux dire", répondit-elle.

Il se montra du doigt. Il dit : "Ecoute, toi et moi, nous savons tous les deux que je ne suis qu'un tas de merde."

Elle reposa le couteau et la pomme de terre. "Albert !

— Arrête de te conduire comme une mère poule avec moi."

Elle restait stupéfaite. "Mais Albert !

— D'accord," dit-il.

Elle l'examinait, les yeux sans cesse en mouvement. Elle dit : "Tu es tellement intelligent, tu as fait tellement de choses, tu es allé dans tellement d'endroits...

— Je suis bête, dit-il, je n'ai rien fait et je ne suis allé nulle part."

Elle regarda ses propres mains. Elles étaient couvertes de terre et elle se souvint de la saleté des couches de bébé sur ses mains. Elle les essuya sur son tablier. Elle dit : "Tu n'aurais pas dû revenir si tu n'es pas heureux ici. Tu aurais dû rester au Japon. Tu devrais peut-être y trouver quelqu'un, une femme, peut-être une Japonaise...

— Aucune femme ne m'aura," dit-il.

Elle posa les mains à plat sur la table. "Ce n'est pas vrai."

Il secoua la tête, il avait l'air de vouloir se débarrasser de l'irritation qu'elle lui causait. "Si c'est vrai, bien sûr.

— Sûrement pas. Si tu trouvais quelqu'un qui a l'habitude de la vie dans les Marines, une femme des Marines..."

Elle se leva. Elle prit la casserole où les pommes de terre blanches flottaient dans l'eau noire. Mais au lieu de s'éloigner de la table, elle demanda : "Tu es solide Albert, et tu ne veux pas d'une femme, de quelqu'un qui s'occuperait de toi ?"

Il arrêta de se frotter les yeux et la regarda. Puis brusquement, il hurla. De l'eau déborda de la casserole ; "Est-ce que je ne le veux pas ? De quoi crois-tu que je suis fait ?"

Elle resta silencieuse.

Il dit :" Quel genre de vie crois-tu que j'ai menée pendant toutes ces années ? Tu crois que j'ai du sang de navet ? Comment est-ce que j'aurais pu faire la guerre ? Mais laisse-moi te dire une chose — et ce n'est pas à mon honneur, sans l'aide du Christ je ne m'en serais jamais sorti — je n'ai jamais cédé, je te le jure, je n'ai jamais cédé. J'ai respecté les lois et les commandements. Je vais te raconter, une fois aux Philippines, avec des copains, je suis allé au bordel, une cabane de paille, où une mère prostituait sa fille, une grosse femme au visage rond avec des dents noires, et j'ai attendu dans une pièce pendant que mes copains allaient avec la fille, chacun leur tour, et la mère m'a dit : "Qu'est-ce qu'il se passe, tu ne veux pas y aller, il y a quelque chose qui ne va pas ?" Et j'ai dû résister non seulement à la fille qui m'attendait les jambes ouvertes dans la chambre d'à côté, mais aussi à cette femme aux dents noires qui m'humiliait devant mes copains. J'ai attendu qu'ils aient fini et je suis parti avec eux. Ensuite, pendant des jours et des jours, j'ai pensé que je devrais y retourner. Mais je ne l'ai pas fait ; je n'ai pas cédé. Je te le jure."

Sa mère reposa la casserole de pommes de terre sur la table. Elle lui demanda : "Qu'est-ce que tu as aux yeux ?"

Il répondit : "Je ne sais pas.

— Tu n'es pas allé voir un médecin ?

— Si. Il m'a dit que je n'avais rien.

— Pourquoi est-ce que tu n'arrêtes pas de les frotter ?

— Ils me font mal.

— Depuis quand ?

— Six mois environ, en Corée. Quand le médecin m'a dit que je n'avais rien, j'ai décidé qu'il avait raison et je n'y ai plus pensé. Toutes les nuits, tous les matins, je me dis que je ne dois plus y penser et qu'il faut que j'arrête de les frotter.

— Et tu ne peux pas.

— Ils me font toujours mal."

Elle souleva la casserole et contempla les pommes de terre pendant quelques instants.

"Ils m'ont dit de prendre une permission de deux mois et de rentrer chez moi.

— Oh."

Albert la regarda fixement et Daniel vit que les muscles de son visage se contractaient comme s'il faisait brusquement une grimace de douleur. Sa mère leva les yeux vers lui et il grimaça à nouveau avant de sourire. Il dit : "Ah ! Maman..."

Elle ne répondit rien.

"C'est bon de se retrouver à la maison," ajouta-t-il en continuant à sourire.

Elle sourit elle aussi, légèrement.

"Ecoute, il faut que je te raconte une histoire."

Le sourire de la mère s'agrandit.

"Allez, pose tes pommes de terre et viens t'asseoir. C'est à propos..."

Elle l'interrompit d'un petit rire. "Plus tard, dit-elle, plus tard.

— Avant le retour de papa", répondit-il.

Daniel se retrouva seul avec Albert. Il changea de place sur sa chaise. Albert l'observa pendant quelques instants puis il lui demanda brusquement : "Tu as déjà choisi l'arme dans laquelle tu feras ton service, petit ?" Daniel continua à le regarder. "Ne va pas dans les Marines." Daniel continua à le regarder en se demandant silencieusement pourquoi il aurait dû choisir et Albert lui dit : "Tu es au courant que tu dois deux ans à ton pays, n'est-ce pas ?" Il ne le savait pas et soudain il imagina que son frère lui donnait des ordres, qu'il se mettait en colère contre lui, qu'il hurlait : "N'oublie jamais que ta mère était une pute et que tu es né dans la rue." Et Daniel, qui autrefois n'avait jamais eu à obéir à son frère — en fait, la mère avait érigé comme loi de la famille que les fils les plus âgés n'avaient pas le droit de donner d'ordres aux plus jeunes — devrait se soumettre. Daniel dit : "Je ne sais pas." Il eut l'impression que la bouche d'Albert se tordait un peu ; mais Albert ne répondit pas.

L'eau des pommes de terre bouillait quand le père rentra. M. Girard le suivait.

Georgie Girard habitait dans une rue voisine. Il prétendait être un cousin de Jim Francœur, au vingt-deuxième degré — il l'avait calculé. Il avait des joues molles et pendantes. Il travaillait à l'usine de limes et, le matin, il s'arrêtait souvent pour faire la route avec Jim et revenait avec lui le soir. Jim avait été nommé contremaître et Georgie qui travaillait sur une machine avait fait la grève, mais si Georgie n'y voyait aucune différence, il en allait autrement pour Jim : Georgie lui semblait moins intéressant qu'avant, plus borné, plus bête.

M. Girard sortit trois longs cigares de la poche de sa chemise ; il en offrit un à Albert qui l'accepta, un à Jim qui tendit la main pour refuser, et il alluma le troisième. Il dit : "La femme et les gosses peuvent bien attendre un peu." Sa femme et lui avaient neuf enfants. Il dit à Albert : "Je parie que tu en as vu de dures là-bas."

Jim Francoeur regarda son fils hocher la tête. Il se redressa dans son rocking-chair en s'appuyant sur les accoudoirs. Il dit à la place de son fils : "Ils ont demandé des volontaires pour aller bombarder la Chine et Albert y est allé".

Albert fronça les sourcils. Il ne put que regarder son père. Pendant un moment son visage lui apparut aussi fermé dans son ignorance que celui du Coréen qui lavait la vaisselle au mess des officiers, accroupi au bord de la piste, qui regardait Albert monter dans son avion sans savoir ce qu'Albert faisait dans son pays et qui pensait peut-être qu'il allait traverser le Yalu pour bombarder la Chine.

Le père regardait Albert en souriant. Georgie le regardait aussi en tirant sur son cigare.

La mère, debout à l'entrée de l'office, observait les trois hommes. Elle voulut crier : "Jim, non !", mais elle se dit qu'Albert allait se mettre en colère contre elle si elle niait ce que le père avait dit. Elle pensa qu'Albert allait parler de ces bombes et attaquer la Chine de la chaise sur laquelle il était assis, en confirmant les propos de son père. Il ne pouvait pas attaquer son père.

Albert dit : "M. Girard, on n'autorise pas les gens aussi laids que moi à lâcher des bombes, parce que ma binette aurait fait fuir les pauvres types avant que les bombes touchent le sol et il n'y aurait plus eu personne à bombarder. Vous savez, les Chinois sont très sensibles à la beauté."

M. Girard rit. Le sourire du père s'élargit. La mère se dit : mais tu n'es pas laid !

Dès que Georgie Girard fut parti, le père délaça ses souliers et les enleva, il enfila ses chaussons, rangea ses souliers dans son placard (tout ce qu'il faisait était tellement programmé que Daniel avait l'impression qu'il faudrait des volumes pour en décrire la complexité), puis il retourna s'asseoir dans son rocking-chair. Il tenait les accoudoirs et attendait qu'Albert parle comme si, maintenant, ils pouvaient parler. Albert ôta le cigare de sa bouche, se pencha vers son père en tendant un paquet de cigarettes d'où en sortait une. Son père la prit, chercha une pochette d'allumettes dans la poche de son pantalon, ce qui l'obligea à lever légèrement la jambe et à se tordre, puis il l'alluma. La mère, devant le poêle, détourna les yeux.

Albert demanda : "Alors, ça te fait quoi d'être contre-maître ?"

Son père rentra les lèvres et sa bouche devint une longue ligne droite. Il tenait toujours les accoudoirs du fauteuil, il écartait les coudes, relevait les épaules, la tête dressée, légèrement penchée, immobile, la longue ligne formée par ses lèvres exprimant une sorte de pouvoir tenu pour assuré. Contrairement à son père, Albert n'attachait pas d'importance à sa vie — le père ne se serait jamais porté volontaire pour aucune guerre — mais, comme Albert, le père voulait tout risquer sur un coup de tête, sortir du rang, comme Albert quand il avait prêté serment. Aucun d'eux n'avait imaginé les conséquences de leurs actes.

"C'est un bon travail," dit finalement le père.

Albert ajouta : "Tu auras peut-être ton atelier, un jour, papa.

—Non, je ne le crois pas. C'est beaucoup trop. Beaucoup trop d'argent. J'ai abandonné l'idée d'avoir un jour mon atelier. Je continuerai à travailler à l'usine de limes. J'y suis depuis l'âge de quatorze ans. J'en ai cinquante-quatre. Ça fait quarante ans.

— Tu crois que ça va durer ?

— L'usine ?

— Le syndicat ne va pas la ruiner ?

80

Son père fronça un peu les sourcils. "Non."

Albert dit : "Je t'avertis, papa. A ta place, je lutterais de toutes les façons possibles contre le syndicat."

Le conseil venait de quelqu'un qui avait l'air au courant et le père était attentif comme celui qui ne connait rien à la bourse et qui écoute, non pas un agent de change, mais une personne qui a accès à la corbeille ; il fit un signe de tête et dit : "Le syndicat ne m'inquiète pas. Ce sont de braves gars. L'usine continuera.

— Alors..." dit Albert.

Jim Francoeur l'interrompit : "Je te le dis, j'en ai vu beaucoup. La direction pense en termes de profits et de pertes, et c'est peut-être parce qu'elle exige trop des ouvriers que les ouvriers doivent se réunir pour se battre et pour considérer leur travail en termes de profits et de pertes. Je ne suis pas du côté du patron ni du côté du syndicat. J'ai travaillé à l'usine toute ma vie. Je travaille comme je l'ai toujours fait, pour l'usine..."

On entendit un bruit de pas dans l'escalier de derrière, la porte s'ouvrit et Edmond resta sur le seuil, et ses yeux noirs semblaient assez grands ouverts pour engloutir toute la cuisine. Ceux qui s'y trouvaient se retournèrent vers lui et il sut qu'on l'observait. Daniel vit dans ses yeux qu'il les laissait attendre quelques instants. Enfin, il sourit, un grand sourire, s'avança dans la cuisine, posa sa gamelle verte sur la table, tendit les bras vers Albert et s'écria : "Mon frère !" Albert se leva en restant légèrement penché en arrière et Edmond saisit la main qu'il lui tendit : "Ah, mon grand frère !

— Mais tu l'as vu hier soir, dit la mère.

— C'est bon de voir mon frère tous les jours," dit Edmond.

Albert dit : "Tu as raison, Ed."

Edmond s'éloigna. Il enleva sa veste. Albert s'assit à la même place, au bout de la table. Le sourire d'Edmond disparut.

Il dit : "Tu es assis à ma place.

— Edmond ! dit la mère.

— Non. Je suis l'aîné à la maison. Quand Al est parti, il m'a donné le droit de m'asseoir au bout de la table. C'est ma place.

Albert sourit : "Je pourrais abuser de mon pouvoir.

— Non, pas ici, dans cette maison.

— Mais je suis plus malin que toi.

— Non."

Albert se leva.

Edmond contempla la chaise quelques instants et dit : "Bon, allez tu peux rester assis.

— Non, dit Albert. Non, c'est ta place."

Edmond s'assit en souriant. Il dit : "Ça fait du bien de se retrouver chez soi.

— Tu as eu une dure journée ?" demanda Albert.

Edmond travaillait dans une petite entreprise de Providence qui imprimait des cartes de visite, des prospectus, des menus.

"Ouais, dit-il.

— Raconte-moi, demanda Albert.

— Et bien, si je dirigeais..."

La mère dit : "Les pommes de terre sont prêtes."

Tandis qu'ils mangeaient les pommes de terre avec des tranches de pain, elle dit : "Nous avons regardé les maisons à vendre à la campagne dans les petites annonces du journal."

Albert ne tourna pas les yeux vers elle, mais vers son père : "Qu'est-ce que ça veut dire ?"

Le père regarda la mère.

Elle dit : "Ton père pense que ce serait une bonne idée.

— Une maison à la campagne, dit Albert. Pourquoi as-tu décidé ça ?

— Nous avons de l'argent maintenant, dit le père.

— Mais vous pouvez faire beaucoup de choses avec de l'argent. Pourquoi acheter une maison à la campagne ?"

Le père restait hésitant ; il n'était pas sûr d'Albert. "Nous avons besoin d'une grande maison.

— Qu'est-ce que vous en pensez les enfants ?"

Ils regardaient Albert en silence ; on aurait dit que la décision finale lui appartenait.

Le père dit : "C'est pour la famille."

Albert demanda à Julien : "Qu'est-ce que tu feras l'été dans une maison à la campagne ?"

Julien garda un visage très sérieux. "Je jouerai.

— Et toi, Daniel ?

— Ce sera différent," répondit-il et on eut l'impression qu'il avalait une pomme de terre très dure.

Edmond l'interrompit : "Alors, il vaut mieux en acheter une. Mais une grande.

— Oui, dit le père.

— Vous n'en avez pas encore vu ?

— Pas encore.

— L'année s'avance. On est déjà en mai. Nous voulons l'avoir cette année, n'est-ce pas ?

— Je pensais qu'on en acheterait une bientôt.

— Nous en trouverons une.

—Je pensais commencer à chercher dimanche prochain."

Edmond reposa sa fourchette dans son assiette vide, se leva et s'en alla dans la salle de séjour d'où, quelques instants plus tard, on entendit des voix à la radio.

Pour le père, le monde extérieur, le monde dans lequel habitait Albert, dans lequel il avait voyagé, rencontré plein de gens, mangé et dormi, ce monde n'existait pas. Quand Albert discutait avec son père après son retour, quelle qu'ait été la durée de son absence, ils parlaient de l'église, de la paroisse, de politique et de l'organisation locale du Parti Républicain. C'est ce qu'ils firent après souper.

Le père prit une autre cigarette d'Albert. Il l'alluma. En soufflant la fumée, il dit avec franchise et d'une voix officielle qui d'une certaine façon plut à Albert : "Et bien, ton père a décidé de se présenter aux élections régionales en novembre. J'ai pensé qu'il était temps d'essayer à nouveau, quinze ans après ma défaite aux "élections de 38"."

Albert poussa un sifflement. Pour le père, il devint une foule. Le père tendit le bras et montra du doigt la fenêtre sur laquelle était dessinée une ombre.

"*Ils* y sont depuis si longtemps, ils ne voient plus ce qu'ils font. Quelqu'un doit intervenir, quelqu'un qui peut avoir une vision de l'extérieur." Il réunit les doigts et se tapota la poitrine. "Ce n'est pas un inconvénient d'être resté en dehors pendant si longtemps. Je suis resté en dehors, j'ai regardé et j'ai vu ce qui se passait, pas seulement dans le district, mais aussi dans la ville et dans l'état. J'ai regardé dans une maison sale et mal tenue et j'ai vu que ce qu'il fallait, c'était un grand nettoyage, un nouveau gardien et une nouvelle décoration !"

Albert hésita. Il se demandait ce que son père savait de la situation politique du district, sans parler de celle du pays ; il se demandait ce que son père savait du fonctionnement du gouvernement de l'état ou du gouvernement fédéral.

Il dit : "Fais de la politique, papa, fais de la politique et nettoie nos églises, nos écoles, nos usines, nos maisons."

Albert se leva brusquement. Il se dirigea vers la porte de l'office, traversa la cuisine jusqu'au placard à balais, jusqu'à une chaise puis jusqu'à l'entrée de derrière. Il s'arrêta face à la porte, tournant le dos à son père, et donna un violent coup de poing au chambranle. Il dit : "Qu'est-ce que je fais ici ?" Il se retourna vers son père.

Le père ne se balançait plus ; sa mère, avec Daniel et Julien de chaque côté, le regardait avec de grands yeux à la porte de l'office.

Albert découvrit les dents. "Je devrais être là-bas, en train de me battre. Je pense à la guerre du Pacifique presque avec nostalgie. Quand je pense à un Marine au combat, j'en pleurerais presque. Je pense aux Marines qui jetaient des grenades dans les trous individuels pour faire sortir ces nom de dieu de Japs de sous terre : c'est comme ça qu'on se débarrasse de la merde..."

Sa mère dit : "Albert !"

Il resta silencieux pendant quelques instants puis sur le

ton de l'évidence, il dit : "Ça te bouleverse quand je parle de la guerre, maman ? Est-ce que tu y connais quelque chose ?

Elle ne bougea pas.

"Tu sais, dans la jungle, si un officier te donne l'ordre de ne pas faire de prisonniers, tu les descends, l'un après l'autre, d'une balle dans la nuque. Si tu détestes assez les Japs, tu essaies de les tuer même quand ils sont déjà morts, tu voudrais même les mettre en pièces parce que les tuer d'un seul coup, ça ne te suffit pas. Et tu veux même conserver un témoignage de ta haine. Tu peux même leur arracher des dents en or de la bouche pour les garder en souvenir, pour te rappeler à quel point tu haïssais ces salauds."

Le visage du père restait immobile, avec l'expression de quelqu'un qui, d'une certaine façon, savait tout cela depuis longtemps, et il hochait même la tête. Cependant, la mère dit : "Mais Albert, tu aimes les Japonais." Le père inspira et expira profondément.

D'un ton encore plus simple, Albert dit : "Aux Philippines, j'ai eu un chien pendant quelque temps, un jeune bâtard très moche. Je l'avais trouvé près d'un tas de pierres qui avait été l'entrée d'un abri japonais. Je pense qu'il avait appartenu à un Jap. Je l'ai chassé. Il mourait de faim mais il ne voulait pas quitter le tas de pierres. Je l'ai pris et je l'ai emmené. La première chose que j'ai faite avant même de lui donner de l'eau, a été de le battre. Avec une badine. Je l'ai battu encore et enocre. Il a essayé de se sauver. J'ai continué à le battre. Finalement, il s'est couché et m'a regardé. J'ai mis de l'eau et du riz cuit à la vapeur devant lui. Il s'est redressé. Je l'ai battu. Il s'est recouché en regardant la nourriture et moi. Il n'a pas bougé avant que je lui dise : vas-y ! Alors il a avalé le riz et l'eau. Je le battais avant chaque repas. A chaque fois que quelqu'un s'approchait je le battais. A la fin, il me détestait tout en étant terrifié. Il faisait tout ce que je lui ordonnais sinon je le battais. Il fallait que je le tienne attaché. Mais j'attendais de le lâcher sur un Jap..."

La mère avait la bouche ouverte et le visage tordu sur le côté mais elle restait silencieuse.

Albert passa successivement sa langue sur sa gencive supérieure et sa gencive inférieure. Il se frotta les yeux avec les doigts repliés. Il baissa les mains. Il regarda autour de lui. Il cligna des paupières. Il dit : "Holà, maman." La mâchoire de la mère se tordit de l'autre côté. Il lui sourit. "Tu sais ce que je pense de tout ça, de la guerre ?" Il continua à sourire, mais d'un air forcé, en avançant le menton. Les muscles de son visage étaient contractés. Il garda le sourire, leva la jambe et péta. "Voilà ce que j'en pense." Brusquement, il éclata de rire. *Mais comme il pue !*" Il secoua les mains.

La mère rit, prit le torchon des mains de Julien et l'agita. Le père, avec un léger sourire, se balançait et regardait sa femme secouer le torchon là où Albert indiquait l'odeur persistante, sous sa chaise, sous la table. Albert péta à nouveau. Le rire de la mère s'amplifia. Elle secoua le torchon autour d'Albert qui dit en français : "Celui-là, c'est pour le curé." La mère posa une main sur la bouche et, en riant encore plus fort, elle dit entre ses doigts : *"C'est un péché mortel."* Albert recula sa chaise de la table afin d'avoir plus de place pour un plus gros pet. Quand la mère riait, elle perdait son dentier ; elle gardait la main devant la bouche pour le maintenir en place.

"Oh ! maman, il y a si longtemps que je ne t'ai pas entendue, dit Albert.

— Albert !" cria-t-elle. Elle regarda son mari. On voyait un long sourire sur les lèvres minces du père. Un rire silencieux commença à secouer le corps de la mère et elle semblait le retenir en pressant sa main contre sa bouche. Elle avait le visage rouge.

Albert applaudit. "Allez, maman."

La mère posa une main sur le bord de la table, le torchon pendait dans l'autre main, et elle se pencha en avant. Elle essayait de garder la bouche fermée autant par peur de perdre son dentier que par honte de rire bruyamment. Elle lâcha cinq petits prouts bien distincts, comme un chapelet de balles. Elle fut secouée encore plus violemment par un rire silencieux et pourtant, maintenant, elle ouvrait la bouche tout grande ; elle avait trop de rire dans la gorge pour le laisser sortir aussi elle le libérait par les épaules, les seins, les cuisses ; elle n'arrivait pas à reprendre son souffle et tapait des pieds. Albert, plié en deux, s'esclaffait bruyamment. Le sourire du père devint plus tendu, plus discret. La mère s'assit, toujours secouée par le rire.

Elle s'amusait enfin. Elle regarda autour d'elle pour voir si quelqu'un voulait se joindre à elle pour continuer à rire. Ses yeux passèrent sur son mari, sur Julien appuyé contre le poêle. Elle aperçut Daniel assis sur le tabouret à côté du radiateur et, en le voyant les pieds posés sur le barreau, les genoux réunis, les mains jointes sur les cuisses, une moue aux lèvres, les yeux perdus au-dessus d'elle dans la lumière du plafond, elle sut qu'il ne se joindrait pas plus à elle que son mari ou que Julien et elle eut envie de le faire tomber. Elle dit en essayant de rire : "Tu sais que Daniel ne pète jamais ? Je ne l'ai jamais entendu.

— Alors, ce n'est pas un être humain, répondit Albert.

— Parfois, c'est ce que je pense, continua la mère. En tout cas, il ne fait jamais de bruit.

— C'est la pire espèce, c'est un péteur silencieux, ceux qui à l'église pètent, font la grimace et regardent les autres dans le banc.

— *Et comme il pue !*" dit la mère.

Albert et la mère éclatèrent de rire.

Albert reprit en se pinçant le nez : "Le pew pue." (1)

Ils rirent encore. La mère dit : "Daniel ne trouve pas ça drôle. Il ne trouve jamais rien drôle. Non seulement il ne pète jamais mais en plus il n'a pas le sens de l'humour." Elle regardait Daniel qui la fixait avec de grands yeux. C'est vrai qu'il s'efforçait de péter silencieusement et qu'il n'avait pas, il le savait bien, le sens de l'humour.

Elle dit : "Regarde-le. *Il est fâché. Il va broyer du noir.*"

Daniel tourna les yeux vers Albert et les deux frères se regardèrent. Albert lui dit : "Si on n'était pas à la maison on te ferait honte, hein ? Tu crois qu'on ne pète pas en dehors

---

(1) Pew : banc d'église, se prononce "piu". (NdT)

d'ici ?" Les pupilles de Daniel, dures de colère contenue, se perdirent brusquement dans le vague. Il regardait par terre. Il se rendit compte de la façon dont il était assis et essaya de trouver une position plus naturelle. Il voulait se lever et s'en aller mais il savait que ça, il ne pourrait le faire naturellement, et il imagina qu'il traversait la pièce avec des mouvements dégingandés. Il entendit Albert dire : "Maman, si on prenait une tasse de thé ?"

Elle fut un peu déçue qu'il change de sujet, qu'il passe des pets au thé.

Albert dit encore : "Et pas question de tes pots ébréchés et de ton thé en sachets. Est-ce que je ne t'ai pas envoyé un service à thé du Japon ?

— Tu m'en as envoyé au moins sept, répondit la mère.

— Alors sors-en un. Qu'on prenne le thé comme il faut."

On appela Edmond mais il répondit qu'il ne voulait pas de thé et qu'il écoutait la radio.

Daniel grimpa sur le tabouret dans l'office et descendit d'une haute étagère un service à thé — une petite théière délicate d'un gris de coquillage, et de petites tasses fines et sans anse, du même gris. Albert fit le thé lui-même ; il ébouillanta la théière, il y vida un sachet de thé qu'il avait déchiré, puis il versa de l'eau chaude. Il posa la théière au milieu d'un cercle de tasses et laissa infuser. Tout le monde l'observait. Quand Julien dit : "Je veux du sucre et du lait dans mon thé," Albert répondit : "Maintenant, tu es au Japon, et là-bas on ne met ni sucre ni lait dans son thé." Il versa le thé et tendit les tasses. Le père prit la sienne mais il la reposa immédiatement sur le coin de la table où il la laissa. La mère but le sien à petites gorgées et dit (ce qui, si on l'avait répété, aurait agacé Albert à cause de son manque de naturel ; mais ainsi, c'était un manque de naturel acceptable, parce que poli) "C'est bien meilleur que le thé en sachets." Comme son père, Julien reposa sa tasse sans y toucher. Daniel prit la sienne des deux mains, du bout des doigts, et but à petites gorgées rapides. Albert s'assit.

On entendait au loin la musique de la radio.

"Tu sais," dit Albert, en parlant non pas à Daniel mais dans sa direction, "on peut marcher dans la foule d'une rue de Tokyo, poussé et bousculé de tous les côtés, et tout ce qu'on a à faire pour quitter la rue, comme si on pouvait franchir un millier de miles d'un seul pas, c'est d'entrer dans une maison de thé." Maintenant, il regardait Daniel. "Tu aimerais ça, j'en suis sûr. Tu iras un jour." Il but son thé. Il dit : "Au Japon, il y a des maisons de thé d'où on peut voir le soleil se coucher. J'y suis allé avec des amis japonais. Quand le soleil se couche, tout le monde se tait et regarde, et on reste silencieux un long moment après que le soleil a disparu." Albert se frotta les yeux.

Le silence de la cuisine était celui qui suit un coucher de soleil au Japon. Pour Daniel, c'était un silence triste, un silence qui, pour une raison quelconque, lui donnait la nostalgie d'autres lieux, d'autres époques qu'il ne pouvait retrouver, vers lesquels il ne pouvait retourner ; mais quand il était plus jeune, il n'était allé nulle part, sa nostalgie ne pouvait donc être réelle. Il dit : "Je reprendrais bien du thé", mais Albert n'entendit pas. S'il était nostalgique, sa nostalgie devait être vraie, parce qu'il avait connu différentes époques, différents lieux. En ce moment, il était au Japon. Mais, au Japon, il pensait à autre chose. Il releva la tête et dit : "Vous savez ce qui sauvera vraiment le monde ?"

La famille le regardait.

"La prière," dit-il.

La famille continuait à le regarder. Comme toujours quand ils l'écoutaient, ils avaient le visage attentif et ouvert, mais aussi, comme un ciel dégagé, un peu nuageux. Le père se gratta la tête. La mère se leva pour débarrasser le service à thé et elle demanda à Daniel et à Julien s'ils n'avaient pas de devoirs. Mais Albert les arrêta tous en disant d'une voix brusquement forte : "Qu'est-ce que nous faisons là, assis à prendre le thé ? Nous devrions prier pour le monde." La mère qui regardait son mari, ne tourna pas les yeux vers lui, mais elle dit : "Tu as raison, Al. Tu as raison. N'est-ce pas, Jim ?" Jim approuva de la tête : "Oui, il a raison."

Julien dit : "Je vais me coucher."

Albert le regarda fixement : "Tu ferais mieux de te joindre à nous mon garçon."

Julien le regarda de la même façon.

"Non, dit-il. Je vais me coucher.

— Je te dis que tu ferais mieux de prier," dit Albert mais il souriait à moitié.

Julien répéta : "Non", puis il alla dans sa chambre et referma la porte.

Quand Albert se leva, les autres l'imitèrent.

Un jour, à l'école, les sœurs avaient demandé aux enfants de prier la Vierge en famille et, chacun leur tour, avec le texte des prières et une lampe votive, ils emportaient chez eux une statuette de Notre Dame (Notre Dame de Fatima, mais comme la paroisse s'appelait Notre Dame de Lourdes, les sœurs auraient pu se demander si elles n'allaient pas créer un conflit entre au moins deux apparitions de la Vierge et si on n'allait pas trouver Notre Dame de Fatima plus sensible aux demandes que Notre Dame de Lourdes), installée dans une petite boîte en bois avec une poignée, comme un cercueil de nouveau-né capitonné de satin bleu ; quand ce fut le tour de Daniel, il rapporta la boîte à la maison avec par avance un sentiment d'échec parce qu'il savait que sa famille ne prierait pas la boîte, ouverte comme un reliquaire sur la table de la cuisine. La mère avait examiné la statue et avait dit qu'ils *devraient* bien prier, mais le père y avait à peine prêté attention. Aujourd'hui, Albert ramenait la prière à la maison, comme il y avait rapporté le Japon et la guerre. Ils savaient tous prier, mais en famille, à genoux devant les chaises de la salle de séjour, cela semblait aussi étrange que s'ils avaient dit leurs prières dans un temple Shinto ou près d'un aumônier militaire dans une clairière de la jungle.

Edmond avait dû éteindre la radio. Il était agenouillé à côté du poste.

Ils diraient toutes les prières. Albert demanda au père de conduire. Le père récita d'une voix rauque la première moitié des phrases du *Je vous salue Marie* et du *Notre Père*, Albert et les autres complètaient. Daniel agenouillé et leur tournant le dos, disait ses prières en silence ; il ne voulait pas se trouver là, il aurait aimé être comme son frère Julien et refuser ; son silence avait presque l'air d'un défi à la voix forte d'Albert et, à côté de lui, à celle de sa mère qui n'était à genoux et ne priait qu'à cause d'Albert et qui, pourtant, étant donné l'intensité de sa prière, aurait pu y penser avant et entraîner toute la famille. Elle montrait à Albert à quel point elle pouvait être, et était effectivement, d'accord avec lui.

Avant chaque chapelet, le père annonçait les mystères — *joyeux, douloureux, glorieux* — et au début de chaque dizaine, il s'arrêtait pour indiquer chacun des mystères et son intention ; *Joyeux : l'Annonciation, pour l'humilité ; la Visitation, pour la charité ; la Nativité de Jésus, pour la pauvreté ; la Présentation, pour l'obéissance ; Jésus au Temple, pour la piété ; Douloureux : l'Agonie au Jardin, pour la contrition ; la Flagellation, pour la pureté* (Daniel était sûr qu'il s'agissait d'un mystère, il se sentit très proche de son frère à l'insu de ce dernier) ; *le Couronnement d'épines, pour la force ; le Portement de la Croix, pour la patience* (sa mère, Daniel le savait, prierait particulièrement pour la patience) ; *le Crucifiement, pour le renoncement* (oui, Daniel voulait renoncer, renoncer totalement) ; *Glorieux : la Resurrection, pour la foi ; l'Ascension, pour l'espérance ; la Descente du Saint-Esprit, pour l'amour ; l'Assomption, pour le bonheur éternel, le Couronnement de Marie, pour la dévotion à Marie.*

En priant, la famille avait-elle conscience qu'elle parcourait tous les mystères de la terre et des cieux ? Avaient-ils conscience que ces mystères divins avaient pour but, par leur pouvoir, de donner à la terre la vertu de se transformer, de sauver le monde ?

Dans la dernière dizaine, Daniel eut mal aux genoux et au dos. La répétition des prières avait créé un mouvement sonore qui réduisait la famille à un bruit ; il n'avait pas prié à voix haute et les prières qu'il avait répétées, sans bruit, dans son esprit, avaient créé un rythme silencieux, et il ne pouvait s'en dégager ; il laissa le rythme de l'intérieur et le mouvement sonore de l'extérieur le porter jusqu'à la fin.

Ils se relevèrent. La mère dit à Daniel : "Tu n'as pas prié à voix haute.

— Ce n'est pas vous que je priais," répondit Daniel.

Albert dit : "Tu aurais dû prier à voix haute. Tu aurais dû prier avec nous, pas tout seul."

Daniel se fit tout petit : "Quelle est la différence ?

— Très grande ; nous nous sommes adressés à Dieu ensemble, pas chacun pour soi."

Daniel n'avait jamais entendu ça ; il ne comprenait pas ce qu'Albert voulait dire. La mère ajouta, en enroulant son chapelet autour de ses doigts : "C'était merveilleux !" Elle aurait été scandalisée si quelqu'un lui avait dit — comme Albert aurait pu le faire lorsqu'il baissa les yeux pendant une seconde — qu'elle se racontait des histoires. Elle répéta : "C'était merveilleux !" Albert ne dit rien ; ni le père. Edmond alluma la radio.

Les parents regardaient Albert aller de pièce en pièce ramasser des magazines et les reposer, ouvrir et fermer des tiroirs, jeter un œil dans le frigo. Puis il s'assit à nouveau à la table de la cuisine. Il fuma. Il voulut tout savoir sur chaque membre de la famille. La mère parla de chacun et il l'écouta avec une attention soutenue et silencieux. Elle avait l'impression qu'il leur faisait passer un examen et elle les décrivait comme pour les défendre : les affaires de Richard marchaient *très* bien, il allait *fusionner* avec une entreprise plus importante du Massachusetts et s'ils quittaient l'état de Rhode Island, ils n'allaient quand même pas *trop* loin (elle parlait de Richard en sachant qu'Albert avait investi mille dollars dans son affaire, mais elle savait aussi qu'Albert avait toujours considéré son investissement comme un don pur et simple) ; Edmond était très heureux d'avoir une voiture neuve (Albert avait aidé Edmond à l'acheter) et il parlait toujours de descendre au Kentucky ; Philip, le fils qui se trouvait à Cambridge, dans l'état du Massachusetts, réussissait *très, très* bien, il avait été reçu avec mention très bien et il allait être si heureux de savoir qu'Albert était là (Albert avait payé pour l'envoyer au M.I.T. et, des années plus tôt, alors que Philip était encore en dernière année de lycée, Albert qui avait le grade de capitaine et qui se trouvait en permission, avait dit à Philip : "Maman me dit que tu obtiens des notes de plus en plus élevées, petit. Fais-moi voir ton carnet," et la famille avait regardé Philip présenter son carnet de notes à Albert qui l'avait examiné et qui avait ajouté : "Petit, avec des 20 partout, n'importe quelle université te prendra, alors tu choisis laquelle ?", et Albert avait choisi le Massachusetts Institute of Technology ; Philip, non seulement le premier à entrer à l'université mais aussi à passer le baccalauréat, alla à Cambridge ; chaque mois, Albert envoyait un chèque pour les études et la pension, le père déposait l'argent sur son compte et envoyait à Philip des chèques à son nom) ; André, à Miami, réussissait très bien dans ses études de chant, il faisait partie des chœurs d'opéra montés par l'université et il avait envoyé des photos de lui sur scène, une dans un costume espagnol, une autre dans un ensemble de satin avec des culottes qui s'arrêtaient aux genoux, de longs bas blancs et des chaussures à boucles...

Là-bas, en Corée, Albert avait imaginé qu'il reviendrait dans une maison simple et carrée, une maison créée pour lui avec une longue perspective que la distance rendait simple : la maison d'un homme de Dieu, la maison d'un homme honoré par sa femme et ses fils, la maison d'une famille dont les efforts convergeaient — comme les lignes de fuite de la perspective qui venaient de points situés derrière lui et qui convergeaient devant lui dans une maison et vers un seul point central — dans leur dévotion à Dieu. Il ne s'agissait pas d'une maison qu'il avait construite lui-même, avec des poutres de bois, des planches, des bardeaux, mais une maison faite de longs rayons de grâce. De là-bas, il avait été ému par la petite maison blanche dont il se souvenait à un carrefour...

Le père dit : "Je crois qu'il est l'heure d'aller au lit."

Pendant quelque temps, avant de s'endormir, Daniel entendit les pas de son frère Albert qui marchait dans la cuisine, la salle de bain, la petite chambre, la salle de séjour.

Tôt le lendemain matin, Albert était assis devant la table de la cuisine et se frottait les yeux. Son visage semblait décharné et les muscles de ses joues et de ses mâchoires étaient contractés. Sa mère veillait à ne pas lui adresser la parole. Elle se déplaçait sans bruit comme s'il dormait toujours et qu'elle ne veuille pas le réveiller. Daniel et Julien s'assirent sans bruit et prirent leur petit déjeuner. Dehors, il faisait très clair ; la mère ouvrit les fenêtres de la cuisine.

De la soirée précédente, l'intérieur de la maison avait perdu toute petitesse. La mère se demandait si Albert la trouverait mesquine de s'asseoir près d'une fenêtre pour respirer l'air rendu plus frais par les nombreux et immenses érables humides et vert sombre. Elle aperçut le facteur qui marchait sous les arbres. Il portait une petite boîte dans la main. Elle entendit un bruit de pas sous le porche et le claquement du couvercle de la boîte à lettres. Elle y alla rapidement et tout aussi rapidement elle ouvrit le petit paquet. Il contenait, dans une boîte verte, un petit bouquet de fleurs séchées attachées par un ruban. La carte disait : "Tous les camarades de classe offrent des fleurs à leur petite amie, mais comme tu es la seule petite amie que j'aie, c'est à toi que je les offre. Phil." Elle sortit le bouquet. Elle le regarda pendant un long moment en le faisant tourner. Les délicates petites fleurs séchées vibraient à l'extrémité des tiges fines. Que ce soit Philip qui les lui envoie, lui qui ne manifestait jamais aucune émotion à part la colère et qui envoyait encore moins de cadeaux, donnait aux fleurs une intention particulière qu'elle essayait de faire sienne en essayant de faire siennes, l'une après l'autre, les fleurs elles-mêmes : rouge pâle, jaune paille. Brusquement, elle aurait pu être une petite mariée avec un petit bouquet, seule dans l'entrée avant de quitter la maison pour se rendre à l'église, se demandant combien elle aurait d'enfants et pensant soudain avec une sorte de doux abandon du corps, elle en eut une faiblesse et dut s'appuyer contre la porte : j'aurai seps fils. Elle aurait pu recevoir le petit bouquet non seulement de Philip mais, pendant cet instant précis, de ses sept fils, tournés vers elle, sept mains qui lui tendaient le bouquet, une jeune mariée qui ne savait même pas comment on pouvait faire sept fils. Elle serra les fleurs séchées. Elle voulait les montrer à quelqu'un. Puis elle pensa que cela mettrait peut-être Albert en colère. Elle s'éloigna de la porte. Elle regarda les fleurs un peu plus longtemps, puis les replaça dans la petite boîte. Elle entendit Daniel qui disait : "Qu'est-ce que c'est, maman ?" Elle remit le couvercle sur la boîte. Elle se dit qu'elle pouvait aller d'abord dans sa chambre pour ranger la boîte dans un tiroir. Cependant, elle souleva à nouveau le couvercle pour regarder encore le bouquet. Brusquement, sans réfléchir, elle sut qu'elle le montrerait à Albert. Elle entra dans la cuisine, en tenant la boîte ouverte et dit simplement : "Regarde". Il baissa son visage maigre, tendit la main, une cigarette allumée entre deux doigts, et prit la boîte. La mère recula. Il sourit. Il sortit les fleurs de la boîte et les leva. Il dit : "Elles sont belles". Il lut la carte. Il dit : "Nous sommes des soupirants fidèles, maman."

La route défoncée et boueuse conduisait vers des buissons d'airelles secoués par le vent, près du lac, puis elle tournait brusquement à droite et traversait d'autres buissons encore plus agités sur les berges du lac, elle virait à nouveau à droite parmi d'autres buissons et des pins de Virginie puis elle faisait une courbe serrée jusqu'à une route bien droite entre de grands pins aux troncs noirs, lisses et dénudés dont les hautes branches s'entrechoquaient. A droite, derrière les arbres, s'élevait un talus recouvert d'aiguilles de pin et de fougères desséchées et, au-dessus se dressaient les troncs verticaux et espacés de pins plus jeunes. A gauche de la route, entre les pins, on voyait le lac noir, la surface était ridée par de petites vagues comme la surface d'une rivière et la rive opposée semblait une ligne d'arbres dans la brume. La voiture sautait dans les ornières et les nids de poule pleins d'eau.

La mère, assise à l'arrière, entre les deux garçons, dit : "On s'est perdus."

Albert conduisait. Le père était à côté de lui. "On va aller jusqu'au bout de la route, dit Albert.

— Mais elle se termine à l'eau, dit la mère." Elle regardait l'eau noire du lac et détourna les yeux.

"On va aller jusqu'au bout," répéta Albert.

A moitié pour Albert, à moitié pour sa femme, le père dit : "Il n'y a pas la place de faire demi-tour."

Des branches basses raclaient les côtés de la voiture. La route devenait plus étroite, en suivant toujours le bord, et parfois elle descendait en dessous du niveau du lac. Ils avaient alors l'impression que l'eau allait les recouvrir mais que les rangées de buissons la retenaient. Parfois la route s'élevait un peu au-dessus d'un talus et ils se trouvaient alors assez hauts pour voir les longues herbes qui ondulaient dedans.

La voiture arriva près d'un énorme rocher couvert de lierre vénéneux et Albert s'arrêta. Ils s'étaient peut-être perdus. Tous restaient silencieux et regardaient par les vitres fermées et embuées les bois qui les entouraient.

Albert arrêta le moteur et descendit. Une odeur de feuilles humides et de pins pénétra dans la voiture. La mère demanda au père de refermer la portière. Ils regardaient Albert qui écartait les buissons pour passer derrière la voiture. Ils tournèrent la tête et, par la vitre arrière, ils le virent s'éloigner lentement sur le chemin recouvert d'herbes dont certaines avaient été écrasées par les pneus. Il regardait de la gauche vers la droite. Il disparut derrière les arbres et les buissons. Ceux qui étaient dans la voiture continuèrent à regarder. Une brume se levait dans les bois.

Quand Albert réapparut, on aurait dit qu'il revenait d'une mission de reconnaissance en solitaire dans les bois, et à l'intérieur de la voiture, ils attendirent pour savoir ce qu'il avait découvert. Il dit, en regardant le moteur. "On aurait dû tourner à droite, à l'embranchement.

— Je n'ai pas vu d'embranchement," dit la mère.

Albert recula lentement, dans une courbe, sur une portion de route défoncée, bordée de chaque côté par deux lignes épaisses de buissons, puis il s'arrêta devant une brèche et s'y engagea.

La voiture cahota quand une roue avant passa par dessus un rocher en saillie, puis enfoncée dans les hautes herbes, elle roula doucement sur la route étroite, avec la densité des bois d'un côté et la platitude du lac de l'autre. Tout au bout de la route, au milieu de pins gigantesques, on apercevait le toit et le haut mur de pierre d'une maison.

La route continuait, mais ils s'arrêtèrent juste en dessous de la maison. Elle était construite de poutres et de pierres, avec deux étages et un garage de plain-pied, et se dressait sur le flanc d'une colline couverte de pins et de bouleaux. Toutes les fenêtres étaient fermées. Des mauvaises herbes poussaient sur les murs. Ils la contemplèrent de l'intérieur de la voiture. Ils restèrent assis là longtemps, à regarder derrière les vitres fermées. Tout se passait comme s'ils ne voulaient pas sortir, comme s'ils n'étaient pas sûrs qu'il s'agissait bien de la maison qu'ils étaient venus visiter et comme s'ils ne reconnaissaient pas l'extérieur. Ils entendirent au-dessus d'eux le cri sonore, coa-coa, d'un oiseau. La grande maison sévère se dressait à droite ; à leur gauche, il y avait le lac et, entre deux pins rabougris, un petit appontement gris, dégradé par le temps et un peu effondré, avec un pneu qui y était attaché, et un bateau à moitié coulé, retenu par une chaîne rouillée. L'oiseau noir au coa-coa sonore, s'envola en rasant le lac noir puis il s'éleva.

Albert ouvrit la porte de la voiture. Les autres le suivirent. Ils restaient ensemble, et sentaient les cailloux et les brindilles à travers la semelle de leurs chaussures en marchant sur cette terre inconnue. Ils remontèrent lentement la route, qui faisait le tour de la colline, vers l'autre côté de la maison, une façade longue et basse faite à moitié de poutres teintes en brun et à moitié de pierres, avec de grandes fenêtres aux nombreuses vitres, une entrée sous le petit auvent pointu, et une immense pelouse envahie par l'herbe, avec des bouleaux, et descendant vers un mur de pierre qui suivait la courbe de la route, et au-delà, une autre portion du lac, plus grande, une immensité d'eau qui s'étendait si loin que l'autre rive se perdait dans les nuages noirs qui roulaient juste à la surface de l'eau et dans le lac. Le vent, qui soufflait derrière eux, les poussait dans la direction des nuages, vers les eaux dégagées, dans le ciel bas. Cette partie plus vaste du lac était séparée de la partie étroite comme un fleuve par une île basse et longue couverte de pins et reliée à la terre ferme par un pont effondré, fait de traverses de chemin de fer et de planches pourries. L'eau, chargée d'herbes ondulantes, courait sous le pont, du grand lac vers le petit. Des canards passaient entre les traverses et les planches tombées dans l'eau. Un sentier suivait la berge à-pic et menait à une jetée de pierres et de terre contre laquelle battaient les vagues du lac.

Ils se retournèrent vers la maison. La colline dans laquelle elle était construite ressemblait à une petite presqu'île, avec de l'eau de trois côtés, et l'île juste hors de portée de la plus longue pointe de la presqu'île. Des pins et des chênes s'élevaient au-dessus du toit et de l'énorme cheminée de pierre. Ils suivirent la route jusqu'à l'arrière de la maison qui n'avait plus qu'un seul niveau de ce côté-là, avec une longue véranda protégée par des fenêtres moustiquaires ; des feuilles humides y étaient collées et le vent y sifflait. Par les moustiquaires et les fenêtres basses, ils regardèrent l'intérieur vide et obscur.

La mère demanda : "Tu crois que c'est la bonne maison ?"

Albert regarda sa montre.

Ils marchèrent dans les hautes herbes, entre les bouleaux. Les nuages obscurcissaient le lac immense et les îles se dressaient au-dessus des bancs de brume. Ils restèrent au milieu des bouleaux.

Il se mit à pleuvoir. Les gouttes marquaient la surface de l'eau. Brusquement, Albert courut jusqu'à la voiture pour se mettre à l'abri. Quand les autres arrivèrent. Un rideau de pluie brouillait les vitres. Ils restèrent assis dans un silence rempli de vapeur. La pluie tombait plus violemment et s'écrasait contre le pare-brise. Au bout d'un moment, Albert dit en regardant dehors : "Je déteste la pluie." L'eau coulait entre les pins, courait en petites rigoles sur la route. La mère se demandait si elle devait dire à nouveau qu'ils s'étaient peut-être trompés de maison. Albert dit : "Nous avons peut-être fait une erreur."

La mère ajouta : "Attendons au moins que la pluie se soit un peu arrêtée."

Albert tourna brusquement la tête pour regarder derrière ; dans le rétroviseur, il avait vu une voiture s'avancer sous la pluie.

La voiture s'arrêta, un homme en sortit en relevant le col de sa veste et il courut vers eux. Albert baissa sa vitre. De l'eau s'écrasait sur les larges bords de son chapeau et l'éclaboussait. Il dit qu'il allait ouvrir la porte latérale qui conduisait au garage et qu'ils pourraient entrer en courant. Il retourna vers sa voiture et ouvrit la portière à une femme portant un petit chapeau et un manteau au col de fourrure qui se précipita vers la maison sur ses hauts talons. Il referma derrière elle.

L'électricité n'était pas branchée. Ils suivirent le proprié-taire et sa femme dans un escalier sombre qui menait dans la maison.

La maison était construite sur plusieurs niveaux, si bien qu'il y avait des escaliers partout. Vides, les pièces sem-blaient gigantesques. A l'intérieur, il faisait sombre, froid, humide. Il y avait des feuilles sèches et des brindilles sur les planchers nus, comme si le vent les avait fait passer à travers les murs et les fenêtres fermées. Une lumière grise et verte passait faiblement par les grandes fenêtres détrempées. Le bruit de leurs pas résonnait tandis qu'ils allaient de pièce en pièce, qu'ils gravissaient et descendaient des escaliers, qu'ils montaient dans les chambres, qu'ils entraient et sortaient des cabinets, ou dans le grenier bas sous le toit, sans savoir, à l'intérieur, comment l'immense maison asymétrique était organisée autour d'eux, sans du tout connaître comment aller de la cuisine dans la salle de séjour, d'une pièce du rez-de-chaussée avec un balcon jusqu'à la salle de bains du rez-de-chaussée. C'était une maison avec beaucoup de portes, de coins et de recoins. Ils se séparèrent, ils entraient et sortaient seuls des pièces, ils se retrouvaient dans l'entrée de derrière, dans la véranda devant l'immense salle de sé-jour, dans un placard à linge. Le père examinait les plafonds, les murs ; il tapait doucement sur toute la longueur des fines fissures dans le plâtre. Il posait des questions au propriétaire qui restait avec sa femme dans la cuisine, et jouait avec ses clefs attachées par une ficelle, en les faisant tourner sans fin dans sa main.

Daniel, seul dans une pièce immense et vide, entendait des bruits de pas autour de lui, des voix. Il n'arrivait pas à imaginer qu'il s'agissait des bruits de pas de sa famille qui habitait vraiment la maison. Il entendit la voix du propriétaire et il s'avança rapidement pour mieux entendre. L'homme faisait une petite conférence. Il avait conçu et construit la maison lui-même, il avait trouvé les matériaux de construction sur place (il avait pris les pierres dans le flanc de la colline quand il creusait les fondations, des blocs gris et blancs ; il avait taillé le manteau de la cheminée dans un énorme chêne qu'on avait dû abattre pour dégager le terrain) ou dans de vieilles maisons ou d'anciens moulins des environs qu'il savait être promis à la démolition (les fenêtres étroites étaient chevillées, pas clouées, et venaient d'une vieille maison près du village le plus proche, qu'on appelait Greenville ; les poutres, les planchers, les grandes fenêtres aux nombreuses vitres sur la façade de la maison venaient d'une ancienne usine de textile près du fleuve ; les portes intérieures d'une ancienne école ; les lambris de la salle de séjour, de la salle paroissiale d'un petit village ravagé par un ouragan) et il avait construit sa maison par étapes, au fur et à mesure qu'il avait décidé de s'agrandir et c'était comme si on avait construit plusieurs maisons l'une dans l'autre, toutes à des niveaux différents. Après le petit historique, on examina attentivement le manteau de la cheminée, les planchers, les fenêtres, les portes, les lambris, comme s'il s'agissait encore de parties d'arbres, d'anciennes maisons, de moulins, d'écoles, de salles paroissiales, plus que de la maison à laquelle ils appartenaient.

Le père regarda Albert qui hocha la tête une fois et le père s'avança vers l'homme.

Il ne dit pas à l'homme ni à sa femme qu'il aimait la maison ni même qu'il voulait l'acheter. Il commença en disant :

"Je voudrais savoir si on peut discuter du prix."

L'homme répondit : "De combien est-ce qu'il faut

rabattre ?" Le père le regarda fixement. Peut-être parce que l'anglais n'était pas sa langue maternelle, mais une langue apprise à l'école française et enseignée par des sœurs, à chaque fois que le père rencontrait quelqu'un qui parlait un anglais courant, comme cet homme, un doute momentané lui faisait croire que l'homme parlait correctement et pas lui. Il chercha une expression toute faite. Il dit : "Et voyons de combien vous seriez prêt à descendre le chiffre annoncé." (Le chiffre annoncé était vingt-quatre mille dollars.) L'homme dit en faisant tourner les clefs sur leur ficelle : "Vous voulez une réponse claire ?

— Je voudrais savoir," dit le père.

Albert s'avança vers l'homme et son père comme s'il allait s'interposer.

L'homme dit : "Vingt mille."

Le visage du père resta impassible. Le regard d'Albert le pressait d'accepter tout de suite mais le père dit : "Je vous téléphonerai à sept heures", et il tendit la main pour se mettre d'accord au moins là-dessus.

"Sept heures du soir ? demanda l'homme.

— Sept heures du matin," répondit le père.

Dans la voiture, en rentrant à Providence, ils parlèrent.

La mère dit : "Vingt mille dollars ?

— Ça me semble raisonnable, dit Albert.

— Mais nous n'avons pas vingt mille dollars, dit-elle.

— Nous allons hypothéquer la maison en ville," répondit son mari.

La mère dit : "Vous avons mis vingt-cinq ans à rembourser le prêt de la banque sur la maison, et ce n'était que sept mille dollars.

— Je sais, dit le mari.

— C'est tout ce que nous avons, dit la femme.

— J'ai un bon salaire maintenant. Nous rembourserons l'hypothèque très vite."

Dans le passé, à chaque fois qu'elle avait dit qu'elle voulait quitter cette maison, elle l'avait fait en sachant qu'il ne lèverait pas le petit doigt pour la satisfaire, et elle se rendait compte qu'elle n'avait cessé de répéter qu'elle voulait s'en aller que parce qu'elle savait qu'il ne voudrait jamais partir ; maintenant, il était prêt à lui retirer la maison en l'hypothéquant pour acheter une autre maison qu'elle n'arrivait pas à imaginer comme étant leur maison, qui ne serait jamais chez eux, et elle se demandait si elle ne lui avait pas fait entreprendre ça, si en fin de compte elle ne l'avait pas obligé à faire quelque chose qu'il n'avait pas vraiment envie de faire. Il ne prenait jamais de risques.

"Laisse-moi faire, dit-il.

— Je me souviens quand on économisait sou par sou pour avoir de quoi payer seulement les intérêts sans parler de l'hypothèque, et quel soulagement quand tout a été remboursé."

Albert dit : "On dirait que tu ne veux pas que papa achète la maison.

— Non...

— Tu ne devrais pas l'empêcher de faire ce qui lui plaît."

Elle éleva la voix : "L'empêcher ?"

Le père dit : *"Assez, assez".*

La mère fixait la nuque des deux hommes assis devant elle, comme si elle avait voulu qu'ils la regardent. "Je n'ai jamais essayé de l'empêcher de faire quelque chose ! Il a toujours fait exactement ce qu'il voulait !

— *Assez, assez,*" répéta le père.

Elle se laissa retomber sur son siège. Elle se retira dans ses pensées comme elle se retirait à l'arrière de la voiture. Mais après quelques instants, elle ne put se retenir de demander à son mari : "Est-ce que je t'ai jamais empêché de faire ce que tu voulais ?"

Il ne se retourna pas vers elle. "Non, jamais.

— Jamais," répéta-t-elle.

Elle disait cela autant pour Albert que pour son mari. Son mari ne la défendrait jamais contre Albert, contre aucun de ses fils, qui tous, se disait-elle, prenaient immédiatement la défense de leur père. Ils pensaient qu'il ne se trompait jamais, ils seraient avec lui s'il décidait de vendre la maison pour investir l'argent dans un tas de tuyaux rouillés. Et si elle avait voulu, par exemple, prendre un travail de standardiste, passer son permis de conduire ou même fumer une cigarette, autant de choses que son mari aurait désapprouvées, est-ce qu'un de ses fils aurait dit : "Tu n'a qu'à faire ce qui te plaît" ? Non, se dit-elle, pas un seul.

Elle n'avait pas vraiment une pensée à elle, pas plus qu'elle n'avait une maison à elle. A chaque fois qu'elle allait chez Mme Girard, dont la famille était plus grande que la sienne mais qui comptait plus de filles que de garçons, elle était toujours frappée par la disposition des fleurs dans des vases devant les miroirs, par ce qu'on apercevait par les portes entrouvertes des chambres, des tables recouvertes de nappes et encombrées de boîtes de poudre et de bouteilles de parfum, par des culottes de soie, des bas et des soutiens-gorge qui séchaient dans la salle de bains, par la table à repasser chargée de vêtements en attente. Est-ce qu'elle ne revenait pas de chez Pauline Girard avec la sensation qu'elle-même habitait une maison sinistre et masculine dans laquelle il n'y avait pas de vases de fleurs, dans laquelle ses boîtes de poudre et ses flacons de parfum étaient repoussés sur un coin de bureau, dans laquelle elle essayait de dissimuler ses culottes et ses soutiens-gorge et dans laquelle elle ne repassait que des chemises d'homme ? Si elle mettait un petit tapis près du siège des toilettes, elle le retrouvait vite taché d'urine ; si elle accrochait des rideaux clairs dans la cuisine, ils étaient tout de suite noircis par la fumée des cigarettes ; les lourds trousseaux de clefs des voitures rayaient les surfaces polies, les grosses mains sales noircissaient les serviettes, les grandes chaussures laissaient des empreintes sur le sol.

Quelques instants plus tard, elle se dit : je me disputerais sans doute continuellement avec des filles, ce que je ne fais jamais avec mes fils.

Quand ils furent de retour à Providence, elle contempla sa maison masculine et, fatiguée, elle pensa : que va-t-il arriver si nous la perdons ?

Pendant qu'ils mangeaient, elle dit : "Je trouve que les lois sont injustes, je veux dire, pour les parents. On doit élever ses enfants. On en est responsable jusqu'à ce qu'ils aient vingt et un ans. C'est vrai, non ? Pourquoi est-ce qu'il n'y a pas une loi qui oblige les enfants à être responsables de leurs parents après l'âge de, par exemple, de soixante-dix ans ? Si votre père et moi on avait cinq dollars par semaine de chacun de vous... ça ferait combien ? Sept fois cinq. Trente-cinq dollars par semaine. On pourrait en vivre s'il le fallait. Est-ce que les enfants ne devraient pas prendre soin de leurs parents après que les parents ont pris soin d'eux ? Mais ce n'est pas le cas, hein, et les parents n'ont rien à attendre...

— On ne vous abandonnera pas, dit Albert.

— Nous n'avons rien à attendre. Vous devez faire ce que vous avez envie de faire. Nous n'avons pas le droit de vous en empêcher. Nous ne vous avons jamais empêché de faire exactement ce que vous vouliez, aucun d'entre vous. Vous êtes tous partis, et pour de bon. Il ne reste qu'Edmond. Cette maison à la campagne me semble bien grande pour une famille qui n'est plus réunie. Cela fait onze ans que nous n'avons plus été ensemble au même endroit. Vous suivez tous votre chemin. C'est comme ça et votre père et moi, nous n'avons qu'à l'accepter, et nous débrouiller tout seuls...

— Ne te fais pas de souci pour ça, dit Albert.

— Non, je ne me fais pas de souci. Je ne peux pas m'en faire. Il faut que j'apprenne à accepter." Elle recommença à manger en silence puis, après quelques instants, elle releva la tête et dit : "Vous savez, je préfèrerais mourir plutôt que de ne pas avoir de maison, plutôt que de dépendre de mes fils."

Le père jeta un coup d'œil à Albert qui s'apprêtait à répondre ; le regard l'arrêta.

"Je ne supporterais pas d'être un fardeau pour mes enfants. Je préfèrerais aller dans une maison de retraite plutôt que de m'installer chez un de mes enfants. De temps en temps, je me dis, eh bien, peut-être qu'ils ne trouveraient rien à redire si je restais dans leur grenier..." Elle rit. "Ils pourraient me monter de la soupe une fois par jour, dans une écuelle en bois, avec une cuillère en bois. Mais non. Je refuse d'y penser, d'habiter chez eux. Je mourrai plutôt dans la rue."

Julien dit : "C'est dingue. Tu ne mourras pas dans la rue.

— On ne peut jamais savoir," dit-elle. Le père mangeait rapidement. La mère, lentement. Elle dit : "Ce n'est pas que ça m'inquiète, de mourir.

— Ah non... ! dit le père.

— Non, je ne suis pas morbide, je vous assure. On ne devrait pas s'en inquiéter, hein, Albert ? Ce n'est pas ce que tu as dit ? Est-ce que mourir ne vaut pas mieux que vivre ? Est-ce qu'on ne devrait pas mourir ?"

Le père ne pouvait pas nier qu'Albert, qui parlait de ces sujets avec l'autorité d'un théologien, l'avait répété bien des fois ; mais Albert, qui posa sa fourchette et qui regarda sa mère, ne le répéta pas.

Elle dit en souriant : "Nous n'aurons plus besoin d'aucune maison quand nous serons morts. Et quand nous serons tous morts, nous serons à nouveau tous ensemble. C'est pas vrai ? Penses-y, Jim. Aujourd'hui, nous croyons que nous sommes tous séparés, mais là-bas nous serons tous ensemble. Nous serons là-bas, toi et moi, nous regarderons au-dehors et nous dirons : Voilà Richard, il revient. Regarde, voilà Albert. Et Edmond. Et voilà Philip et André. Et, oh, voilà aussi les gamins, Daniel et Julien. Ça y est, nous voilà tous ensemble."

Albert la regardait avec de grands yeux.

Après le souper, Daniel aida sa mère à débarrasser la table et il essuya la vaisselle tandis qu'elle la lavait. Elle dit : "J'aimerais que ton père me laisse prendre un travail.

— Pourquoi ? demanda-t-il.

— Pour travailler. Pour sortir. Sortir de la maison."

Il n'écoutait qu'à moitié.

"Il m'a permis, autrefois. Mais c'était pendant la crise.

— Oui, dit-il.

— André et Philip étaient bébés. Je m'installais dans la cour pour les surveiller pendant qu'ils jouaient. Les voisins s'arrêtaient pour faire la causette par dessus la haie ; on parlait toujours de la crise. Une fois, Nora Dionne s'est arrêtée. J'avais connu Nora à Notre Dame de Lourdes, elle était mariée et avait deux garçons. Son mari, comme ton père, gagnait environ sept dollars par semaine. Elle m'a dit qu'elle pouvait m'obtenir un emploi de serveuse chez un traiteur, M. Hardy, chez qui elle travaillait. Ton père a été d'accord parce qu'on avait besoin d'argent. Il faisait n'importe quel travail, il réparait ou repeignait des maisons. Je portais une robe noire avec des poignets et un col blancs, et un petit tablier blanc en demi-cercle. J'étais mince à l'époque. La première fois, j'ai servi à un mariage. Je servais de la soupe. Je n'ai pas remarqué une femme qui parlait en gesticulant. Elle a levé les bras, elle a cogné dans le plateau et un bol de soupe s'est renversé dans son dos. M. Hardy a dû lui payer une robe, mais j'ai gagné quatorze dollars. Une autre fois, je servais en maison bourgeoise chez des Irlandais. Tu connais les Irlandais. La maison était toute en désordre. Il y avait des chaussures sous les lits. Un adolescent n'arrêtait pas de me suivre et il essayait de me toucher. Je lui ai dit : "Ecoute, j'ai cinq enfants," mais il a quand même continué à me suivre. M. Hardy a dû lui dire : "Laisse-la tranquille ou je te file une beigne." Il lui a répondu : "Elle est belle." Quand tout a été fini, M. Hardy nous a demandé à Nora et à moi si nous voulions encore travailler ce jour-là. Nous avons dit oui. Nous avons pris un ferry. C'était une fête entre hommes. Pendant que je servais, un gros type s'est penché et m'a pincé la jambe. Je lui ai dit : "Qu'est-ce qui vous prend ?" Mais je ne voulais pas en dire trop pour ne pas perdre les pourboires. Et quand ça a été fini, M. Hardy nous a demandé si nous voulions encore travailler. Il était tard, mais nous y sommes quand même allées. C'était une fête chez des Français à Woonsocket. Ils ont été ravis quand je me suis avancée avec la soupe aux fruits de mer et que je leur ai demandé : *"Est-ce que vous en voulez encore ?"* *"Ah, vous parlez français,"* se sont-ils écriés. J'ai fait un vrai succès. Quand enfin Nora m'a laissé au coin de la rue, il était sept heures et demie. Et une autre fois..." Elle s'arrêta. "Ça t'ennuie ?

— Non, non, dit-il.

— Une autre fois, reprit-elle, nous sommes allés à un repas entre hommes, aux Elks. Un homme m'a demandé mon nom. "Marie", je lui ai dit. J'ai toujours voulu m'appeler Marie. Un peu plus tard, il m'a fait signe et il tenait un billet de dix dollars roulé en boule dans la main. "Vous voyez ça ? a-t-il dit. Je vous serre simplement la main." Et il m'a glissé le billet de dix dollars. Au bout d'un petit moment, je suis retournée le voir. "Je ne peux pas le prendre. Vous avez sans doute une femme et un enfant chez vous et ils en ont besoin." "Non, m'a-t-il dit. Je ne suis pas marié. Gardez-le." Puis, il a ajouté. "J'aimerais vous voir après. J'ai une voiture." Je n'ai dit ni oui ni non. Je me suis éclipsée par derrière avec Nora avant la fin."

Elle regardait par la fenêtre, Violet Hill qui était effectivement violette dans la lumière du couchant.

"Une fois, Nora est venue à la maison avec ses deux garçons. Un des miens mangeait une pomme. "Oh, laisse-moi mordre une bouchée, a-t-elle dit. Je n'ai rien à manger à la maison." "Nora, c'est horrible," ai-je dit. Et j'ai donné des pommes à ses enfants. Un jour, elle est venue me voir pendant qu'on travaillait et elle m'a dit : "Il y a deux hommes qui nous attendront derrière la porte après. Ils ont une voiture." Je lui ai dit : "Nora, tu me prends pour qui ? " "Oh ! On peut bien s'amuser un peu", m'a t-elle répondu. M. Hardy m'a raccompagnée à la maison. Il m'a demandé : "Est-ce que vous sortez avec Nora ?" Je lui ai dit : "Non. Je travaille, c'est tout." "Tant mieux," m'a-t-il répondu. Puis elle a fait quelque chose et j'ai arrêté de travailler. Elle m'a dit : "J'ai trouvé deux hommes qui vont nous raccompagner. Ils vont nous ramener directement chez nous." Je me suis assise à l'arrière avec elle. J'ai dit : "Vous êtes passés devant chez moi." "Oh, on va juste faire une course," a répondu un des hommes. C'étaient des Italiens. L'un d'eux était un énorme type, vieux et gras. Ils sont allés jusqu'à une maison dans la campagne. Il y avait une ribambelle de petits Italiens qui jouaient dans la boue autour de la maison. J'ai dit : "Je n'entre pas." "Pourquoi ? a demandé Nora. Il n'y a pas de problème. Regarde tous les gosses." Alors, je suis sortie de la voiture et je suis entrée. Une énorme Italienne a soulevé un tapis au centre du plancher. Dessous, il y avait une trappe. Elle l'a ouverte et elle est descendue. Quand elle a réapparu, elle tenait une bouteille à la main.

C'était pendant la Prohibition. Je leur ai dit : " Si vous voulez boire ça, vous ne serez pas en état de me ramener chez moi. Et si nous avons un accident — moi, j'ai cinq enfants qui m'attendent — Nora, moi je veux rentrer chez moi. Quel genre de femme crois-tu que je suis ? *Raccompagnez-moi à la maison.* Si vous ne voulez pas, je vais rentrer à pied." Elle m'a dit "D'accord". Sur le chemin du retour, elle s'est assise devant, à côté du plus jeune, et il ne conduisait pas les deux mains sur le volant. Le gros type était assis derrière avec moi. Il a essayé de mettre son bras autour de moi. J'ai dit : "Arrêtez la voiture. Je veux descendre tout de suite. Enlevez votre bras." "Quel rabat-joie" a-t-il dit. Nous sommes passés devant chez Nora et j'ai dit "Nora, tu ne descends pas pour rentrer chez toi ?" "Non, a-t-elle dit. Je ne descends pas." J'ai crié : "Tournez ici et arrêtez." Je suis descendue. J'ai dit à Nora : "Cochonne". J'ai tout raconté à ton père. Aujourd'hui, quand j'y pense, j'ai peur." Elle a vidé la bassine d'eau de vaisselle dans l'évier.

La mère était seule. Elle marchait dans la maison, de pièce en pièce. Elle se dit : la maison me semble grande. Elle s'assit dans la salle de séjour. La maison lui semblait grande et un peu étrangère, comme si ce n'était pas la sienne, bien qu'elle y ait vécu pendant tant d'années. Elle aurait voulu qu'Albert soit là et elle attendait que Daniel et Julien rentrent de l'école. La maison semblait grande, se disait-elle, mais elle était petite, elle se demandait comment ils avaient réussi à y dormir, ses sept fils, son mari et elle. Elle se leva. Elle avait l'impression d'avoir momentanément oublié quel était son travail dans la maison. A l'entrée de la cuisine, elle entendit la porte de derrière qui s'ouvrait et qui claquait, puis des pas dans l'entrée, la porte de la cuisine s'ouvrit et son corps tressaillit légèrement.

Elle se précipita vers André tandis qu'il se précipitait vers elle, elle les mains sur la poitrine, lui les bras grands ouverts. On aurait pu croire qu'il voulait enlacer une femme énorme, aussi quand il referma les bras sur elle ses mains touchèrent presque ses coudes dans le dos de sa mère. Il enfouit son visage dans son cou et la tint serrée. Ses propres mains lui écrasaient les seins. Elle essaya de lui caresser la poitrine mais elle pouvait à peine bouger. Il se recula, assez pour la voir en entier, puis il la prit à nouveau dans ses bras en coinçant ses bras repliés contre ses côtes. Il dit : "Ah, maman !" Son menton barbu s'enfonçait dans le cou de sa mère.

Il s'éloigna, les bras ballants, et la regarda. Elle dit : "C'est toi le plus beau de tous." Il rit.

Il dit : "Je te ressemble.

— Tu es brun comme ton père," répondit-elle, et en disant cela elle pensa que d'une certaine façon ça n'était pas un compliment. Elle ajouta : "C'est un bel homme."

André, toujours les bras tendus, se tourna pour contempler la cuisine et il dit : "J'ai souvent pensé à la maison quand j'étais à Miami."

Elle lui prépara de la soupe tandis qu'il restait assis à table. D'après les cernes sombres qu'il avait autour des yeux, des cernes qui agrandissaient ses yeux, et ses paupières aux longs cils qui s'affaissaient, elle voyait qu'il était très fatigué, mais il continuait à parler.

Il dit : "Si tu vois M. Lambert" (le responsable du chœur à l'église) "ne lui dis pas que je suis rentré." (Il y avait peu de chances qu'elle le rencontre.) "Parce qu'il voudra que je chante dans le chœur pendant que je serai là et, même si je sais que je devrais le faire, franchement je n'en ai pas envie." Il se toucha la gorge.

Daniel et Julien rentrèrent. André ne se leva pas mais sa voix sortait comme un corps, une voix en fait plus grande, plus forte, plus énergique qu'André ne l'était physiquement — il était mince, et la pointe de ses longs doigts était posée sur la table — et Daniel et Julien l'entendirent dès qu'ils eurent passé la porte. Ils reculèrent presque. Ils s'avancèrent rapidement vers la table et s'assirent à l'autre bout, au plus loin d'André, et le regardèrent.

Il leur demanda : "Alors, comment va la vieille école ? Comment va Mère St Epiphane ?

— Très bien, répondit Daniel.

— Elle avait une si belle voix, une si belle voix, un si bel instrument, et elle me disait, elle disait : "N'oublie jamais, qu'importe la chanson et l'endroit, tu chantes pour Dieu, ce n'est que si tu chantes pour Dieu que ton chant est beau."

J'aimerais bien la voir après toutes ces années, et pourtant comment est-ce que je pourrais lui dire que j'ai abandonné le chant..."

La mère avait soulevé la marmite de soupe du poêle et la maintint en l'air. "Tu as abandonné le chant ?

— J'ai de mauvais sinus.

— On ne peut rien y faire ?

— Je suis allé voir un médecin, le meilleur otorhino de Floride, et il m'a dit qu'il ne pouvait pas me garantir qu'une opération me donnerait une voix moins nasale quand je chante.

— Et tu ne chantes plus ?"

Il leva les mains. "Oh, je chante. J'ai toujours chanté et je chanterai toujours. Mais j'ai arrêté d'étudier le chant.

— Qu'est-ce que tu vas faire ?

— Je vais m'aiguiller vers les affaires.

— Les affaires ?"

— Tu sais, les affaires, dit-il, la publicité, la promotion, la vente...

— Pourquoi est-ce que tu as choisi ça ?

— J'ai pensé que c'était le plus réalisable.

— Les affaires ?

Il se pinça le bout de nez et le secoua comme pour le déboucher.

"Oui.

— Et tu n'es pas déçu ?

— De ne pas être chanteur ?

— Je croyais que tu avais la passion de l'opéra."

Il dit : "Maman, je ne peux pas vivre d'une passion."

Elle versa la soupe dans un bol qu'elle lui apporta. "Sans doute".

Quand il parlait, André découvrait les dents en tirant les lèvres en arrière, et rentrait la tête dans les épaules. Elle avait vu la même expression de dureté chez Albert, et pendant quelques instants elle fut surprise de la retrouver chez André, comme si la tête d'Albert apparaissait dans le visage d'André, mais elle se rendit compte que ce qu'elle voyait c'était la forme du crâne de la famille. Elle en fut rassurée mais effrayée à la fois. "Tu sais, dit-il, je ne sacrifierai jamais ma vie pour une passion. Je pourrais peut-être continuer, entrer à l'opéra si je me faisais opérer des sinus et si je continuais à travailler ma voix. Je suis aussi bon qu'un autre, je le sais. Mais bien sûr, il faut être meilleur qu'un autre. Il faut être vachement, vraiment vachement bon. Mais même à ce moment-là, il n'y a aucun moyen de savoir si on a réussi. On peut y sacrifier la moitié de sa vie pour enfin se rendre compte que pendant des années on s'est imaginé être le centre de la scène, qu'on chantait "Vesti la Giubba", alors qu'on est encore dans le chœur. Mais tu sais, j'ai compris ça en ce qui me concerne : je ne suis pas le genre de personne qui prend des risques."

La mère se dit qu'Albert, qui était si rigoureux, aurait pu dire ça, il aurait pu dire qu'il n'acceptait jamais de prendre des risques (il disait qu'à chaque fois qu'il montait dans son avion il vérifiait deux fois les contrôles pour être sûr) mais quand André, qui n'était absolument pas rigoureux, le dit, elle se demanda si en réalité Albert ne prenait pas tout le temps des risques. Elle ne comprenait pas ses fils. Il lui semblait qu'avec son extravagance même André prenait un risque énorme, le risque de ce que les gens allaient penser de lui.

Elle dit : "Tu ne prends pas de risque en étudiant les affaires ?

— Oh, c'est plus sûr." André remplit sa cuillère de soupe, il la leva rapidement à la hauteur de son menton, il la tint en place un instant, il sembla la secouer, puis avec un élégant mouvement, comme s'il avait voulu faire tourner sa cuillère sans en renverser une goutte, il l'amena jusqu'à ses lèvres entrouvertes. Il s'écria : *"Maman, ça c'est de la vraie bonne soupe."*

Elle dit : " J'ai ouvert une boîte de soupe en conserve.

— Tu sais quand c'est juste assez chaud et pas trop".

Mais André se leva avant d'avoir fini son bol. "J'ai laissé mes sacs dans l'entrée de derrière," dit-il et il alla les chercher suivi de Daniel et de Julien, qui ne se proposaient soudain de l'aider qu'à cause de leur intérêt pour le contenu des sacs. Ils traînèrent le plus lourd, un vieux sac militaire en drap qui avait appartenu à l'un des fils aînés, sur les marches et jusqu'à la cuisine. André les suivait en portant une grande serviette. Les garçons attendaient qu'il ouvre le grand sac, mais il repoussa le bol encore à moitié plein de soupe pour faire de la place et posa la serviette, il l'ouvrit lentement, en retira une feuille de papier de soie, et, la tenant par les coins, du bout des doigts, comme un voile, il recula en penchant un peu la tête pour examiner ce qu'il montrait. Il recula encore la tête pour voir, mais la mère et les garçons s'approchèrent et se penchèrent et il dit : "Les peintures, il faut les regarder de loin."

Ils observèrent de loin, en biais.

C'était une peinture faite d'après une des rares photographies des enfants de Richard que la mère avait envoyées à André en Floride. Il avait choisi la photo de la seule fille née dans la famille, Geneviève, le second enfant de Richard qui en avait trois. André sortit la photo d'une poche de la serviette afin qu'on puisse la comparer à la peinture. C'était une photo en noir et blanc de Geneviève, dans une robe à jabot avec un ruban autour de la taille, des escarpins de cuir verni, un ruban dans ses cheveux longs, une balle à la main. Celui qui avait pris la photo était beaucoup plus grand qu'elle et l'avait photographiée d'en dessus, et elle, levant les yeux vers l'appareil, était curieusement raccourcie contre le sol plat, et ne semblait pas être une enfant mais un adulte nain. L'ombre du photographe, les bras levés, s'étalait en diagonale devant elle. C'était peut-être la confusion des perspectives qui avait intéressé André. A côté de la photo, il y avait la peinture, agrandie et rehaussée de couleurs.

La mère dit : "Tu as très bien réussi l'œil, mais la bouche remonte trop d'un côté, et on a l'impression qu'elle est déformée.

— Est-ce qu'on a un vieux cadre ?" demanda André.

La mère s'éloigna : "Dans le grenier."

Julien s'éloigna lui aussi.

Daniel resta à côté d'André. Il regardait la peinture comme s'il s'était trouvé dans une exposition. Il n'avait jamais vu de peinture à l'huile en vrai, mais il croyait savoir comment la regarder. Que ce soit la peinture d'un membre de la famille n'avait pas d'importance ; il pensait même que ça n'avait pas d'importance non plus qu'elle ressemble à un nabot habillé en petite fille. Il cherchait quelque chose d'autre qui devait être là, il en était sûr. Il devait le trouver, pensait-il, l'extraire, le montrer à André, parce que le secret de la peinture n'était pas celui d'André, bien qu'il eût peint le tableau, mais celui de Daniel, et la conscience du secret faisait que la peinture était la sienne. Il se dit qu'il pouvait si facilement tendre la main et barbouiller la peinture avec ses doigts.

André avait essayé de donner trois dimensions à Geneviève, mais elle apparaissait très plate. Daniel examina son manque de relief. Il se concentra. Il se dit : deux dimensions ne peuvent pas exister dans la réalité, comme le sujet vrai et secret de la peinture ne peut exister dans la réalité. Daniel regardait fixement le carré remarquable. Il aurait pu demander à son frère : "Qu'est-ce que ça signifie ?" parce qu'il *devait* signifier quelque chose et quelque chose d'abstrait. Son frère n'aurait peut-être pas compris la question, il n'aurait peut-être pas pensé qu'il y avait quelque chose derrière la peinture de Geneviève sur quoi s'interroger. Plus il regardait la peinture et plus il était persuadé qu'il en savait plus sur elle que son frère. Daniel aurait aimé l'avoir peinte. Il aurait aimé pouvoir la montrer comme étant sa peinture. André la présentait avec une confiance totale, parce que c'était une peinture *vachement* bonne — peut-être vraiment *vachement* bonne — et c'était ainsi que Daniel la voyait, il voyait que, peinte ainsi par son frère, elle était l'égale des peintures des grands peintres dont il n'avait jamais vu les œuvres (sauf celle reproduites dans les magazines artistiques auxquels André était abonné) mais qui se trouvaient là, en plans successifs comme si toute la peinture du monde était empilée et vue ensemble, comme tout l'art. Il sentait qu'il verrait plus de choses, comprendrait plus de choses, dans ces œuvres que les peintres eux-mêmes, car ils n'avaient pas conscience que leurs peintures contenaient des secrets. André dit : "J'ai bien réussi les yeux mais la bouche remonte trop sur le côté, et on a l'impression qu'elle est déformée." Il reprit la peinture avec soin et dit : "Allons chercher un cadre au grenier.

— Tu vas tout déranger là-haut, dit la mère.

— Non, je te promets.

— Mais tu as dit que tu étais fatigué."

Daniel, qui connaissait bien le grenier, lui montra une grande caisse qui contenait des cadres. Il en choisit un grand en plâtre moulé et doré. Dedans, il y avait la photo sépia d'un homme avec un faux col, des cheveux séparés au milieu par une raie et dont les épaules et la poitrine s'estompaient dans une aura brune. André enleva rapidement la photo avant de vérifier la taille du cadre et se rendit compte que sa peinture était trop grande. Il regarda la peinture et le cadre et dit : "Je vais couper l'image." Il descendit avec la peinture, Daniel avec le cadre.

La mère dit : "Il y avait Pépère dans ce cadre !"

André rit. "Ça ne le dérange pas." Il prit des mesures, il coupa sa peinture si bien que Geneviève n'était plus au milieu mais en bas vers le coin, il la plaça avec soin dans le cadre, le cloua, le souleva en le tenant par le fil et dit : "Où est-ce qu'on va l'accrocher ?

— Où tu veux," dit la mère.

Il l'accrocha dans la salle de séjour.

Pendant qu'André dormait, elle pensa : elle n'arrivait jamais à être assez simple quand elle parlait avec Albert, et quand elle parlait avec André elle n'était jamais suffisamment extravagante. Et pourtant, tous deux étaient ses fils. Elle ne se souvenait pas de les avoir élevés différemment, mais ils n'étaient pas moins différents l'un de l'autre. Cette différence, qu'elle ne pouvait expliquer, la laissait songeuse : comment ses fils, qui étaient si différents les uns des autres, pouvaient-ils avoir la sensation d'appartenir à la même famille ? C'était pourtant le cas. Tous s'entendaient bien, elle le savait. Elle en avait fait une loi, ils s'entendaient bien, il le fallait ; mais c'étaient eux qui donnaient corps à la loi et qui auraient été choqués si l'un d'eux ne l'avait pas respectée. Elle n'avait jamais entendu ses fils aînés dire autre chose que des éloges sur les autres. Elle savait que si André avait accueilli Albert de façon exagérée (il lui avait pris les deux mains et avait répété jusqu'à ce que ça ressemble à une aria dans un opéra, composée d'une seule phrase répétée sans fin avec des variations : "Je suis content de te voir, je suis si content de te voir, je suis tellement content de te voir") et si Albert l'avait accueilli froidement (il s'était laissé secouer les bras de bas en haut avec un petit sourire et avait dit : "Comment ça va ?"), André n'accuserait pas Albert de froideur et Albert n'accuserait pas André d'affectation. C'était elle qui, se tenant parfois en retrait devant ses fils, se disait, Albert est trop sévère ou André est trop extrême, elle qui voyait en eux des différences dont ils semblaient ne pas avoir conscience et qui étaient bien moins critiques. Elle se demanda à nouveau : mais aussi différents soient-ils, pourquoi à certains moments se sentait-elle proche de celui-ci et, à d'autres, proche de celui-là, ou encore indécise devant celui-ci ou celui-là ? Penchée à la fenêtre d'une chambre, elle étendait du linge sur un fil, puis elle tirait sur la corde qui faisait tourner les poulies grinçantes et les draps et les taies d'oreiller, les chemises et les sous-vêtements s'avançaient au-dessus de l'arrière-cour comme des voiles qu'on aurait hissées, et qu'aurait gonflées la brise du printemps — une image peu originale qu'imaginait non pas la mère, mais Daniel debout devant la fenêtre et qui tendait les pinces à linge à sa mère. Elle regarda Daniel un instant, tandis qu'elle prenait une pince à linge, et le vit comme quelqu'un sur qui elle ne savait rien. Brusquement, elle sentit — elle ne sut pas pourquoi — qu'elle ne voulait pas qu'il reste là. Elle dit : "Tu ne veux pas sortir avec ton frère Julien ?

— Ça ne me gêne pas de rester, dit-il.

— Sors donc. Vas-y."

À contrecœur, il reposa les pinces à linge sur l'appui de la fenêtre et s'en alla.

Après le dîner, dans la salle de séjour, André décrocha sa peinture et la posa dans un grand fauteuil avec des appuis-tête pour que le public, son père, ses frères Albert et Edmond, puisse la voir dans la lumière d'une lampe. La mère et les deux garçons restèrent en arrière.

André dit : "J'aimerais bien savoir ce que vous en pensez."

La mère eut un petit rire nerveux qu'elle dissimula en se raclant la gorge. Le père dit, le visage impassible : "C'est une belle peinture, une très belle peinture, tsi gars." Daniel et sa mère échangèrent un regard et elle rit à nouveau et essaya de transformer son rire en quinte de toux. Daniel se mordit les lèvres.

La mère aurait pu penser qu'André était comme elle, mais peut-être qu'André qui riait beaucoup, qui n'était jamais d'humeur chagrine, qui débordait toujours d'activité, ne partageait pas son humeur mais le sérieux de son père.

André dit à son père : "T'es un type formidable, papa."

Edmond dit : "Un artiste dans la famille, c'est quelque chose ça..."

La mère dit : "Les artistes ne gagnent jamais d'argent et tu dois toujours tes notes..."

Albert qui rentrait le menton, resta silencieux mais, plus tard, il dit à André : "Ecoute, j'espère que tu sais que si tu as besoin qu'on t'aide financièrement, tu peux toujours venir me trouver. Comment tu t'en tires ?

— Cet été, je vais travailler dans les Adirondacks pour gagner assez d'argent pour l'an prochain.

— Tu ne préfères pas prendre tout ton été pour peindre ?"

André parla d'une voix très basse. "Al, j'apprécie ta générosité. Tu sais, je n'ai jamais eu l'impression que tu gaspillais ton argent en aidant Philip au M.I.T. C'est un frère terrible, vraiment terrible. Et je te jure que j'ai jamais pensé qu'on devait m'aider parce qu'on l'aidait. Et je vais te dire pourquoi je ne l'ai jamais pensé et pourquoi je ne peux pas accepter ta générosité... parce que je ne peux pas accepter, parce que j'ai jamais, tu vois, comme maman, j'ai besoin de savoir que je suis indépendant."

Que la mère soit indépendante étonna Albert.

"J'ai besoin de savoir que ce que j'ai fait, je l'ai fait tout

118

seul, quoi que ce soit. Je veux faire beaucoup de choses. Mais je veux les faire seul.

— Très bien," dit Albert.

La mère, seule avec André, quand tout le monde fut parti se coucher, l'entraîna dans un cercle étroit et obscur de confidences et lui dit comme elle lui aurait avoué "je suis enceinte" : "Ton père va acheter une maison à la campagne," et il demanda : "Pourquoi est-ce qu'il n'en a pas parlé ?" Elle ne sut pas quoi répondre. "C'est un secret ?" demanda-t-il. "Non, non, dit-elle. Il a sûrement oublié." "Oublié ?" Elle le tenait par le bras. Elle le lâcha. Il dit : "Ce sera un bon investissement." "Oui", dit-elle. Il tendit les mains et la prit par les bras.

Le lendemain matin, André téléphona à d'anciens amis du groupe d'opéra dont il avait fait partie quand il habitait Providence. A la façon dont il leur parlait — par de longs monologues débités avec aisance, même si la plupart d'entre eux étaient au travail, dans des emplois qui n'avaient rien à voir avec le chant — on aurait pu croire qu'il était revenu plus pour les retrouver que pour revoir sa famille ; Daniel savait qu'ils appartenaient à un monde qui lui était fermé et aussi riche que la boîte bleue, fermée à clef, dans laquelle André rangeait la poudre, le fond de teint, le fard à paupières, les crayons à sourcils qu'il utilisait pour se maquiller quand il jouait dans le chœur. Daniel entendit son frère aîné, qui avait sept ans de plus que lui, dire à quelqu'un : "Je ne peux en parler maintenant."

André dit à sa mère : "je sors ce soir.

— Je m'en doutais, dit-elle.

— Il faut que j'aille à une soirée costumée." C'était comme s'il avait dit : il est fondamental que j'aille à cette réunion politique.

André alla dans la voiture familiale et revint avec une grande boîte carrée, une grande boîte plate et des sacs. Daniel le suivit dans la chambre qu'il partageait avec ses deux frères plus âgés. Il rangea les paquets en bas du placard et referma la porte. Il faisait chaud dans la chambre et sur le papier à fleurs de couleur pâle, en face de la fenêtre, on pouvait voir un rectangle de lumière. Daniel regarda André ouvrir le tiroir du bureau, sortir son ensemble à maquillage, trouver une clef parmi de nombreuses autres au bout d'une chaîne, et ouvrir la boîte qui avait, à l'intérieur du couvercle, un miroir qui renvoyait la lumière au plafond ; quand André regarda dans le miroir, la lumière se refléta sur son visage.

Il demanda à Daniel ; "Tu veux que je te maquille ?"

Daniel resta immobile sur sa chaise, les yeux fermés, la tête renversée. André lui étala du fond de teint sur les joues, le front, le menton et le cou, et Daniel essayait de rester immobile sous les doigts pointus de son frère. Tout ce que faisait André, même si cela était extravagant, il le faisait avec professionnalisme ; ce qui donnait un aspect pratique à son extravagance. Daniel savait qu'André se servait de lui pour s'exercer. Il grimaça quand il sentit le crayon s'enfoncer à l'angle de son œil et André dit : "Il ne faut pas bouger si tu veux que je fasse quelque chose de bien." Daniel ne pouvait serrer les paupières parce qu'André n'aurait pas pu en dessiner le contour ; il voyait des éclairs de lumière et, une fois, il ouvrit les yeux et vit André légèrement reculé, le crayon à la main, la tête penchée sur le côté qui l'observait. Il regarda André ouvrir une petite boîte ronde en métal, frotter le bout du doigt sur une pâte bleue et il vit le doigt bleu s'avancer vers son œil droit. Il le regarda ouvrir une autre petite boîte ronde en métal et cette fois, frotter le bout d'un autre doigt sur une pâte rouge, et le doigt s'avança vers ses lèvres. Daniel savait que quand il se regarderait dans la glace, il ne se reconnaîtrait pas ; quand il se lèverait pour aller dans la cuisine, personne ne le reconnaîtrait et il ne reconnaîtrait personne et rien de ce qu'on penserait de lui, comme rien de ce que lui-même penserait de lui, ne serait juste. Avec une grosse houppette brune, André poudra le visage de Daniel, puis il se recula, le contempla et rajouta un coup de crayon sur ses yeux. Il remit le capuchon du crayon et dit "voilà", et Daniel se déplaça pour se lever. André dit : "Où vas-tu ?" Daniel répondit : "Je croyais que tu avais fini. J'allais me voir dans la glace." "Tu ne veux pas faire ça," dit André. "Pourquoi," demanda Daniel. Il avait les lèvres collantes à cause du maquillage. "Parce qu'il faut pas, voilà pourquoi." "Ah," dit Daniel. Il resta assis, le corps détendu et il regarda André ouvrir un grand pot de crème blanche et froide ; André lui en étala un gros morceau sur le visage et essuya le maquillage avec une serviette en tissu.

En fin d'après-midi, André s'enferma dans sa chambre pour se préparer pour la soirée. De temps en temps, il passait rapidement de la chambre dans la salle de bains, vêtu d'un peignoir au cou dégagé et, chaque fois, il avait un visage différent : blanc avec des lèvres rouges et minces, jaune brun avec l'angle des yeux qui montait en pointe jusqu'aux tempes, jaune pâle avec de grands cercles bleus autour des yeux. Une fois, il apparut portant une perruque noire et ronde attachée avec des épingles ornées de pierres et qui ressemblaient à des poignards et il s'était dessiné des mèches sur les joues. Daniel était assis dans la cuisine d'où il pouvait le voir chaque fois qu'il sortait. André pouvait faire ce qui était impossible à Daniel parce que se costumer faisait partie du métier d'André. Pourquoi, sans aucune excuse pour le réaliser, Daniel voulait-il se déguiser lui aussi ? Il n'avait aucune raison sauf le désir profond de se montrer dans des vêtements qui n'avaient rien à voir avec leur vie. Le père lisait son journal assis dans son rocking-chair et Albert assis sur une chaise à côté de lui, regardait simplement son père. La mère était dans l'office. Brusquement, André sortit de la chambre habillé en Madame Butterfly. Edmond et Julien vinrent de la salle de séjour pour le voir.

Le père dit en écarquillant les yeux : "Beau travail !"

Albert se leva et dit : "Est-ce que je peux te donner un tuyau ?

— Evidemment.

— Une japonaise en kimono marche d'une façon particulière..." Albert se mit à côté d'André. "Elle marche les pieds en dedans, comme ça." Albert sortit les fesses et fit quelques petits pas.

Daniel était à côté de sa mère à la porte de l'office, et tous deux regardaient avec de grands yeux.

André sortit, monta en voiture et démarra, alors elle dit : "Et si la police l'arrête ?"

A la frontière de l'état du Massachusetts : Daniel, assis à l'arrière, à côté de sa mère, se dit : je suis sorti de la paroisse, des limites de la ville de Providence, et maintenant je sors de l'état de Rhode Island.

André, assis à l'avant, à côté d'Edmond, parlait de ses amis de Miami, en particulier une famille juive, et il disait qu'il était devenu en quelque sorte leur fils adoptif. Ils le considéraient comme un fils, disait-il, en s'assurant qu'il mange à sa faim (ils l'invitaient souvent à dîner, tous les dimanches soirs), qu'il ait assez d'argent (ils le payaient pour de petits travaux, comme tondre la pelouse ou tailler la haie) en le laissant utiliser leur piscine quand il le voulait et en assistant à toutes les représentations d'opéra dans lesquelles il jouait. C'étaient eux qui lui avaient trouvé un travail pour l'été, dans une résidence de vacances à la montagne, dans les Adirondack et c'étaient eux aussi qui lui avaient conseillé, pour son bien, d'entrer dans la gestion. La mère qui semblait regarder à l'extérieur sans écouter, dit : "Nous ne sommes pas de bons parents, n'est-ce pas ?"

André se retourna aussitôt vers elle.

"Nous n'avons jamais fait pour toi ni pour aucun de tes frères ce que cette famille juive fait pour toi."

André la regardait fixement, très étonné.

"Nous n'avons jamais assisté à une représentation dans laquelle tu chantais, nous ne t'envoyons pas d'argent, nous n'avons même pas fait un repas spécial pour fêter ton retour. Tu as été obligé de trouver tout ça à l'extérieur de la famille et je ne t'en accuse pas."

André dit, le visage encore étonné : "Mais vous m'avez donné tout ce que je veux.

— Qu'est-ce qu'on t'a donné ?"

André se retourna et fixa le parebrise.

"Je suis heureuse que tu te sentes si proche de ces gens-là, dit la mère, que tu te sentes comme un fils pour eux. Ils feront une meilleure famille que nous. Toi et tous tes frères, vous allez devoir vous faire des familles en dehors de notre famille, parce que nous sommes à peine une famille, parce que, qu'est-ce que nous faisons pour nos fils ? C'est comme si nous nous en moquions.

— Oh, je sais que vous ne vous en moquez pas, dit André.

— Pourtant on ne le montre pas, hein ?"

André ne répondit pas.

Edmond dit : "Moi, je sais que le père et la mère de Bobby, mon vieux copain de régiment, m'attendent au Kentucky et quand je serai là-bas, je sais que je serai comme un second fils pour eux. Bobby m'a même écrit que, il m'a écrit dans une lettre : "Maman et papa me demandent comment tu es, et maman dit que tu aurais intérêt à t'habituer au serpent à sonnette parce que c'est tout ce qu'on a à manger ici," ha ! ha ! Je lui ai répondu, je lui répondu dans ma lettre : "Dis à maman et papa que leur deuxième fils a envie d'un grand plat de serpent à sonnette," ha ! ha ! Je leur ai écrit exactement comme ça !"

Daniel qui regardait au dehors et qui n'écoutait qu'à moitié, dit : "Maman."

La mère dit à André : "Et qu'est-ce qu'on a ?"

Daniel dit : "Maman, maman."

Elle continua à parler à André : "Tu ne pouvais pas rester à la maison. Il n'y a rien pour toi. Je le sais. On ne lit pas, on ne va pas dans les musées, on n'écoute pas de musique. Mais, en dehors de la famille, il y a des gens qui font tout ça, et bien sûr maintenant tu as — en fait tu as toujours eu — plus de choses en commun avec eux. Tu sais, je me demande pourquoi est-ce que tous mes fils, presque tous, ont toujours eu plus de choses en commun avec des étrangers qu'avec leur famille, même quand ils ne connaissaient personne à l'extérieur."

Daniel répéta : "Maman."

André dit en regardant le capot de la voiture dans le soleil : "Mais..."

Elle dit : "Une seule chose, peu importe le fils de qui tu es, mais tu dois être un bon fils, rappelle-toi."

Daniel dit encore : "Maman", et cette fois, il lui toucha le genou.

La voiture passait au pied d'une longue colline basse avec au sommet quatre grands chênes ; la colline gris vert et les chênes sombres semblaient tourner tandis que la voiture passait et le soleil lançait des éclairs entre les branches.

"Quoi ?" dit la mère.

Daniel tendit le doigt : "Regarde le paysage comme il est beau.

Immédiatement, André répéta d'une voix chantante : "Oh ! regarde comme c'est beau !"

Le corps intérieur de Daniel rompit tout contact avec son corps extérieur.

André répéta en riant : "Oh ! Oh ! Regardez le beau paysage."

Ils passaient maintenant devant une autre colline à moitié creusée par des bulldozers, avec de profondes ornières d'où sortaient des racines d'arbres, et d'énormes plaques de rochers se dressaient au-dessus du sol nu. La mère rit aussi.

Dans les faubourgs de Boston, Edmond se trompa. Il s'arrêta devant un vieil homme, debout à un coin de rue, et il lui demanda la direction de Commonwealth Avenue. Pour ceux qui étaient dans la voiture et qui écoutaient attentivement, l'homme était un étranger qui en donnant le nom des rues de Boston, parlait une langue étrangère, et dont la connaissance du plan de la ville était la connaissance d'une culture étrangère. Il dit : "J'ose pas vous dire de tourner à gauche parce que vous allez tomber tête baissée dans un sens interdit." Daniel s'entendit répéter les mots du vieil homme pour lui-même. Edmond tourna à gauche André dit : "Mais il nous a dit de ne pas tourner à gauche." "Je sais, je sais, répondit Edmond, mais je crois que je connais le chemin maintenant." La personne suivante à qui il demanda était un homme petit, gros et mal rasé. Il dit : "Et ben, il faut que vous fassiez demi tour tout de suite."

Ils croisèrent Commonwealth Avenue par hasard. André aperçut la longue plaque bleue, fixée très haut parmi les fils sur un poteau électrique. Ils cherchaient le 128, mais les numéros des maisons étaient dans les mille, des maisons énormes, recouvertes de planches, avec des vérandas et des balustrades fantaisie, des tourelles, de hauts toits pointus à pignon, et toutes semblaient sur le point de s'effondrer ; les haies qui se trouvaient devant tremblaient à cause des voitures.

Revenus dans le flot de la circulation, les plaques des numéros, jaunes comme dans le Massachusetts (celles de l'état de Rhode Island étaient noires et blanches), défilaient comme des cartes que distribue très vite un joueur de poker, et Edmond, qui n'avait pas l'habitude de ce jeu-là, n'était pas assez rapide ; il restait arrêté quand il aurait dû démarrer et il démarrait quand il aurait dû rester arrêté. Un terre-plein séparait chaque voie et les voitures passaient rapidement dans l'autre direction, sur l'autre voie, et sur le terre-plein central apparut un trolley orange qui se balançait sur ses rails. Il passa à côté d'eux dans un bruit de ferraille et Daniel regarda les gens qui s'y trouvaient. Le flot des voitures devenait de plus en plus dense et, au milieu, le trolley orange ressemblait à une sorte d'énorme joker, qui aux croisements coupait la circulation pour aller où il le voulait. Des vagues de chaleur vibraient au-dessus des toits et des capots. Daniel était assis près de sa vitre à demi-ouverte. Un autre trolley passa et on eut l'impression que l'arrière se redressait brusquement quand il descendit dans un souterrain, Daniel se leva de son siège pour voir où il était allé. Ils traversèrent un grand carrefour, les maisons étaient en briques, des rangées de maisons de briques de chaque côté de l'avenue, avec de grandes fenêtres, des escaliers en pierre et des clôtures métalliques, et sur les trottoirs, de chaque côté, ainsi que sur le terre-plein central qui maintenant n'avait plus de rails et était recouvert d'herbe, se dressaient des ormes aux branches fines et délicates.

Beaucoup de fenêtres étaient grandes ouvertes. Des gens étaient parfois assis sur les rebords ou penchés et parlaient à ceux qui passaient sur le trottoir en bas. Des groupes de jeunes étaient assis sur les escaliers de pierre, certains sur des coussins, des gens étaient vautrés sur les bancs ou allongés sur l'herbe du terre-plein. Daniel qui suait dans son costume, avec sa cravate, dans une voiture immatriculée dans l'état de Rhode Island, contemplait en écarquillant les yeux une race de gens qu'il n'avait jamais vue.

Le regard un peu brouillé, il vit, debout sur un petit porche, devant une porte grande ouverte, cinq ou six étudiants, des jeunes gens et des jeunes filles, vêtus de shorts ou de pantalons déchirés au genou, de T-shirts ou de vestes de survêtement les manches relevées au-dessus des coudes, qui étaient en cercle, tous légèrement penchés vers le centre. Ce centre était un secret sensible dans l'air, à égale distance de chacun d'eux, visible à chacun d'eux et invisible à Daniel mais il pouvait néammoins en imaginer la lumière qui éclairait leurs corps incroyables. Dans la voiture, il pensait qu'il lui serait impossible d'être au milieu d'eux et quand Edmond dit "il y a une place, on va se ranger ici", il ne crut pas que quand il sortirait de voiture il se retrouverait parmi eux.

André sonna à l'association d'étudiants à laquelle appartenait Philip, où le père, Albert et Julien, qui venaient séparément dans la Dodge, Richard qui venait de l'ouest du Massachusetts dans sa propre voiture, et ceux du coupé d'Edmond devaient se retrouver. La mère d'André et les frères restèrent en retrait et quand une femme en robe noire ouvrit la porte, ils reculèrent alors qu'André s'avançait. Ils le suivirent dans le grand hall de couleur blanc cassé avec lambris, puis dans un salon, blanc brun, également lambrissé ; des moulures de stuc bordaient le haut plafond orné au centre d'un médaillon ovale où était suspendu un lustre aux prismes de verre ambrés par la fumée de cigarette. Le père, Albert et Julien étaient assis dans de gros fauteuils de cuir. Ils attendaient que Philip soit habillé. Le père était bien calé sur le dossier du fauteuil, les jambes croisées, comme le propriétaire de la maison. La mère s'assit sur le bord d'une chaise, une personne en visite prête à se lever rapidement dès que le propriétaire entrerait. Daniel alla jusqu'aux larges baies dont les volets intérieurs en bois étaient repliés, et par les vitres sales il vit un grand magnolia avec deux fleurs blanches, dont chacune n'avait que trois pétales. Il resta un instant sans bouger et, soudain, dans son immobilité, il eut la sensation que lui, dans cette maison, regardant par la fenêtre, était quelqu'un d'autre, qu'en un instant il était devenu quelqu'un qui habitait la maison, qui peut-être y avait vécu quand il s'agissait d'une maison privée, cent ans plus tôt. Il aurait pu être quelqu'un de son âge, né dans cette maison, dans une grande chambre à l'étage, dans laquelle la lumière du soleil ne pénétrait pas mais qui l'éclairait comme elle éclairait Daniel debout devant cette baie même, et ainsi, bien que les vitres fussent claires la baie restait obscure. Comme ce quelqu'un d'autre, il se rapprocha de la fenêtre pour regarder au-delà du magnolia, pour voir les gens qui passaient, et le parquet grinça comme il aurait grincé pour ce quelqu'un d'autre. Sa mère l'appela et il se retourna. Il vit Richard entrer dans la pièce, puis avec un côté guindé et tranquille se pencher pour embrasser sa mère sur la joue et serrer la main de son père. Les frères étaient debout sur un grand tapis d'Orient à côté de l'immense cheminée de marbre blanc avec un vaste miroir posé sur le manteau. Puis Philip entra à son tour, dans un costume brun sombre, et le père se leva. Philip se pencha pour embrasser sa mère, il serra la main de son père, de Richard, d'Albert, qui posa l'autre main sur l'épaule de Philip avec un grand sourire, pendant un temps assez long, puis il serra la main d'Edmond, d'André, de Daniel et de Julien. Philip dit : "Je vous ai commandé du café," et la femme en robe noire entra portant un plateau sur lequel il y avait des tasses, des soucoupes, des cuillères, un sucrier en argent, un pot de lait et un autre de café. Elle posa le plateau sur une table basse devant la mère qui se servit et la femme sortit. L'immobilité que Daniel avait ressentie avant, il se rendit compte qu'elle les saisissait tous, et il imagina qu'elle était l'immobilité d'une photo que, peut-être plus tard, dans un autre endroit, ils regardaient eux-mêmes. Un autre groupe entra dans la pièce — un étudiant de l'association et ses parents — et l'immobilité de la famille fut rompue. Julien renversa son café.

Philip qui, comme un véritable ingénieur, avait organisé la journée, leur demanda s'ils voulaient voir sa chambre. Il devait d'abord monter à l'étage demander si sa mère pouvait venir parce que les femmes n'avaient pas de droit de dépasser le rez-de-chaussée et il dit : "Les mecs pourraient se promener avec sur eux pas de quoi ranger un mouchoir," et Daniel comprit tout de suite qu'il devait s'agir d'une expression en vogue parmi les étudiants. Pendant l'absence de Philip, la famille se déplaça un peu, mal à l'aise. Philip revint en disant que tout était réglé, les garçons resteraient dans leur chambre s'ils n'avaient pas une tenue décente.

La mère dit : "Je n'ai pas le droit de monter dans une maison pleine de garçons... cela me semble bizarre."

Ils gravirent le large escalier de pierre avec une rampe en courbe. Daniel entendit des portes claquer, mais en haut des marches, il y avait deux étudiants en pantalon kaki et T-shirt qui parlaient. Philip leva la main en passant près d'eux, suivi par la longue file de sa famille, mais il ne les présenta pas. La mère pressa le pas à leur hauteur. La famille suivit Philip au deuxième étage, jusqu'à sa chambre. Ils purent tout juste y entrer et Philip, qui sentait que ses parents et peut-être même ses frères voulaient être séparés du reste de la maison, autant que la maison voulait être séparée de la famille, referma la porte. Dans la chambre, il y avait un bureau, un lit étroit et une fenêtre qui donnait sur un petit jardin envahi par les herbes. Au-dessus du bureau, il avait accroché la pagaie qu'il avait fabriquée sur l'établi de son père pour son bizutage dans l'association, un bizutage qu'il devait garder secret. Au-dessus de la porte, parce que c'était une maison catholique, il y avait un crucifix. Ce crucifix était la seule référence que, du point de vue des parents, la famille pouvait reconnaître dans la chambre ; la mère le regarda pendant quelques instants comme pour fixer une chose familière dans cette étrange maison. Il ne s'agissait pas d'une maison pour des parents, et la mère y était plus sensible que le père ; il ne s'agissait pas d'une maison pour des parents, ni pour des frères et elle avait l'impression qu'aucun des jeunes hommes qu'elle y avait vus, qui y vivaient, n'avait de parents ou de frères. La mère assise sur le bord du lit, leva les yeux vers Philip qui, grand, maigre, le nez cassé dans un match de football américain, la seule irrégularité dans son visage clair, était appuyé contre le bureau, avec des livres empilés derrière lui, et elle se dit : maintenant, il y a plus de points communs entre Philip et ses camarades qu'entre Philip et nous.

Elle dit : "Je ne t'ai pas écrit pour te remercier pour les fleurs.

— Quelles fleurs ? demanda-t-il.

— Le petit bouquet de fleurs séchées que tu m'as envoyé."

Il avait peut-être compris plus qu'elle pourquoi elle parlait des fleurs maintenant et il répondit, en croisant les bras et en souriant : *"Ah, les fleurs sèches..."*

Ils continuaient tous à parler la langue de la famille.

Daniel ne voulait pas la comprendre, encore moins la parler. Il essayait d'écouter les bruits de la maison ; des portes qui s'ouvraient et se fermaient, des pas qui résonnaient, des chasses d'eau, des douches, des serviettes qu'on faisait claquer, des voix qui s'élévaient pour qu'on les entende d'une autre chambre. Les femmes n'étaient pas autorisées là où lui, Daniel, se trouvait. Et bien qu'il eût le droit d'y être, parce que c'était un garçon, quand il se rendit compte qu'il avait envie de faire pipi, il ne put se résoudre à demander à Philip où se trouvaient les toilettes de peur de rencontrer un étudiant dans la salle de bains en train de se raser ou de prendre une douche. Et s'il s'était perdu dans la maison et s'il n'avait pu trouver les toilettes, il aurait été incapable de demander où il se trouvait à un habitant de la maison. Et quand Philip dit, "Et bien, on peut y aller ; je vais vous faire voir le jardin public et la grand place," Daniel, habitué maintenant à la chambre avec le crucifix, eut peur d'ouvrir la porte, il eut peur qu'en marchant dans le couloir, un étudiant, qui ne savait pas que la chambre de Philip était pleine de visiteurs et en plus que l'un d'eux était une femme, puisse sortir nu de sa chambre. Et, en marchant dans le couloir derrière les autres avec Julien, il vit une porte s'ouvrir à l'autre bout et un jeune homme sortit, en tenant une serviette de toilette autour de la taille, et son visage, son cou et sa large poitrine étaient rouge vif ; il fit signe à Philip et Philip quitta sa famille pour aller lui parler. Daniel sentit ses paumes se couvrir de sueur. Il regardait Philip et son camarade parler, penchés l'un vers l'autre, et le camarade faisait de petits gestes avec sa main libre. Daniel pensa : Philip est plus un frère pour cet étudiant inconnu que pour moi, car ils ont peut-être été bizutés ensemble et en partagent le secret.

Ils s'arrêtèrent en entrant dans le jardin public pour regarder la statue équestre verte de George Washington, puis ils suivirent des sentiers sinueux en s'arrêtant pour contempler les massifs de fleurs. Daniel regardait au-delà des massifs, les gens qui étaient assis ou allongés sur le gazon épais, sous les arbres. Il se sentait aussi léger que s'il s'était trouvé dans de l'eau éclairée par le soleil, et les bruits, les voix discrètes, les craquements et les frottements inexplicables étaient amplifiés mais déformés comme sous l'eau. Il était aussi désorienté que sous une mer sans limites.

La mère et le père, bras dessus bras dessous, marchaient entourés de leurs fils. Richard, l'aîné, marchait à côté de ses parents, et son pas semblait plus lent que le leur comme pour les ralentir, comme pour leur dire "prenez votre temps", ainsi qu'il devait se répéter souvent d'aller moins vite, de prendre son temps. Il grattait les plaques d'eczéma qu'il avait sur le dos des mains et regardait sa montre pour s'assurer qu'ils pouvaient prendre leur temps, et la légère anxiété de n'avoir peut-être pas le temps et d'être obligés de se dépêcher, le faisait encore ralentir l'allure comme s'il avait pu, en s'obligeant ainsi que ses parents à ralentir, ralentir le temps, et ce faisant il parlait d'une voix basse et douce, il disait à ses parents qu'ils devaient en profiter maintenant, se détendre, tout regarder ; à chaque fois que Philip s'arrêtait pour montrer quelque chose, Richard restait sur place le plus longtemps et il respirait profondément comme pour inspirer les nuages, les arbres, la totalité du jardin.

Quand ils sortirent du jardin public, Daniel regarda à nouveau la statue de George Washington, de la main, il se protégea du soleil qui lançait des éclairs autour du sabot levé du cheval, et il se dit : il y a un secret dans cette ville, un secret, et c'est cela, c'est la découverte de ce secret qui fera arriver ce que je veux voir arriver. Je le sais, je le sais. Il était impatient, impatient et effrayé par son impatience ; il ne savait pas de quoi il s'agissait ; il se dit : je vivrai dans cette ville étrangère.

A la maison de l'association, Philip rangea sa casquette et sa robe d'étudiant dans une grande boîte plate qu'il emporta. Daniel utilisa les toilettes parce que ses frères avaient commencé. Ils marchèrent lentement sur un pont interminable qui traversait Charles River, l'eau d'un bleu brun s'élargissait à leur droite en un immense bassin dans lequel on regardait des bateaux penchés sur leur quille et, derrière, il y avait la ville en brique de Boston qui montait vers le dôme doré et éblouissant du siège des autorités de l'état. Daniel cessa de regarder, et courut pour rattraper les autres.

Tandis qu'ils marchaient, il pensait : ils se trouvaient dans un autre pays, et parce qu'ils étaient étrangers, lui et sa famille, on pouvait les prendre, non pas pour une famille venant d'une petite paroisse triste de Providence, mais pour une famille venant de n'importe où. Il ressentait cela, il le savait, parce qu'il était étranger, parce que sa famille bien habillée était composée d'étrangers. Il se dit, et dans son esprit naissaient constamment des idées qu'il ne comprenait qu'à moitié : il n'y a qu'aux étrangers que tout soit possible, que tout soit promis, il n'y a que les étrangers qui peuvent tout avoir. Il voulait plus que jamais être étranger, il voulait que sa famille soit étrangère à la paroisse Notre-Dame de Lourdes à Providence, état de Rhode Island. Ce n'est pas qu'il eût voulu être de Boston ; il aurait aimé être de nulle part. Edmond courut en avant avec son appareil, pour les photographier venant vers lui. Daniel se sentit proche du secret, suffisamment près pour saisir que le secret était impossible à situer, qu'il était comme une sorte de centre sans place fixe, à chaque fois que quelqu'un voulait le désigner ; ici, maintenant, pensat-il, dans l'objectif de l'appareil photo d'Edmond, il y avait le centre de l'univers.

Ils suivirent Philip sur un terrain avec des plaques d'herbe et de terre dénudée, jusqu'à une énorme tente. Des gens entraient par une ouverture dans la toile. A l'intérieur, l'air était chaud et jaune, les plaques d'herbe grises et la terre réduite en poussière. La tente était pleine de monde et beaucoup de sièges étaient réservés. Philip leur trouva une rangée de sièges vers le fond, puis il les quitta. Daniel leva les yeux vers le toit en pente de la tente, soutenue par d'énormes poteaux, et il se sentit à la fois dans et en dehors de quelque chose. Après un long moment, quelqu'un se mit à parler, mais la famille ne pouvait pas le voir.

Daniel sentait son corps se couvrir de sueur sous son costume. La chaleur l'endormait et ses yeux et ses oreilles semblaient s'assoupir et se réveiller tour à tour, à un moment il voyait et entendait tout, à un autre, il ne voyait et n'entendait rien. Il ferma à moitié les yeux. Son esprit lui aussi semblait s'endormir et se réveiller tour à tour et en esprit il voyait, il entendait par moments, le magnolia devant la baie vitrée, la cafetière en argent, le lustre sale, l'escalier avec la rampe arrondie, les deux étudiants qui parlaient sur le palier, celui qui ne portait qu'une serviette apparaissant au bout du couloir. Son esprit ne cessait de dérouler ce qu'il avait vu et entendu dans la maison de l'association étudiante comme pour mettre en évidence quelque chose qu'il savait être là, mais qui, au moment même où son esprit l'avait suffisamment déroulé, pour qu'il puisse véritablement le voir, se contractait à nouveau.

Il regarda les gens qui l'entouraient, assis le dos raide sur des chaises pliantes, tandis qu'au-dessus de leurs têtes bourdonnait une voix amplifiée par les haut-parleurs attachés aux poteaux qui soutenaient la tente ; leurs visages comme la voix, apparaissaient et disparaissaient. Il remarqua un homme et une femme assis à trois rangs devant lui ; elle ne portait pas de chapeau, ses cheveux courts étaient d'un gris d'acier et les méplats de son visage, tranchants et clairs ; l'homme portait un costume bleu et une chemise blanche, il avait des cheveux gris lui aussi et un visage tranchant et clair, comme si le tranchant et la clarté de leur esprit avaient rendu leurs visages tranchants et clairs ; ils se penchaient en avant et écoutaient avec attention. Daniel savait qu'aucun membre de sa famille n'écoutait. L'homme et la femme écoutaient avec l'attention de ceux qui savent que qu'ils écoutent est important. Daniel savait seulement qu'un homme du gouvernement de Washington, à qui on avait donné le grade de docteur honoris causa, parlait et tout ce qu'il pouvait en voir c'était son chapeau noir de docteur, tandis que s'élevait et retombait sa voix aiguë. Daniel essaya d'écouter mais il ne pouvait pas comprendre. L'homme parlait une langue qu'il connaissait à peine, dont il saisissait des articles, des conjonctions, des pronoms, des noms et des verbes séparés du reste, mais il ne comprenait pas l'ensemble. Il ne comprenait que des expressions : "ce qui ne veut pas dire que", ou : "nous ne devons pas non plus considérer que le contraire", mais les phrases restaient isolées. L'homme et la femme comprenaient, ils faisaient plus que comprendre ils réfléchissaient à ce qu'ils entendaient, dans leur esprit tranchant et clair. Il se demanda d'où ils venaient. A cause de leur physique tranchant et clair, il pensa qu'ils devaient avoir vécu près de l'océan, mais c'était tout ce qu'il était capable d'imaginer. Il se demanda dans quel genre de maison ils habitaient, dans quelles pièces, avec quels meubles. Il n'arrivait pas à l'imaginer. S'ils s'étaient retournés, auraient-ils été capables, en voyant Daniel et sa famille, de dire dans quel genre de maison ils vivaient ? Ils auraient sans doute pu resituer Daniel et sa famille parmi tous leurs détails caractéristiques tandis que Daniel ne les voyait que devant un décor aussi général que l'océan. Il regarda d'autres gens ; il ne put pas les situer eux non plus, il ne put pas les voir dans des pièces, parmi des meubles. Leurs images se brouillèrent devant ses yeux et devinrent de grandes taches et il resta le regard perdu au-delà de ces taches. Il pensa : il savait trop de choses sur sa famille, il en savait tant ; peut-être savait-il tout ce qu'on pouvait savoir ; leurs vies étaient des vies de petits détails quotidiens et ils n'allaient jamais au-delà. Il se dit que les étrangers vivaient dans des mondes sans détails, ils vivaient dans des mondes immenses, précis, clairs, généraux. S'il pensait à la maison de l'association des étudiants, s'il pensait aux corps des étudiants qui vivaient Commonwealth Avenue, il ne pensait pas à des détails mais à quelque chose auquel on ne pouvait penser comme à un détail : une certaine sensation, une sensation réelle mais aussi insaisissable que la sensation qu'il avait de son propre corps, une sensation qu'évoquait en lui l'idée même de bizutage, que l'image floue du corps des étudiants évoquait en lui. Cette sensation était le secret qu'il ressentait et qu'il avait ressenti dès son arrivée dans cette ville étrangère. C'était une grosse boule dans sa poitrine. Le secret était dans l'abstrait, et non dans les détails. A nouveau, son esprit se déploya jusqu'au couple qui écoutait le discours. Tous deux avaient levé leurs longues mains jusqu'à leur menton. Daniel leva aussi ses mains jusqu'à son menton. Il se dit qu'il devait faire attention. Ce qu'on disait était important. Il devait comprendre. Mais il ne pouvait faire attention qu'au couple entre lequel il essaya de s'imaginer assis, soudain leur fils, écoutant, comprenant. Il entendit celui qui parlait dire "jusqu'au jour où l'on considèrera les balles de ping-pong comme des armes", et il vit le couple baisser les mains et rire, et il rit lui aussi et, au moment où il le fit, il se retourna et regarda, comme s'il s'y était attendu, droit dans les yeux d'André qui le fixait durement. Il le savait, il avait ri par honte et par prétention. Il était idiot.

On appela des noms. Il entendit "Philip Francœur". Il vit sa mère tendre la main, saisir le bras de son mari et rire, et son mari rit lui aussi et, la tête dressée, comme s'il avait pu voir son fils au-delà des milliers de têtes qui se trouvaient devant lui, il sourit.

Daniel se dit : Philip a passé son examen d'entrée dans le monde.

Philip les retrouva plus tard, devant la tente, dans la foule grouillante. Il avait revêtu sa robe et portait sous le bras sa toque d'étudiant munie d'un gland. Edmond le fit reculer un peu et lui mit sa toque pour prendre une photo de lui. Il prit beaucoup de photos.

Les sept fils se mirent par rang d'âge pour une photo. La mère la prit. C'était une photo qui serait reproduite et donnée à tous les oncles et tantes, aux cousins mariés et aux voisins : Richard, une cigarette à la main, légèrement tourné sur le côté, les cheveux clairsemés, fermant à moitié les yeux à cause de la lumière, puis Albert, dans son costume parfaitement coupé et repassé, un peu retroussé à cause de ses mains dans ses poches, un pied en avant comme s'il s'en allait, le sourcil froncé, puis Edmond, lui aussi les mains dans les poches, son sourire chaleureux presque triste adressé à l'extérieur, puis au milieu Philip, le plus grand, avec sa robe, sa toque à la main, les mâchoires serrées, regardant fixement, l'œil sévère, puis André faisant apparemment un pas en avant, ses cheveux ondulés décoiffés, la bouche un peu ouverte, puis Daniel, les yeux fermés, tout droit, les bras pendants de chaque côté, son costume léger froissé, sa cravate nouée avec un très gros nœud qu'il avait cru à la mode, puis Julien, plus petit, lui aussi le costume froissé, les cheveux séparés par une raie de travers, il fermait les yeux lui aussi, il souriait et personne n'aurait su dire à quoi.

L'un d'eux aurait pu se demander : que pensent-ils les uns des autres ? Ils ne pensaient pas vraiment les uns aux autres. S'ils y pensaient, c'était indirectement, en termes de quelque chose extérieur à eux, d'une idée, qui n'était pas une idée qui naissait en eux, une idée aussi ronde que l'objectif de l'appareil que la mère tenait pour prendre la photo : qu'ils devraient s'aimer les uns les autres. Le père se tenait à côté de la mère et regardait au loin ; de temps en temps il jetait un coup d'œil rapide à l'alignement de ses sept fils.

Albert était appuyé au mur, sous la pendule de la cuisine, Philip mangeait, assis à table, tournant le dos à Albert, André était assis de l'autre côté de la table en face de Philip, sa chaise écartée de la table, Daniel se balançait légèrement dans le rocking-chair, Julien était sur le tabouret de cuisine, la mère, serrant deux pains enveloppés contre sa taille, se tenait près de la porte de la cuisine ouverte et, dans l'entrée, il y avait le boulanger de la paroisse.

Le boulanger dit : *"C'n'est pas vrai, plus ça change... Moi, j'ai vu des changements dans la paroisse, et c'n'est plus pareil, c'est différent, et ce sera encore plus différent..."*

La porte d'entrée s'ouvrit. La mère et les fils se penchèrent pour voir derrière le boulanger qui se retourna afin de voir lui aussi. La mère jeta un coup d'œil à la pendule pour vérifier si le boulanger était resté si longtemps que, pour son mari, c'était déjà l'heure de rentrer et, même quand elle vit qu'il n'était pas encore midi, son sens de l'heure, réglé par trente années de départs et de retours réguliers du travail, essaya de lui-même de modifier le temps pour que, brusquement, ce soit le boulanger qui ne fût pas à l'heure et non son mari qui montait les marches de l'entrée ; et pourtant, une autre part d'elle-même, peut-être son sens de l'espace, de la cuisine le matin, avec une lumière verte et froide, quand c'était entièrement sa cuisine à elle, quand la table, les chaises avaient une immobilité matinale particulière que ses fils assis, debout, n'avaient pas dérangée, sut que la présence de son mari dans ce lieu était déplacée. Elle s'écria : "Jim !" Le boulanger ne s'écarta pas mais resta debout devant le père ; il avait peut-être pris la direction de la maison et il ne le laisserait pas passer tant qu'il ne lui aurait pas expliqué pourquoi il rentrait alors qu'il aurait dû se trouver au travail. Mais le père se contenta de le regarder et le boulanger s'écarta. Le père entra dans la cuisine, apparemment pas très sûr de la façon dont il devait marcher ni de l'endroit où il devait aller ; il levait les pieds très haut, comme s'il avait marché dans l'eau.

Il dit en anglais : "J'ai été mis à la porte."

Personne ne parla ni ne bougea.

Il dit : "Ils m'ont mis à la porte."

Le boulanger fronça le sourcil et dit : *"Quoi ?"*

Le père dit, à nouveau en anglais : "On m'a renvoyé."

Aucun membre de la famille ne parlait ni ne bougeait. Le boulanger demanda : "Qui t'a mis à la porte ?

Après un long moment, le père porta la main à sa tête et dit : "Le patron."

Le boulanger ferma à moitié les paupières, "Pourquoi ?"

Le père ouvrit et ferma la bouche plusieurs fois et fit la grimace, comme il faisait souvent, comme s'il avait goûté du vomi ; il regarda le boulanger. Albert s'écarta du mur, prêt à dire, "Papa viens dans l'autre pièce", où le boulanger ne pourrait pas les suivre, mais le père, tout en regardant le boulanger avec une expression d'amertume, lui répondit : "Ils diminuent le personnel."

Le boulanger ne comprit pas. Il mit le poids de son corps sur une jambe et avança l'autre vers le père. Le père s'éloigna.

"Jim !" dit sa femme.

Il lui dit : "C'est fini." Il passa devant ses fils, sortit de la cuisine et entra dans sa chambre.

Le boulanger dit : "Voilà ce qui arrive, là, si on ne se tient pas tranquille, là."

La mère et les fils le regardèrent fixement et le boulanger partit.

Le regard de la mère alla de ses fils jusqu'à la porte par laquelle le père était sorti pour se rendre dans leur chambre, puis il revint sur ses fils, sans savoir, apparemment, si elle devait rester avec eux ou aller rejoindre son mari. Puis son visage devint dur, elle les quitta, passa la porte et ils l'entendirent appeler : "Jim." Il n'y eut pas de réponse. Elle appela à nouveau : "Jim." S'il répondit, ils ne l'entendirent pas. Il entendirent la mère ouvrir la porte de la chambre et la refermer derrière elle.

André demanda : "Est-ce qu'on peut faire quelque chose ?"

Au bout d'un petit moment, Julien alla dans la salle de séjour pour s'asseoir près de la porte du père et de la mère.

André se leva et partit dans la chambre qu'il partageait avec ses frères aînés. Sur le bureau, il prit la partition d'opéra pour l'étudier, comme il l'avait fait ce matin. Il contempla la couverture grise : le dessin de colonnes cannelées de chaque côté, la tenture qui y était attachée et qui pendait entre les colonnes avec des plis profonds, avec en dessous le titre écrit en grandes lettres. Il feuilleta les pages jaunies. Il reposa la partition sur une chaise et regarda par la fenêtre.

Son frère Philip entra. André se tourna vers lui. Philip vint jusqu'à la fenêtre, s'arrêta près d'André et regarda la petite cour déserte et les mauvaises herbes qui poussaient le long de la barrière.

Il dit : "Je ne peux rien faire.

— Non, dit André, je ne crois pas."

Depuis la porte, Albert dit : "Il va falloir qu'il s'en sorte tout seul."

Ses deux plus jeunes frères se retournèrent vers lui et, derrière lui, André vit la mère suivie de Julien et Daniel. Tous entrèrent dans la chambre. La mère referma la porte, puis elle s'assit sur le lit.

Philip demanda : "Comment va-t-il ?

— Il ne veut pas parler, dit-elle.

— Tu n'es pas arrivée à le faire parler ?

— Non." Elle leva les yeux vers Philip.

"Il n'a rien dit du tout ?" demanda André.

"Il a dit qu'il était heureux de ne pas avoir signé d'hypothèque. Nous avons encore une maison pour nous abriter.

— Je n'ai jamais compris pourquoi il voulait acheter une maison à la campagne, dit Albert.

— Non." Elle attendit quelques instants. Brusquement, elle demanda : "Qu'est-ce qui va se passer maintenant qu'il n'a plus de travail ? Ça ne lui est jamais arrivé de ne pas travailler. Est-ce qu'il va rester ici, jour après jour, à ne rien faire ? Même pendant la crise, quand il n'y avait que deux jours de travail par semaine à l'usine de limes, tous les jours il sortait pour chercher quelque chose à faire. Il réparait des maisons, des toitures, faisait de la peinture. Maintenant..." Ses yeux s'agrandirent.

André posa ses mains sur les épaules de sa mère. "N'aies pas peur." Ils entendirent quelqu'un frapper à la porte de la chambre. Ils s'immobilisèrent ; Albert ouvrit la porte. Le père les regarda. Il dit : "Ça va aller."

Ils étaient assis autour de la table de la cuisine et mangeaient des bols de soupe. Sa femme et ses fils le regardaient mais personne ne lui parlait. Il mangeait en silence et quand il eut fini, il parla : "Il m'a dit qu'on n'y pouvait rien, le patron. L'usine perd de l'argent. Il faut qu'ils licencient.

— Et ils ne peuvent pas mettre à la porte quelqu'un du syndicat," dit la mère.

Le père ne lui répondit pas. "Ils étaient obligés de me renvoyer," dit-il.

A nouveau, les fils se turent mais regardèrent fixement leur père. C'était comme si, et pourtant il n'avait jamais bu un verre de bière de sa vie, il était saoul, et comme s'ils ne savaient pas ce qu'il allait faire dans son ivresse. Il semblait être en train de supporter une immense tempérance.

Albert pensait : leur père était et avait toujours été, au-dessus de toute consolation ; ils savaient qu'il ne lui était jamais rien arrivé qui l'avait amené à leur demander leur soutien ou leur compréhension, et, de leur côté, ils ne savaient pas comment les lui apporter. Le père ne parlait pas plus à sa

139

femme qu'à ses fils ; et il ne parlait pas de lui, il parlait, de façon tendue mais absolument impersonnelle, de quelqu'un d'autre et de très loin.

La mère regarda ses fils suivre leur père des yeux quand il sortit de la cuisine, apparemment inquiets de le voir tomber subitement. Elle se leva et s'avança vers lui. Il s'arrêta et dit : "Je crois que je vais descendre à la cave."

Daniel et Julien, leur mère leur avait fait un signe dans le dos pour qu'ils le suivent, le regardèrent devant son établi, ouvrir les tiroirs les uns après les autres, en sortir les limes, depuis les plus fines jusqu'aux râpes épaisses, et les empiler sur l'établi. Il écartait et resserrait les coudes, et ses épaules, l'arrière de sa tête et son dos semblaient concentrés sur son travail, un travail qu'on lui avait demandé de faire d'urgence, mais que, d'une façon volontairement lente, il faisait comme il savait qu'on devait le faire. Il tria les limes, les examina et les posa côte à côte. Il en prit deux poignées et les jeta dans les tonneaux des cendres qui provenaient de la chaudière, sans leur accorder un regard, puis il retourna en chercher d'autres sur l'établi. Il jeta toutes ses limes puis il ferma les tiroirs, se retourna et resta un instant appuyé à l'établi.

Il remonta très lentement l'escalier de la cuisine. Dès qu'il ouvrit la porte, Albert, qui était assis dans le rocking-chair, se leva pour lui laisser le fauteuil. Le père s'y assit en tendant les mêmes muscles que pour se relever. Albert sortit de la cuisine. André et Philip, qui parlaient à la mère dans l'office, se turent.

Par la fenêtre, le père vit Georgie Girard, qui revenait du travail.

Julien vint près du rocking-chair et demanda : "Qu'est-ce que tu vas faire ?

— Il va falloir que je trouve du travail, tsi gars."

Personne ne dormit cette nuit-là.

Très tôt, le matin, Albert entendit son père tousser dans la cuisine. Il se leva, enfila une robe de chambre et sortit. Il vit son père, en costume, assis dans son rocking-chair.

Il lui demanda, de l'autre côté de la cuisine : "Où est-ce que tu vas ?

— J'attends qu'il fasse un peu plus jour pour sortir.

— Où est maman ?

— Elle a fini par s'endormir. Je ne l'ai pas réveillée.

— Où est-ce que tu vas ?

— J'ai noté le nom d'usines textiles qui cherchent des ouvriers.

— Tu veux que je te conduise ?

— Non."

On ne voyait qu'une moitié du visage du père, la moitié du côté de la fenêtre, par où entrait une pâle lueur. Albert s'approcha de son père pour s'asseoir sur la chaise en face de lui. En s'approchant, il vit sur la moitié grise du visage de son père, une terreur dure comme de la pierre, et Albert ne s'assit pas, il resta debout au-dessus de lui.

"Je me suis levé pour aller aux toilettes," dit-il.

Jim Francœur ne prit pas le bus, il alla à Providence à pied. Tandis qu'il passait sous un pont, un train éclairé roula au-dessus de sa tête. La ville était déserte dans la lumière grise du petit matin. Il vit l'autobus, dont l'intérieur était encore éclairé, passer près de lui avec beaucoup de passagers puis, à l'angle d'une rue, un camion dont deux hommes déchargeaient des paquets de journaux, puis un homme avec une serviette qui descendait d'une voiture rangée sur un parking. Le soleil levant éclairait les immeubles de bureaux. Il traversa la ville et marcha sur les quais pavés de la rivière Providence. Son esprit vagabondait et parfois il se demandait ce qu'il faisait près d'une clôture en tôles ondulées et rouillées ou d'un appontement abandonné. La rivière devint un canal étroit aux berges pavées, des bouteilles et des caisses brisées flottaient au milieu des ordures. Il trouva l'usine textile. Il y avait trois hommes avant lui.

Il s'assit, en tremblant un peu, comme s'il avait froid, dans une petite pièce avec des chaises alignées contre des cloisons minces en frisette et au sommet d'un des murs une fenêtre haute et étroite qui ne donnait pas sur l'extérieur mais sur l'usine. Les trois hommes étaient d'un côté de la pièce et parlaient ensemble. Il s'assit de l'autre côté et se pencha en avant, les coudes sur les genoux et les mains croisées et serrées.

Un homme apparut à la porte et appela le premier qui était arrivé. Les autres s'arrêtèrent de parler. Jim Francœur détourna le regard. Au bout d'un moment, l'homme revint appeler le second. Jim Francœur lança un coup d'œil sur l'homme qui restait de l'autre côté de la petite pièce, puis baissa les yeux. On appela l'autre homme. Jim Francœur se leva lentement et marcha jusqu'au milieu de la pièce. Il sentit que son cœur palpitait, il entendit des machines à écrire qui cliquetaient et des voix de l'autre côté de la cloison. Il crut entendre une voix qui s'approchait. Il se précipita vers la sortie pour ne pas rencontrer l'homme qui avait appelé les trois autres pour un entretien, et quitta la pièce et l'usine. Il marcha rapidement sur les pavés.

Il revint à Providence à pied. Dans sa poche, il avait des petites annonces pour du travail dans d'autres usines. Il marchait lentement dans la chaleur. Il remonta la colline jusqu'aux bâtiments de l'état, dont le grand dôme blanc tremblait dans la chaleur qui montait des pelouses. Il s'arrêta dans Smith Street. Les voitures passaient à toute vitesse à côté de lui. Il se dit : "Où est-ce que je vais aller ?"

Sa sœur Oenone ouvrit la porte de chez sa mère quand il frappa. Oenone demanda, en se protégeant les yeux contre la lumière aveuglante : "Qu'est-ce qu'il y a ?" "Je veux voir ma mère," dit-il en français." "Elle est au lit," répondit Oenone, "comme toujours." Il alla dans sa chambre.

Elle était adossée à des oreillers. Ses pommettes saillaient. Ses yeux fermés ressemblaient à des trous obscurs. Ses cheveux étaient tirés en arrière et réunis dans une natte épaisse, mais la natte défaite laissait retomber des cheveux sur le visage. Il savait qu'elle ne dormait pas. Elle avait les traits tirés à cause de la concentration sur sa douleur, une concentration qui avait pour but de maintenir la douleur à un seul endroit. Son fils s'assit sur une chaise à côté du lit, elle ouvrit les yeux et le regarda sans tourner la tête. Tout de suite, elle dit en français : "Mais c'est un jour de semaine non ?

— Oui.

— Pourquoi est-ce que tu n'es pas au travail ?

— Ils m'ont renvoyé," dit-il.

Oenone, qui était restée à la porte, entra dans la pièce. "Est-ce que je ne te l'avais pas dit ? Est-ce que je ne t'avais pas dit que ça se terminerait comme ça ?

— Que s'est-il passé ?" demanda sa mère. Elle écouta sans bouger la tête ou les yeux. "Et où est-ce que tu vas trouver un autre travail ?

— Je ne sais pas."

Elle dit : "Oenone, prends un papier et un crayon."

Oenone ouvrit un tiroir du bureau et en sortit un bloc de papier à écrire, un bout de crayon et une bobine de fil. La mère dit à son fils : "Je ne peux plus aller à l'église, alors je ne peux pas offrir de messes, et je ne peux plus très bien prier." Elle dit à Oenone : "Ecris ceci pour moi : "J'offre tout pour qu'Arsace trouve du travail." "Non, non, dit-il" et il se leva pour sortir. "Si", dit-elle. Il resta debout près de la porte tandis qu'Oenone écrivait sur le bord de la feuille de papier, pliait la feuille, déchirait la bande étroite qui était écrite, puis la mettait en un rouleau très serré qu'elle attachait avec du fil et qu'elle suspendait au cou de la statue peinte de Saint-Joseph qui trônait, un lys à la main, sur le bureau.

Elle ferma les yeux, et les rouvrit quand il s'en alla, pour lui demander : "Et l'autre maison, la maison à la campagne ?" Il secoua la tête.

Sa femme l'attendait à la porte. Il dit : "Non, rien. Ils ont vu que j'avais une hernie. Personne n'a voulu m'embaucher."

Elle dit : "J'ai pensé à toi toute la journée.

— J'ai pas mal marché."

Quand les trois fils les plus âgés entrèrent dans la cuisine, la mère leur annonça : "Il n'ont pas voulu le prendre à cause de sa hernie."

Albert dit : "Tu aurais dû faire opérer ça depuis longtemps, papa."

Le père ne lui répondit pas.

André dit : "Que s'est-il passé ?

— Comme votre mère vous l'a dit, et si je n'avais pas eu de

hernie, ils ne m'auraient pas embauché parce que je suis trop vieux."

Philip demanda : "Pour quels emplois as-tu postulé ?"

Le père s'appuya sur le dossier de sa chaise. Il regarda fixement ses fils au-dessus de lui.

"Laissez-le," dit la mère.

Julien dit : "Mais il faut qu'il trouve du travail.

— Allez," dit-elle.

Ils le laissèrent. Il n'était pas assis dans le rocking-chair, mais sur une chaise, le dos tourné à la fenêtre.

Au lit, avec sa femme, il dit : "Je crois que je vais aller voir ma mère demain matin.

— Avant d'aller chercher du travail ?

— J'emmènerai aussi les deux garçons pour qu'ils la voient," dit-il.

Elle dit : "Mais elle est en train de mourir."

Il la regarda de son oreiller.

Les garçons se tenaient au pied du lit. Leur père, assis près du lit et penché, chuchotait quelque chose à leur grand-mère. Ils n'entendaient pas ce qu'il disait. Daniel regardait attentivement sa grand-mère, Julien frottait le dos de sa main gauche avec un doigt de sa main droite et ne regardait pas. Elle avait la tête très enfoncée dans son oreiller, la bouche ouverte d'un côté et sa mâchoire inférieure très longue bougeait légèrement d'un côté à l'autre. Un faible gémissement s'élevait apparemment de tout son corps, sans fin. Ses yeux, dont les iris étaient à demi visibles, semblèrent loucher, et une seconde avant qu'ils ne se croisent, elle regarda au pied de son lit où se tenaient les deux garçons, puis elle tourna les yeux ou essaya de les tourner vers son fils et elle lui chuchota quelque chose. Le père dit : *"Julien, viens ici."* Julien alla auprès de son père mais garda les yeux au sol. "Ta mémère veut que tu poses les mains sur sa tête ;" dit-il. Julien leva les mains, les paumes vers le haut et les regarda ; puis il les descendit. "Tu ne veux pas le faire ?" demanda le père en anglais. "Je ne veux pas," répondit Julien. "Tu ne veux pas le faire pour moi ?" demanda le père.

"Que je lui pose les mains sur la tête, répondit Julien, je ne vois pas quel bien ça peut te faire." "Si ça l'aide, ça m'aidera." Le père était prêt à attraper les bras de Julien et à tirer ses mains vers la tête de sa grand-mère. Julien se recula et sa grand-mère qui, brusquement, sembla être devenue aveugle, tendit les mains comme dans les ténèbres pour saisir quelque chose et elle saisit le poignet de Julien et le tira vers elle tandis qu'il tirait en arrière, et elle dit en serrant toujours son poignet, "Je reviendrai te voir." Le père prit Julien par les bras et il le tira avec une telle force que la grand-mère dut lâcher prise, et le père repoussa Julien derrière lui. Le père maintint Julien derrière lui et, avec trois doigts, il fit signe à Daniel de le suivre. Ils sortirent rapidement de la chambre. Le père respirait par la bouche ; on aurait dit qu'il ne voulait pas respirer l'air de la maison. La grand-mère disait d'une voix calme mais claire et pénétrante : *"Je n'peux rien voir, je n'peux rien voir, je n'peux rien voir."*

La mère était dans l'arrière cour avec Philip et André. Elle dit : "Si j'étais comme ma mère, j'aurais des fleurs dans toute la cour. Je planterais des volubilis sur le treillage. Ça cacherait les boîtes à ordures.

— Il faudrait faire quelque chose, dit Philip. C'est aussi sale qu'une basse-cour de campagne au Canada.

— J'aimerais que quelqu'un construise sur le terrain à côté. Les mauvaises herbes nous envahissent.

— Sans les mauvaises herbes il n'y aurait aucune verdure. Et la maison a besoin d'un coup de peinture.

— Votre père n'a pas l'air de s'intéresser à des choses comme ça, à quoi ressemblent les choses. J'ai abandonné. Je ne peux pas être continuellement sur son dos."

Albert dit : "Il sait très bien retaper les maison. Peut-être devrait-il trouver un travail là-dedans.

— Oui," dit-elle ; puis après une pause, "Pourtant, je ne crois pas qu'il veuille retrouver du travail.

— Allez, dit Albert, il n'est pas faible au point de ne pas pouvoir sortir pour retrouver du travail.

— Non. Je me suis toujours sentie en sécurité avec votre père parce qu'il était si fort." Elle regardait le petit bois sur le terrain derrière leur cour. "J'ai peur qu'il ne veuille pas travailler. Et pourtant, il va s'inquiéter pour l'argent.

— Oh, l'argent ! dit Philip.

— Ce n'est pas la peine de s'inquiéter pour ça, dit Albert.

— Ça suffit comme ça actuellement pour qu'on s'inquiète aussi pour l'argent, mais nous savons...

— Est-ce que tu t'inquiètes pour l'argent ? demanda Philip.

— Nous avons une maison à entretenir."

Albert dit : "Ne t'inquiète pas pour ça."

Elle le regarda. "Tu ne sais pas, aucun de vous ne sait ce que c'est que de ne pas avoir d'argent.

— Non, dit Albert.

— Papa va retrouver du travail, dit Philip.

— Je ne sais pas, dit-elle. Je sais qu'il ne retrouvera jamais un travail comme celui de l'usine de limes, un travail qui sera sa vie. Et pourtant, il faut qu'il vive. Et pourquoi est-ce qu'il vivra s'il n'a plus son travail ?

Les deux fils ne dirent rien.

"Pas pour sa famille. Sa famille a pris des chemins différents. Et pas pour moi.

— A-t-il jamais pensé ça ? demanda Philip.

— Je ne sais pas. Il doit le ressentir. A chaque fois qu'il va voir sa mère, je sais qu'il manque de quelque chose ici, et il sent qu'elle peut le lui donner. Et elle le lui donne. Elle est plus forte que moi. Il est comme elle." Elle regarda à nouveau dans le petit bois les arbres grèles et les mauvaises herbes. "Une fois, il m'a dit...

— Quoi ? demanda Albert.

— C'était quand il vivait chez sa mère. Il a eu un accident à l'usine de limes. Sa mère noircissait le poêle quand il est rentré du travail. Elle lui a demandé : "Qu'est-ce que tu as à la main ?" "Un éclat d'acier est entré dedans," a-t-il répondu. Elle a dit : "Il faut l'enlever," et elle lui a entaillé la main pour le sortir. C'est leur stoïcisme indien. Mais le lendemain matin, il avait le bras raide. Il ne pouvait pas plier le coude. En travaillant sur sa machine, son bras a enflé et, quand il est rentré du travail, sa mère l'a fait tremper dans de l'eau bouillante mélangée avec de l'eau qu'elle garde dans sa chambre. Son père est rentré du travail et a dit : "Tu devrais faire voir ton bras à un médecin," mais sa mère a répondu : "Ça va aller." Et bien, il est comme sa mère, mais il a dit : "Je ferais peut-être mieux d'aller à l'hôpital." Il y est allé à pied. Il n'a pas voulu prendre le bus. Un médecin lui a appuyé sur le bras du poignet à l'épaule, et a dit : "Vous venez vingt-quatre heures trop tard." Il a répondu : "Non, je mourrai avec mon bras." Il ne pouvait pas enfiler la manche de sa veste, et il a dû mettre son bras contre sa poitrine et boutonner sa veste de la main gauche. Il est allé voir le docteur Lalande. Le docteur Lalande lui a dit : "Tu viens un jour trop tard." Il a répondu : "Je ne veux pas qu'on me le coupe." "Pourquoi est-ce que ta mère ne t'a pas envoyé plus tôt ?" lui a demandé le docteur, et il a dit : "Elle a pensé que ça irait." Le docteur Lalande lui a dit : "Je vais voir ce que je peux faire." Il lui a coupé un morceau de chair dans la paume de la main et il lui a frotté le bras, de plus en plus fort, de l'épaule jusqu'à la main, et le pus a coulé par la blessure. Le docteur lui a pressé le bras jusqu'à ce qu'il ne puisse plus en faire sortir de pus. Puis il a mis des cotons avec de l'antiseptique au bout de très fines baguettes et, en lui tenant le bras bien droit, il lui a enfoncé les baguettes dans le bras par la blessure. Le docteur lui a dit : "Il faut que tu reviennes demain, et il faudra que tu reviennes encore. Rentre chez toi. Dis à ta mère de faire bouillir de l'eau pour que tu y baignes ton bras, de l'eau aussi chaude que tu pourras supporter, et laisse ton bras dedans pendant quinze minutes, toutes les heures, jour et nuit. Et assure-toi qu'elle n'emploie que de l'eau." Son père est rentré pendant qu'il faisait tremper son bras et l'eau était si chaude qu'il avait le bras rouge vif. Son père lui a dit : "Ça ne te fait pas mal ?" Il a secoué la tête. Puis il a demandé à son père : "Tu veux me rendre un service ? Tu peux aller à l'usine de limes pour leur dire que je vais revenir dans trois jours ?" Son père lui a dit : "Ton bras ne sera pas guéri dans trois jours."

147

Il a répondu : "Dis leur trois jours." Sa mère a dit : "Dis leur une semaine." Son bras n'était plus que de la peau et des os. Le docteur Lalande lui a dit d'acheter une paire d'haltères et de faire faire des exercices à ses muscles. Aujourd'hui, les haltères sont dans le grenier. Quand il m'a raconté ça, ça s'était passé peu de temps avant que je le rencontre, je lui ai demandé : "Est-ce que l'usine de limes t'a donné une indemnité ?" Il m'a dit : "Une indemnité ? Mais c'était de ma faute." Vous comprenez ? demanda-t-elle.

— Oui," dit Albert.

Elle dit : "Et si quelque chose arrivait dans la famille..." Mais elle vit qu'Albert regardait derrière elle et elle se retourna pour voir son mari tourner le coin de la maison. Elle lui dit : "Ta mère..."

Il baissa la tête et posa la main dessus.

"Qu'est-ce qu'elle a à ton avis ?

— C'est dans le cerveau.

— Quoi ?

— Un cancer.

— On aurait peut-être pu y faire quelque chose si elle avait appelé un médecin, dit Philip. Elle est têtue...

— Non, dit-il. Non. *Le cancer ne pardonne pas, jamais.*

— Tu ne vas pas chercher du travail, aujourd'hui ? lui demanda sa femme."

Il ne répondit pas. Il se pencha pour ramasser par terre un grand clou rouillé. Le téléphone sonna dans la maison. Un moment plus tard, André apparut comme un fantôme derrière la fenêtre à moustiquaire, au-dessus d'eux. Il dit : "Papa."

Le père plissa les yeux pour regarder en l'air.

"C'était Matante Claudine. Elle te téléphonait de la boulangerie. Elle a dit que Mémère te demandait."

Il dit : "Il faut que j'y aille. Il faut que j'aille voir ma mère.

— Je viens avec toi, dit Albert.

— Non," dit-il.

Il jeta le clou.

Comme s'il était mort et ne pouvait que lire sur les lèvres, sa jeune sœur Claudine, en ouvrant la porte, forma les mots en anglais mais ne parla pas : "Le curé est là." Il se recula et prononça silencieusement, en anglais lui aussi. "Elle ne veut pas me voir ?" "Elle te demandait." "Et maintenant ?" "Il y a un petit moment, elle réclamait notre père."

On avait baissé le store de la chambre mais, derrière, on avait laissé la fenêtre ouverte, et un souffle chaud l'agitait doucement, le bas frottait sur le rebord et la petite boule faite au crochet, qui pendait à l'extrémité du cordon, montait et descendait. La lumière du soleil brillait autour du store et, par moments, quand la brise le soulevait, un rayon de lumière blanche traversait la pièce obscure et la flamme de la bougie posée sur une petite table près du lit, disparaissait dans la blancheur éclatante puis, quand le store se remettait en place, elle reprenait forme, en ne répandant aucune lumière dans la chambre mais une odeur de cire fondue. Le curé donnait l'extrême-onction à sa mère. Debout, à côté de la fenêtre, près du mur, il y avait la sœur sourde, Juliette, tantôt dans la lumière, tantôt dans l'ombre à cause du store qui se balançait. (Elle habitait avec Claudine. Claudine qui, parce qu'en parlant à sa sœur, devait projeter les mots avec des contorsions et des mouvements exagérés des lèvres, sans nécessairement faire du bruit, et toujours en anglais — car Juliette, qui était allée à l'école pour sourds à Providence, où Claudine l'avait mise malgré l'avis de la mère, avait appris à lire l'anglais sur les lèvres mais pas le français et ne fut jamais capable de communiquer avec sa mère — parlait à tout le monde comme elle parlait à Juliette, d'une façon silencieuse et énergique qui donnait à tout ce qu'elle disait l'importance d'une grande intimité ou du danger dominé.) Leur frère, Eurybate, se tenait de l'autre côté du lit, son chapelet se balançait dans ses mains et ses lèvres bougeaient à peine. Oenone conduisait les prières et en même temps, le chapelet dans une main, elle se penchait sur le lit pour aider le curé en découvrant de l'autre main les parties du corps de sa mère qu'il devait oindre avec de l'huile. La mère était allongée, raide et arquée, la tête renversée en arrière, les yeux grands ouverts et semblait regarder la tête de lit derrière elle, et elle se balançait de bas en haut si bien que le lit se secouait et que les couvertures étaient en paquet et tordues. Arsace se tenait derrière, et à côté du curé. Le curé, en surplis avec l'étole violette qui dépassait sur sa nuque, allait d'avant en arrière, depuis une petite table à côte du lit avec une bougie allumée et une petite boîte posée dessus, jusqu'à la mère, et il marmonnait d'une voix un peu plus forte que les voix qui récitaient le chapelet. Arsace croisa les mains à la hauteur de sa taille. Oenone, avec de lents mouvements de la main en forme d'arabesques, baissa la couverture et le drap sur les épaules de sa mère, leva ses bras pour que les mains reposent sur la couverture froissée, déboutonna les trois premiers boutons de la chemise de flanelle de sa mère et rabattit les coins pour découvrir une peau gris blanc, releva la couverture et le drap au pied du lit pour faire apparaître les pieds de sa mère coincés dans le drap de dessous et, pendant tout ce temps, la mère se balançait comme si son corps oscillait sous la vague d'un bruit violent mais très profond qui ne pouvait sortir d'elle. Arsace regarda les mains de sa mère, ses avant-bras, sa gorge où la chair était tendue jusqu'à son menton proéminent, la peau de sa poitrine. Il n'avait jamais vu le corps de sa mère aussi exposé. Il regarda ses pieds. Il n'avait jamais vu ses pieds nus. La plante était arrondie, les orteils tordus, jaunes, le pouce semblait cassé. Ses pieds tremblaient. Le curé les oignit avec de l'huile.

Le curé enleva l'étole de son cou et l'embrassa en se détournant de la mère. Il regarda Arsace comme s'il n'avait pas su qu'il était là. Il quitta la chambre sans se retourner vers la mère, ayant achevé de donner le sacrement, et Arsace le suivit.

Ils s'arrêtèrent dans la cuisine. Le curé enleva son surplis, le plia sur son bras, il pinça les lèvres plusieurs fois et, quand il les ouvrit, on aurait dit que ce n'était pas sa voix qui en sortait mais la sirène de l'usine de limes. Le curé referma la bouche. La sirène continua. Le curé regarda par la fenêtre ouverte de la cuisine. Au bout d'un moment, il jeta un coup d'œil à Arsace puis détourna les yeux.

Arsace dit : *"Vous avez voulu parler avec moi ?"*

Le curé répondit : *"A c't' heure, non..."*

Arsace attendit.

Puis le curé dit : "Qu'est-ce que tu vas faire maintenant comme travail ?

Arsace dit : "Mais ma mère est en train de mourir.

— Ta mère voulait mourir.

— Elle m'a dit : "Nous travaillons pour mourir."

— Oui, oui, dit le curé. Et je prie pour qu'on meure tous rapidement." Il s'arrêta. Puis il demanda : "Tu veux que je parle à quelqu'un du syndicat...

— Non, répondit Arsace, non."

Oenone entra avec la boîte du curé. Il la prit et s'en alla.

Les frères et les sœurs se réunirent autour du lit de leur mère. Oenone accomplissait ses devoirs comme si depuis longtemps elle s'était préparée aux rites ; sa voix, à laquelle les répétitions donnaient de la force — *"Je vous salue, Marie... Je vous salue, Marie... Je vous salue, Marie... Je vous salue, Marie"*, et *"Notre père qui êtes aux cieux... Notre père qui êtes aux cieux"* — entraînait les autres voix quand elles faiblissaient et soutenait le rythme en s'accordant au balancement saccadé de la mère. Arsace s'appuya légèrement contre le pied du lit. Oenone n'avait pas recouvert les pieds de la mère. Il voulait le faire mais il n'arrivait pas à se décider à tendre le bras pour tirer la couverture. Sa mère rejetait la tête d'un côté et de l'autre. Elle dit : *"Enfin, enfin, enfin."* Ceux qui étaient à genoux se relevèrent ; ils se rapprochèrent du lit. Dans le clair après-midi, ils entendirent les voix aiguës et stridentes de deux femmes qui se parlaient sur le trottoir, un étage plus bas :

"Ah, non, c'n'est pas vrai, c'n'est pas possible !

— Et je te dis oui, je te dis oui, c'est vrai.

— Et sa mère, sa mère, que pense-t-elle de cette histoire ?"

La mère dit : *"Enfin, enfin"* ; sa bouche glissait de part et d'autre avec la langue molle.

Oenone fit le signe de la croix et dit : *"Cœur agonisant de Jésus, ayez pitié de ma mère qui meurt."*

Puis le corps de la mère se dressa en se tordant sur le côté. Elle avait toujours les yeux grands ouverts et Arsace pensa qu'ils le regardaient directement. Son fils et ses filles étaient raides. Eurybate, le plus jeune frère d'Arsace, recula soudain et dit : "Je vais chercher le docteur Lalande." Oenone cria : *"O Jésus, nous vous supplions d'accepter nos souffrances..."* Claudine referma la fenêtre, Juliette resta là où elle était, les mains sur les oreilles, sans bouger.

Quand Eurybate revint avec le médecin la mère était toujours tordue sur le côté et de la chair molle semblait claquer dans sa gorge tandis qu'elle respirait profondément. Arsace et ses sœurs, tournés dans des directions bizarres, étaient immobiles. Le docteur Lalande regarda dans les yeux de la mère. Il dit : "Elle ne reviendra pas." Oenone demanda : "Où est-elle ?" Le docteur ne répondit pas. Il dit à Arsace : "Je ne peux plus rien faire pour elle mais, de toute façon, elle n'aurait pas voulu que je fasse quelque chose." "Elle savait ce qu'elle faisait," dit Arsace. Le docteur soupira. "Tu es le plus âgé, n'est-ce pas ? Tu devrais contacter Modeste Vanasse." "Maintenant ?" Le médecin regarda la mère. "Bientôt. Occupe-toi de ça. Je vais m'occuper du reste." Arsace s'avança jusqu'à la porte avec le médecin et l'ouvrit, mais il resta devant et demanda : "Il n'y a aucun moyen de communiquer avec elle ?" "Non, aucun," répondit le médecin. "Elle voulait me dire quelque chose," dit Arsace. Le médecin dit : "Elle peut le vouloir encore, d'un autre monde." Arsace secoua violemment la tête. "Oh, non," dit-il, puis il s'écarta rapidement pour laisser partir le médecin, mais lui, dès qu'il fut sorti, se retourna : "Tu ne sais pas si elle a pris quelque chose qu'elle avait préparé ?" "Je ne sais pas," répondit Arsace. "Oenone le sait peut-être," dit le médecin. Arsace appela sa sœur. Le médecin lui posa la même question. Elle dit : "Non, rien que de l'eau." Le médecin soupira et s'en alla. Arsace revint dans la chambre avec Oenone. Le médecin avait fermé les yeux de sa mère.

Il alla voir l'entrepreneur des pompes funèbres et revint. Le médecin venait toutes les heures. Arsace resta debout près du lit pendant des heures, ou dans la cuisine, assis dans le rocking-chair de sa mère. La mère ne bougeait pas. Elle était à peine dans ce monde ; elle respirait dans ce monde, mais elle avait des pensées et des sensations dans un monde inconnu. Le rayon de soleil qui pénétrait dans la chambre de temps en temps, quand le store se soulevait, était devenu, car on avait à nouveau ouvert la fenêtre de la chambre surchauffée, un rayon des lumières des lampadaires de la rue. Arsace allait de la chambre à la cuisine et de la cuisine à la chambre. Il était incapable de rester assis quelque part et, finalement, il dit à son frère qu'il devait rentrer chez lui. Il avait une sensation étrange, il avait la sensation de ne plus avoir de corps.

Daniel qui s'endormait, entendit ses parents parler dans leur lit ; le bruit était très lointain.

Il s'éveilla brusquement. La fenêtre de sa chambre était grande ouverte et il entendit une brise légère qui glissait dans la moustiquaire et, au-delà, le froissement des feuilles dans le petit bois du terrain désert. Il resta immobile, les yeux ouverts, mais il ne regardait pas la fenêtre, il fixait le plafond où s'étalait une faible lumière grise. Son frère Julien dormait silencieusement à côté de lui. Il s'était éveillé tendu, et plus son esprit s'étendait vers l'extérieur, plus son corps se contractait sur lui-même. Il ne voulait pas regarder vers la fenêtre mais c'était comme s'il l'avait fixée. Puis il entendit au dehors une voix grave et profonde dire comme dans un murmure très fort "Holà !", et son corps tendu commença immédiatement à trembler. Ses oreilles devinrent énormes tandis qu'il écoutait pour en entendre plus ; il sentit que son corps contracté devenait lui aussi énorme, qu'il suait, et brusquement son corps fut secoué de façon violente par le mouvement de sa main qui se tendit presque toute seule au-dessus de sa tête et commença à frapper la tête de lit, à frapper, à frapper, aussi fort qu'il le pouvait et à hurler. Les coups et les cris le rassurèrent, il avait l'impression de pouvoir frapper dans n'importe quoi, hurler à travers n'importe quoi. La lumière s'alluma et son père entra dans la chambre en peignoir. Daniel s'arrêta de crier, il regarda ses doigts qui saignaient.

Son père, blême, dit : "qu'est-ce qu'il y a ?
— Il y avait quelqu'un devant la fenêtre."
Le père alla jusqu'à la fenêtre.
"Non, il n'y a personne.
— J'ai entendu quelqu'un.
— Qu'est-ce que tu as entendu ?
— Il a dit "Holà"."
Julien s'assit.
"Tu as entendu ? lui demanda le père.
— Non, je dormais.
— Ça ressemblait à un homme ?" demanda le père à Daniel.

Daniel frissonna. Il avait très froid. "Oui.
— Ce n'était rien.
— Non, non !" cria Daniel. Il regardait fixement son père.

"Va te coucher avec ta mère, dit le père à Julien, qui se leva rapidement et sortit. Daniel était raide. Son père éteignit la lumière, enleva son peignoir et se coucha près de lui. Daniel resta absolument immobile et ferma les yeux. Ses doigts douloureux, la surface froide de sa peau, lui semblaient sur une périphérie lointaine, et s'étendaient vers une périphérie toujours plus lointaine tandis que, derrière ses paupières closes, il sentait que l'obscurité enflait, enflait comme à partir d'un point derrière son front et, à ce point précis, il sentait une légère pulsation. Il entendit son père lui parler comme d'au-delà une distance immense : *Tu m'écoutes ?*
— Oui.
— *C'n'était personne.*
— Oui."

Il sentit son corps se raidir avant d'entrer au salon mortuaire des pompes funèbres, la première nuit de veillée, et pourtant sa mère lui avait dit que sa mémère aurait l'air de dormir tranquillement ; il resta derrière ses frères aînés qui se dirigèrent vers une niche remplie d'œillets et de glaïeuls, avec deux bougies dans des verres rouges et un prie-dieu. Albert et Philip s'agenouillèrent, André resta debout derrière eux, pour prier. André se tourna vers lui et lui fit signe de venir, et il vit au-dessus du prie-dieu, dans une lumière claire comme la lumière du jour, sa grand-mère allongée dans un cercueil, le visage recouvert d'une fine pellicule de cire rose, les mains croisées sur une courtepointe de satin tirée jusqu'au dessus de sa taille, et un chapelet enroulé autour de ses doigts. Elle n'avait pas l'air d'être en train de dormir ; mais il ne semblait pas possible non plus qu'elle puisse soudain ouvrir les yeux et se mettre à parler.

Ici, devant le corps, il n'avait pas peur. Il regarda fixement le visage de sa grand-mère. Son esprit s'efforçait de penser à quelque chose. Il regarda ses mains ; une fois mort, son corps était plus impénétrable à son esprit qu'il l'aurait été vivant, si impénétrable qu'il ne pouvait s'y intéresser comme si, dans son immense immobilité, il n'y eut rien en lui pour l'inté-resser. Mais quand Philip se releva du prie-dieu, Daniel s'age-nouilla à sa place pour regarder de plus près le corps de sa grand-mère. Il frotta les croûtes de ses articulations avec ses doigts croisés.

Julien était au lit. Julien refusa d'aller à toutes les nuits de veillée. Il s'éloignait de Daniel quand son frère se couchait. Daniel restait allongé sans bouger. A nouveau, il s'éveilla après avoir dormi sans du tout savoir combien de temps ; il s'éveilla, son corps s'éveilla, avec la conscience qu'il y avait quelqu'un derrière la fenêtre. Il ne bougea pas. Il était sûr que ce quel-qu'un l'observait, il était sûr que s'il tournait légèrement la tête sur le côté, il verrait un visage derrière la moustiquaire. Il bougea la main sous la couverture, très très lentement, pour que personne ne puisse voir, il la remonta le long de son corps puis la leva au-dessus de sa tête et quand elle arriva à la hauteur de son épaule, il la cogna contre la tête du lit, puis il cogna aussi de l'autre main et hurla. Dans son esprit les coups et les hurlements étaient comme de violents éclairs de lumière et quand la lumière s'alluma vraiment dans la chambre il pensa que c'était peut-être dans son esprit.

Il entendit Julien dire dans un gémissement : "Pas encore." Sa mère vint près du lit, un pull sur les épaules et sa chemise de nuit tordue autour d'elle. Elle prit les mains de

Daniel dans les siennes. Elles saignaient. Elle sortit et revint rapidement avec un gant de toilette humide.

Elle dit : "Tu n'avais pas besoin de cogner ou de crier si fort. Nous t'aurions entendu."

Daniel ne dit pas qu'il n'y avait eu personne à la fenêtre. Il le savait. Son pouls était rapide. Sa mère souleva ses bras flasques, essuya le dos de ses mains et les reposa de chaque côté de lui. Il la laissa faire.

Elle dit : "Il faut que tu te contrôles, tu es trop âgé."

Daniel ne répondit pas.

Elle ajouta : "Si ça recommence, frappe doucement, nous sommes juste là, de l'autre côté du mur, nous t'entendrons, nous ne te laisserons pas seul. Mais ne hurle pas. Ton père est très fatigué. Il ne peut pas venir. Et tu es trop âgé."

Sa mère éteignit et referma la porte de la chambre derrière elle en partant. Daniel resta immobile dans l'obscurité. Il entendait la respiration de son frère Julien qui ne dormait pas. Daniel se glissa près de lui et mit ses bras autour de lui pour serrer son corps.

Richard vint pour la dernière nuit de veillée. Il alla jusqu'à son père, qui lui tournait le dos, et il lui toucha doucement le bras. Le père se retourna. Richard ouvrit les mains et prit les bras de son père, il le saisit aux coudes, et il le regarda en silence jusqu'à ce que ses yeux se remplissent de larmes et il dit : "Comme tu es fort." Le père donna de petites tapes sur les bras de Richard, il ouvrit et referma nerveusement la bouche et détourna les yeux. La mère se leva de sa chaise, au fond du salon mortuaire, suivie de Daniel qui était assis près d'elle, pour aller les rejoindre. Richard la serra dans ses bras en tenant sa tête contre la sienne. Quand il recula, il dut essuyer les larmes sur son visage avec ses paumes. Il dit : "Je n'ai pas encore salué Mémère," et avec son père et sa mère de chaque côté de lui, laissant Daniel au milieu de la pièce, il alla jusqu'au prie-dieu. Pendant tout le temps où il pria, Richard garda les mains sur les joues.

Quand il se releva, il s'avança vers Daniel, le prit dans ses bras, le fit tourner pour que le dos de Daniel soit vers lui et il lui enferma la tête dans son bras replié. Il le libéra mais laissa ses mains sur ses épaules et dit après quelques instants : "D'une certaine façon, j'ai toujours souhaité que tu n'aies jamais à voir un mort. Tu ne trouves pas ça bizarre ?

— Je ne sais pas, répondit Daniel, comme s'il était endormi.

— C'est peut-être parce que je pense que tu me ressembles. Tu ne crois pas ? Nous sommes les deux seuls parmi les frères à avoir les yeux bleus."

Daniel lui sourit.

Richard dit : "Si ça dépendait de moi, tu ne verrais jamais ni mort, ni guerre, ni mauvaise chose de ce genre, ni..." Il retira ses mains des épaules de Daniel. "Mais ça ne dépend pas de moi, hein ?"

Albert, Philip et André vinrent vers eux.

Daniel vit son frère Edmond tout seul qui regardait ses frères parler. Edmond regarda ensuite sa tante Oenone, dont les yeux étaient protégés par la visière verte qu'elle portait pour s'abriter de la lumière, et pourtant il faisait sombre, et qui, au moment où Edmond se tourna vers elle, leva ses grands bras et cria : *"Oh ma pauvre mère."* Edmond se précipita vers elle, mais elle le repoussa, tomba à genoux, pas sur le prie-dieu mais par terre, et cria à nouveau : *"Oh, ma pauvre mère, oh, ma pauvre mère..."*

Vers le fond du salon funéraire, debout près de son mari, le mère regarda vers Oenone et sourit. Elle sentit la main de son mari lui serrer le bras et elle pensa qu'il allait la conduire près du cercueil pour prier, mais il la fit pivoter vers lui si vite qu'elle en perdit presque l'équilibre et il la serra si fort contre lui qu'elle poussa un cri.

Tous se retournèrent vers eux. Les fils virent le visage de leur père par dessus l'épaule de leur mère, le regard fixe, les yeux grands ouverts. Elle essayait à la fois de lui échapper et de lui donner des tapes sur l'épaule. Brusquement, il la relâcha. Les fils le virent s'éloigner vers l'entrée du salon comme s'il s'en allait, mais il resta là, une main sur le chambranle de la porte, tournant le dos au salon. Ils virent la mère s'asseoir et baisser les yeux.

Daniel s'éveilla avec un léger frisson, brusquement jeté d'un monde dans un autre où il sentait qu'il flottait. Il sentait que le lit flottait, que la chambre flottait, que la maison flottait. Il écouta sa respiration.

Le croque-mort lui avait donné ainsi qu'à ses cinq frères aînés des gants gris. Ils tenaient les cordons du poêle. Ils portèrent le cercueil depuis le foyer de l'église après la messe jusqu'à la herse de cierges, deux longs étages de pierre plus bas. Au sommet du dernier escalier, Edmond éclata en sanglots.

Dans le cimetière, ils déposèrent le cercueil sur des sangles jetées au-dessus d'une fosse. Daniel remarqua qu'il y avait une manivelle pour descendre le cercueil sur les sangles. Près de la fosse, il y avait un tas de terre et des mottes d'herbe. Le croque-mort posa les fleurs sur le cercueil, le curé vint se mettre à la tête, en surplis, la lumière du soleil étincelait sur l'herbe tondue et un éclaboussement de lumière et non pas d'eau semblait en jaillir sur le tas de fleurs. Soudain Daniel fut saisi de peur : il pensa que le croque-mort allait tourner la petite manivelle et que le cercueil allait descendre et disparaître sous les fleurs, dans la fosse. Il pensa que le corps de sa grand-mère était là-dedans. Il vit deux pelles posées de l'autre côté du tas de terre. Une terreur alors s'abattit sur lui, il pensa que sa grand-mère allait enfoncer le couvercle du cercueil pour en sortir, transformée et méconnaissable, et il voulait qu'on la descende vite, vite dans la tombe, il voulait qu'on l'enterre profondément, profondément. Il s'éloigna. Il avait toujours les gants. Le croque-mort l'appela. Il enleva ses gants comme ses frères et, comme ses frères, il les jeta sur les œillets et les glaïeuls. Le curé s'en alla avant qu'on ait descendu le cercueil dans la terre. Jim Francœur le suivit et Daniel courut derrière son père.

Le curé marchait vite, en avant, puis il s'arrêta près d'un grand arbre, regarda derrière lui, et le père s'arrêta lui aussi avant de l'avoir rejoint.

Le curé dit : "Je veux te dire que je n'ai jamais su à propos du syndicat…"

Jim Francœur fronça les sourcils. "Qu'est-ce que ça veut dire ?"

Le curé le regarda fixement : "Ils ont insisté pour que tu sois mis à la porte."

La chair du visage de son père sembla être tirée en arrière et révéler la forme du crâne.

"Tu sais, en tant qu'ouvrier qualifié tu ne pouvais pas être licencié, parce que tu étais protégé par les conventions du syndicat, dit le curé. La direction t'a nommé contremaître pour pouvoir te mettre à la porte."

Le père dit : "Je ne le savais pas."

Le curé toucha sa barette et s'éloigna.

Daniel était près de son père qui resta dans bouger jusqu'à ce que sa mère et ses frères les rejoignent et ils sortirent ensemble du cimetière.

Dans la maison, ils s'assirent, le père, la mère et les fils, dans la salle de séjour, ils s'assirent en silence. Daniel contemplait les larges jambes du pantalon, les plis, les revers qui effleuraient les chaussures lacées. Le père était assis sur le bord d'un fauteuil et ne regardait aucun d'entre eux.

"Papa, dit Albert, ce n'est peut-être pas le bon moment, mais nous avons pensé, puisque nous sommes tous ensemble et qu'il se passera sûrement beaucoup de temps avant qu'on se retrouve à nouveau, que nous devrions parler. Nous en avons discuté entre nous et nous voulons tous acheter pour toi et pour maman, la maison à la campagne."

Le père le regarda fixement, ou peut-être au-delà de lui.

"Nous avons l'impression que c'est le moins que nous puissions faire, dit Richard.

— Oh !" s'écria la mère en levant les mains jusqu'à son menton.

André dit : "Chacun donnera autant qu'il pourra."

Philip dit : "Tu pourras l'avoir, papa.

Edmond dit : "Et bien, papa, tu as ce que tu voulais. C'est bien non ?

— Jim, dit la mère.

— Oui," dit-il.

Albert dit : "J'ai peur qu'on doive quand même hypothé-quer cette maison, comme avant, et nous garantirons le paie-ment des mensualités..."

Le père regarda la mère.

Elle dit, le visage rayonnant : "Oh, Jim..."

Son mari lui dit : "Tu n'es pas inquiète ?

Son visage redevint sérieux : "Nous n'engageons pas notre maison, n'est-ce pas ?

— Non," dit-il.

Elle regardait ses fils, elle les regardait, apparemment, tous ensemble et pourtant ils étaient assis autour d'elle à diffé-rents endroits de la pièce. Elle dit : "Ce que vous faites pour votre père, je ne sais pas comment dire, ce que vous faites pour votre père..." Elle se mordit la lèvre, se tourna vers son mari et, après quelques instants, elle dit : "Nous avons tellement souf-fert pour les mettre au monde, pour les élever et, maintenant, tu vois, ils nous donnent le bonheur, toutes nos souffrances ont abouti à ce bonheur."

Le père ne sortit plus chercher du travail. A chaque fois que la mère se retrouvait seule avec Albert, elle lui demandait : "Qu'est-ce qu'il va se passer ?" Albert répondait : "Laisse le faire, laisse le faire." La mère fronçait les sourcils.

Le père restait assis pendant des heures dans son rocking-chair. Jour après jour, Albert essayait d'engager la conversa-tion avec lui. Le père répondait par un "oui" ou un "oui, oui", le oui simple étant négatif, le double positif, mais il ne par-lait pas.

Par un chaud après-midi, deux hommes de la banque vinrent à la maison. Albert alla ouvrir et ne les fit pas entrer. Ils venaient prendre des photos de la maison. Albert sortit avec eux et sur le trottoir, de l'autre côté de la rue, un des hommes mit un petit appareil photo à son œil et photographia la petite maison blanche derrière la haie. Ensuite, Albert leur serra la main et rentra.

Le père ne lui demanda pas ce que ces hommes voulaient. Albert lui dit : "Papa, je ne veux pas que tu penses un seul instant qu'on t'oblige à prendre l'autre maison." Le père, dans son rocking-chair, dit : "oui". Albert s'assit sur une chaise de la cuisine, en face de lui. "Tu ne crois pas qu'on devrait en parler ?" "Oui", dit le père. Albert resta silencieux et, un petit moment après, il se leva. Il retrouva sa mère dans la chambre, qui rangeait des sous-vêtements et des bas propres dans un tiroir. Il lui demanda : "Il y a quelque chose qui ne va pas ?" Elle se mordit la lèvre. Son père entra dans la chambre, alla jusqu'à l'armoire, en sortit son costume, une cravate et une chemise, et les posa sur le lit. Sa femme lui demanda : "Où est-ce que tu vas ?" Il dit : "Je vais à une réunion." "Ça fait des semaines que tu n'y es pas allé," dit-elle. Albert observa son père, qui commençait à déboutonner sa chemise de travail grise, puis il quitta la pièce.

Albert se rendit compte qu'il n'avait pas élevé la voix depuis des semaines, quand, à la table du souper, après le retour de son père de la réunion, il l'entendit hurler, les lèvres retroussées qui lui découvraient les dents : "Cette maison est dans une belle pagaille, une sacrée belle pagaille, il faut y remettre de l'ordre !" Il vit que son père était un fanatique.

Le matin où Albert s'en alla, il prit sa mère dans l'office et lui dit : "Ça va aller, il a sa politique.

— Et l'argent ?" demanda-t-elle.

Albert lui tendit son argent qu'il gardait plié dans la main. "Non, non", dit-elle.

Il lui dit : "Je n'en ai pas besoin. J'en ai trop. Je n'ai besoin d'argent que pour mes cigarettes et la crème pour faire briller le cuivre."

Par une chaude soirée, la maison de campagne fut achetée et, celui qui était maintenant l'ancien propriétaire et sa femme vinrent en ville chez les Francœur, invités par Jim et Reena Francœur. Comme il n'y avait ni alcool ni bière dans la maison, la mère servit aux invités de grands verres de salsepareille sur un plateau en métal. Daniel, debout d'un côté du fauteuil dans lequel était assis son père alors que Julien se tenait de l'autre côté, observait ses parents, tous deux assis sur le bord de leur siège. On avait du mal à respirer dans la chaleur de la pièce ; l'air semblait fait du mohair hérissé des fauteuils et du canapé. A un moment, la mère se leva et sortit de la salle de séjour, le père la suivit bientôt. Daniel et Julien se retrouvèrent avec les invités qui leur dirent quelques mots puis se turent, et Daniel et Julien, soudain terrifiés, se précipitèrent dans la cuisine où ils trouvèrent leurs parents assis devant la table, comme s'il n'y avait eu personne d'autre dans la maison. Daniel savait que ce n'était pas ainsi qu'on recevait des invités et quand, paniqué, il murmura à sa mère que son père et elle devraient revenir dans la salle de séjour, elle le regarda comme s'il venait la déranger au plus mauvais moment. Elle et le père revinrent dans la salle de séjour ; Daniel, et Julien derrière lui, restèrent dans la cuisine et regardèrent le couple se lever et ils entendirent la mère qui disait : "Nous manquons à tous nos devoirs."

Un camion arriva très tôt le jour où ils devaient transporter les meubles de la mère — des lits, des tables, des chaises, des bureaux, un poêle, un vieux Frigidaire, des fauteuils, un divan — à la maison près du lac.

La mère emballa la porcelaine, les pots et l'argenterie que sa mère lui avait donnés quand elle avait dispersé ses affaires, dans des caisses en carton, et des couvertures, des serviettes, des draps dans d'autres caisses, et des vêtements dans d'autres caisses encore. Elle dit que Daniel et Julien devaient l'aider. Le père ne faisait rien. Sur la table de la cuisine, attendant d'être emballés, il y avait des rouleaux de papier toilette, des briques de savon, un seau, encore des assiettes et des pots, des piles de draps pliés, de taies d'oreillers, de serviettes. Daniel les rangeait dans une boîte posée par terre. Il se releva et se sentit légèrement étourdi. Il regarda les objets sur la table. Une sensation étrange l'envahit, la sensation de ne pas savoir où il se trouvait ; il aurait pu venir d'un monde différent dans une maison inconnue comme ce jour au parc où il était venu de son monde dans la maison inconnue de Betsy Williams, pour la visiter. Il regarda sa mère, une femme debout de l'autre côté de la table, vérifiant la liste de ce dont ils auraient besoin à la campagne.

Il pensa qu'elle ne s'était jamais rendu compte que ce qu'elle considérait comme essentiel, ne leur était essentiel qu'à cause de leurs habitudes. Elle aurait cru impossible que d'autres cultures puissent ne pas utiliser de savon ou de papier toilette, sans parler de fourchettes et de couteaux.

Et il se demanda s'il pouvait s'en passer, et il se dit : les couteaux, les fourchettes, les couvertures, les matelas, les poêles et les Frigidaires, tout ce qu'ils considéraient comme allant de soi, tout ce qui constituait les éléments de leur culture devaient — il pensa : une langue peut-être la langue natale d'une personne et pourtant, dans la conscience de cette personne, rester une langue inconnue — il pensa : devaient être aussi inconnus que des bassinoires en cuivre, des pots ronds et noirs, des seaux en bois et des rouets.

Edmond, qui était sorti, revint avec une statue peinte de Notre Dame de Lourdes. Sa robe, comme poussée par une rafale de vent en plis et en volutes, était blanche, son manteau blanc bordé d'or, elle portait une ceinture bleue autour de la taille et sur chaque pied une rose dorée ; sur un bras, elle avait un long rosaire aux grosses perles blanches. Il annonça qu'il l'avait "achetée pour la maison".

La mère, Edmond et les garçons chargèrent les coffres et les sièges arrière de la Dodge et de la voiture d'Edmond. Le père devait conduire la Dodge mais quand tout fut chargé, il dit qu'il devait aller aux toilettes parce qu'il avait pris un laxatif. Les autres attendirent dans la cuisine sombre et étouffante. On avait fermé toutes les fenêtres de la maison, tiré les stores ; la maison était refermée sur elle-même. Le père mit très longtemps. Quand il ressortit enfin de la salle de bains, il resta une minute au milieu de la cuisine, comme s'il se demandait s'il allait partir.

Il conduisait lentement. Edmond, bien qu'impatient, le suivit pour sortir de Providence en direction de la campagne. Ils auraient pu être, avec les deux voitures bourrées de tous leurs biens — des couvertures roulées, un entassement de

petites boîtes, d'énormes poêlons, des chaussures, des vêtements attachés en paquets, des oreillers, tout en vrac, entassé
contre les fenêtres et la lunette arrière — des émigrés en route
pour un autre pays.

Les déménageurs avaient déchargé le mobilier sur la
pelouse herbue et non taillée, sous les bouleaux, devant la
maison. Les miroirs des coiffeuses reflétaient les arbres, le ciel
bleu.

Le père avait les clefs et il ouvrit la grande porte d'entrée.
Edmond, avec la statue sous le bras, dit au moment où le père
s'apprêtait à entrer : "Non, attends," et quand le père se
retourna, Edmond montra la statue et dit : "Elle va entrer la
première." Le père le laissa passer, et laissa aussi passer les
autres.

Daniel et Julien grimpèrent avec précaution sur les planches pourrissantes et branlantes du pont effondré pour aller dans l'île. Exposés depuis plusieurs jours au soleil — un soleil qui pesait sur leur dos, leur nuque et leurs épaules avec la force d'une sorte de gravité étrange et lourde qui rendait tout silencieux et immobile, au point qu'il leur était difficile de bouger — leur corps, revêtus seulement de maillots de bain, avaient une teinte hâlée. Ils restèrent un long moment sur le pont. Leurs ombres étaient projetées à la surface de l'eau brillante et opaque en dessous, et ce n'était que dans leurs ombres qu'ils pouvaient voir des herbes qui bougeaient, un poisson immobile. Ils devaient traverser en équilibre sur une poutre, le seul morceau du pont qui restait de ce côté-là, jusqu'à la berge de l'île. Une fois à terre, leurs pieds s'enfonçaient dans un mélange chaud de boue et de feuilles et dans un amas spongieux de racines ; les trous se remplissaient d'eau où crevaient des bulles et d'où s'échappait un gaz nauséabond. Ils s'écartaient des buissons d'airelles.

Ils exploraient ensemble, deux paires d'yeux complémentaires, Daniel, le plus grand, voyait tout ce qui l'entourait — comme le tapis de petites plantes vert sombre à leurs pieds — ainsi que de grandes taches, Julien, le plus petit, fixait les détails, et étudiait, avec une telle précision que sa concentration excluait tout enthousiasme ou toute émotion, une touffe de feuilles vertes raides et brillantes et de baies rouges, qu'il avait arrachée à leur pieds. Julien mit une baie sur le bout de sa langue. Daniel se contentait de l'observer. Julien la coupa en deux avec ses incisives, la mâcha, le visage impassible, même quand il dit: "Ça a le goût de la menthe." Daniel mâcha une baie à son tour. Elle avait effectivement le goût de la menthe. Julien mâcha une feuille, Daniel aussi. Il mâcha pendant plusieurs minutes, en réduisant la feuille en une petite boule gluante qui brusquement libéra le goût de la menthe verte. Ils avaient débarqué dans cette île déserte avec une très vague idée des plantes, dont la plupart n'avaient pas de nom pour eux. Ils connaissaient la fougère —une grande fougère délicate poussait près d'un rocher sur la berge et, au-delà, on voyait d'autres fougères qui jaillissaient comme de petites fontaines vertes dans l'obscurité des sous-bois—, ils connaissaient la mousse —une souche pourrie, à moitié dans l'eau, était tapissée de mousses vertes, vert gris, bleu vert; ils connaissaient les champignons— des champignons brun rouge poussaient au pied de la souche —mais ils savaient qu'ils ne pouvaient pas identifier les différentes fougères, les différentes mousses, les différents champignons et, tandis qu'ils gravissaient lentement la colline de l'île en écartant les branches basses et les buissons, ils se rendaient compte qu'ils voyaient beaucoup de plantes pour la première fois. Le regard étendu de Daniel essayait d'inclure tout à la fois, et il voulait courir au sommet de la montée pour tout saisir d'un seul coup : mais Julien s'attardait, et Daniel s'attardait avec lui, tous deux arrachaient des feuilles pour les examiner. Ils donnaient des noms aux plantes et aux buissons avec une autorité absolue: "serpentaire" à un buisson aux longues feuilles étroites, dentelées et tachées de brun qui avait une odeur de musc, "cerises de sorcière" à un haut arbuste avec des grappes de baies noires à grandes queues, "cerisier cire" à un arbre aux feuilles rondes dont les petits fruits verts et grenus ressemblaient au toucher à de la cire, "chou de sconse" à une grosse plante aux grandes feuilles roulées qui, de loin, répan-

166

dait une odeur âcre et piquante. Julien cracha sa feuille mâchée, Daniel en fit autant. Le soleil vertical dardait ses rayons entre les hautes branches emmêlées des chênes, des pins et des érables. Au sol, les endroits ensoleillés étaient chauds et il s'en dégageait une odeur chaude de terre desséchée et de résine : à l'ombre le sol était frais, et l'odeur était celle de l'air pur ou de l'eau.

Ils découvrirent un ancien sentier dans les buissons. Comme des explorateurs qui trouvent le signe d'habitations, ils le suivirent avec l'espoir qu'il les conduirait vers un petit campement inconnu dans les bois. Il traversait un champ de digitales, faisait le tour de pins très hauts et très droits et aboutissait aux ruines d'une cabane — un tas de planches, de tôles rouillées et de bardeaux. De l'herbe et de hautes plantes poussaient autour d'un cercle de cendres et de morceaux de bois calcinés dans lequel on voyait des tessons de bouteilles. Le soleil éclairait la cabane détruite. Il y avait eu de la civilisation sur l'île, mais plus maintenant, et Daniel et Julien piochant avec des bâtons autour des planches, recherchèrent des vestiges de cette civilisation : ils trouvèrent des boîtes de conserve rouillées, une cartouche vide, une vieille paire de ciseaux très rouillés. Ils gardèrent la cartouche et les ciseaux qu'ils glissèrent dans la ceinture de leurs maillots de bain et ils continuèrent leur route.

Quand ils se retournèrent, ils ne virent plus la maison ou le pont entre les arbres, il n'y avait plus que des arbres sous le soleil et en dessous d'eux, de tous les côtés, des étendues d'eau immobile, et ils se demandèrent s'ils étaient allés assez loin.

Julien dit qu'il croyait qu'il allait rentrer. Daniel ne voulait pas continuer sans lui. La longue colline qu'ils avaient gravie, descendait au loin et, au pied, il y avait un massif énorme et dense de ce qu'ils appelaient des cerisiers-cire, en réalité du laurier et il ne semblait pas possible de le traverser. Ils restèrent immobiles. Des bruits montèrent lentement : de faibles bruits d'insectes, le clapotement de l'eau, le cri perçant d'un grillon. Mais à cause des bruits, Daniel prenait conscience d'un silence plus profond. Le silence d'une ou de plusieurs personnes qui restent silencieuses et, brusquement, il sentit qu'ils étaient arrivés à un endroit où, un moment plus tôt, des gens avaient parlé et bougé librement, et, maintenant, avec la présence importune des deux garçons, les gens s'étaient arrêtés et se taisaient, derrière les arbres, dans le bosquet de cerisiers-cire, flottant peut-être juste sous la surface de l'eau, ils observaient Daniel et Julien qui n'osaient pas parler, pas bouger, effrayés tous deux qu'un mot, qu'un geste brusque puissent libérer ces gens de leur immobilité et de leur silence ; alors ils se montreraient, et Daniel ne le voulait pas.

Parfois, il avait imaginé que s'il s'était trouvé dans une cabane, au milieu d'une clairière, dans les bois, avec des colons, tous postés derrière des fenêtres ou des meurtrières avec leur fusil prêt, attendant que les Indiens sortent des bois, il aurait simplement ouvert la porte et se serait avancé en criant: "Je suis des vôtres ! Je suis des vôtres !" Mais quand les Indiens commençaient à sortir, entre les branches épaisses, avec des corps sombres, luisants de graisse, et des visages marqués de noir, et à s'avancer vers lui incapable de parler un seul mot de leur langue, un frisson le parcourait, et il essayait de s'imaginer restant fermement debout, faisant peut-être même un pas vers eux, mais la scène s'obscurcissait.

Maintenant, dans ces bois inconnus, il avait un peu peur. Il chuchota que, très bien, ils allaient rentrer, et Julien dit qu'ils devaient attendre une minute et, après une minute, il ajouta calmement qu'ils devaient s'enfoncer dans l'île.

Le bois de lauriers couvrait l'île de part en part et, à chaque extrémité, des branches mortes emmêlées pendaient dans l'eau. Daniel s'accroupit et vit un enchevêtrement de branches tordues sous les lauriers. Julien s'accroupit aussi et s'avança sous les arbustes, en balançant le derrière, et en s'accrochant aux branches, puis il dit qu'ils pouvaient se glisser à travers. Les branches écorchaient leurs jambes, leurs poitrines et leurs bras nus. Il faisait humide sous les lauriers. Ils trouvèrent un nid de cane avec deux coquilles d'œufs brisées. Là-dessous, ils étaient cachés. Ils restèrent accroupis côte à côte. Des insectes bourdonnaient autour d'eux. Le genou plié de

Daniel, aussi gros et de la même forme qu'un crâne, touchait le genou de Julien. Ils attendaient qu'il se passe quelque chose, qu'apparaisse la troupe de soldats ou la bande d'hommes courageux, il ne savait pas car il était un peu perdu. Daniel remarqua que les muscles des bras et de la poitrine de Julien n'avaient pas la même forme que les siens : il avait un corps lisse, doux et un peu gras, et la peau faisait un bourrelet autour des ciseaux rouillés qu'il avait glissés dans son maillot de bain. Julien leva un bras pour saisir une branche au-dessus de sa tête et il fit voir son aisselle nue. Daniel détestait les poils qu'il avait sous les bras et ceux de son pubis : et un bouton était apparu sur sa poitrine, à côté de la pointe de son sein. Il se dit que, d'une certaine façon, le corps de Julien était pur. Daniel écarta son genou pour ne plus le toucher. Julien ne semblait pas se rendre compte de sa présence : il tira sur la branche pour l'abaisser et cueillir quelques cerises-cire pour les examiner de près.

Ils continuèrent à s'enfoncer dans l'île : la pente descendait de plus en plus et les deux côtés de l'île se rapprochaient, jusqu'à ce que les deux garçons soient obligés de passer au-dessus de l'eau en s'accrochant aux fines branches de pins de Virginie et, finalement, les deux rives se rejoignirent devant un passage étroit, de quelques pas de long, par lequel le grand lac et le petit lac communiquaient, et de petits poissons, des perches bleues allaient et venaient dans le canal. Julien, pensant toujours à l'exploration essaya de déterminer la forme et la taille de l'île : il dessina une carte invisible sur le dos de sa main et, à des endroits invisibles, il indiqua le sentier, le petit champ, les ruines de la cabane, l'arbre creux, et le passage entre les deux lacs. Ils sautèrent facilement par dessus le petit canal et se trouvèrent, techniquement parlant, sur une autre île. Elle montait à pic et était plus étroite mais plus haute que la première et presque dénudée. D'énormes rochers, sur lesquels poussaient des lichens, affleuraient un peu partout et donnaient à l'île l'apparence de n'être qu'un énorme rocher recouvert par endroits d'une mince couche de terre et entouré au bord de l'eau par des pins rabougris et des chênes tordus.

Un vent léger y apportait des odeurs d'eau et, apparemment, de foin.

Sur cette île, ils étaient à découvert de tous les côtés, mais ils se sentaient si isolés que personne, ni les Indiens ni les soldats, ne pourrait jamais les trouver et personne n'était même jamais venu ici. Dans une fissure de rocher, parmi des touffes d'herbe, Julien trouva un autre nid de cane, avec un œuf éclos et un non éclos, et il s'arrêta pour les examiner. Daniel continua à marcher. Il erra au sommet dénudé de l'île, en s'éloignant de plus en plus vers l'extrémité et quand il se retourna il ne vit plus Julien. Au bout, l'île descendait vers un amoncellement de rochers, plus loin, une ligne de rochers serpentait dans l'eau et au-delà le petit et le grands lacs se rejoignaient en une seule masse d'eau avec des vagues et un courant rapide. Daniel se mit debout au sommet de l'amoncellement de rochers à la pointe de l'île.

Ils rentrèrent à la maison où ils trouvèrent Edmond qui les attendait pour leur dire au revoir. Il n'aurait pas pu partir sans qu'ils soient derrière la voiture en lui faisant des signes. La mère se tenait entre les deux garçons, sous un pin. Tous trois regardèrent Edmond jeter sa valise sur le siège arrière et s'installer au volant pour entamer le long voyage pour lequel il avait retiré tout son argent de son livret de caisse d'épargne et quitté son travail. La mère et les garçons agitèrent le bras en silence tandis qu'Edmond descendait la colline, en route pour le Kentucky dans sa voiture vert métallisé. Entre les pins, ils virent sa voiture s'arrêter sur la route, avant une courbe. La mère dit: "Il revient." La voiture recula entre les pins. La Dodge grise du père apparut dans la courbe. Elle passa devant la voiture d'Edmond et Edmond repartit tandis que la Dodge montait vers la maison. La mère et les garçons s'avancèrent à la rencontre de la voiture. Le père sortit et son ombre s'allongea au loin devant lui dans la lumière de fin d'après-midi. Ils observaient son visage pour y découvrir avant qu'il ne parle une expression qui indiquerait qu'il avait trouvé du travail. Il loucha en se tournant pour regarder dans le soleil et il louchait encore quand ses yeux revinrent vers sa femme. Elle sut, avant qu'il ne l'embrasse et qu'il parle, qu'il n'avait pas trouvé de travail, et pourtant elle lui demanda, de façon rapide pour rendre sa question fortuite, "Tu n'as rien pu trouver?" et il répondit sèchement, "Non."

Ce "Non", aussi fermé que son visage, créa chez Daniel, comme tous les autres jours, un léger choc comme s'il s'était souvenu de quelque chose qu'il avait consciemment oublié. Il imagina avec une soudaine impatience que son père n'avait pas trouvé de travail, non pas parce qu'il n'y en avait pas pour lui, mais parce qu'il refusait d'en trouver un.

La mère dit: "Peut-être demain", puis elle le prit par le bras et elle l'entraîna vers la maison.

Pour la mère, cela ne sembla faire aucune différence quand, au bout de quinze jours, le père répondit, "oui" aussi peu expressif qu'il avait été pour dire "non", car elle le prit par le bras comme d'habitude et, avec la même légèreté, demanda: "Quand est-ce que tu commences?"

Pour Daniel, c'était le soulagement qu'il attendait. Peu lui importait le travail de son père, la seule chose qui comptait c'était qu'il en eût un. Ce soir-là, ils soupèrent comme les autres soirs, en silence, mais pour Daniel c'était un profond silence de la campagne. A la fin du repas, le père dit qu'il avait trouvé un travail semblable à celui qu'il avait exercé pendant la crise: remplacer les planches qui recouvrent les murs des maisons, les gouttières, les repeindre et les réparer intérieurement et extérieurement.

Il commença le lendemain et quand il revint le soir, sa salopette, le dos de ses mains, son visage et ses cheveux étaient recouverts de minuscules taches de peinture jaune et de vernis incolore. Sur une manche de chemise, il avait une traînée de vernis séché sur laquelle de la sciure s'était collée. Le père ne parlait pas de son travail et ne se plaindrait certainement pas. Il ne se plaignit pas non plus d'autres choses — par exemple, que Reena avait à nouveau préparé des sandwiches pour le dîner, ou que Daniel et Julien n'avaient pas coupé l'herbe comme il le leur avait demandé. Reena lui dit qu'il devrait aller prendre un bain dans le lac. Il plissa le nez. Elle dit que les garçons et elle avaient attendu qu'il revienne pour retourner se baigner avec lui. Il dit "D'accord". En maillots de bain, une serviette sous le bras, ils descendirent l'allée de gravier qui menait au bord du lac. Le ventre de Reena gonflait le devant de son vieux maillot de bain, un bourrelet de graisse passait au-dessus de la bretelle de son soutien-gorge et ses jambes blanches étaient striées de varices. Le cou et les bras du père étaient bronzés, ses épaules et sa poitrine sans poils entièrement blanches, et ses jambes, qui semblaient anormalement fines pour son corps, plus blanches encore ; ses pieds étroits étaient dans des pantoufles. Daniel et Julien cueillaient des feuilles tout en marchant. Des marches de pierre inégales conduisaient à une petite plage du grand lac. A cette heure, il semblait rempli de la lumière qu'il avait emmagasinée pendant le jour, une lumière lourde et débordante. Daniel et Julien s'avancèrent dans l'eau, jusqu'aux genoux, puis jusqu'aux cuisses, en troublant à peine la surface. Ils se retournèrent vers leurs parents qui restaient sans bouger, avec l'eau verte et lourde qui ne leur arrivait qu'aux chevilles, légèrement écartés l'un de l'autre. La mère, les genoux serrés, se pencha pour prendre de l'eau dans ses mains et s'en mouiller les bras et les épaules. Tandis que le père, comme sous l'effet d'un brusque mouvement d'impatience, s'avançait dans l'eau, se retournait vivement et s'enfonçait jusqu'au cou, la mère glissa calmement dans une autre direction, sans rider la surface, en divisant l'eau devant elle avec les mains en nageant ; tous deux gardaient la tête hors de l'eau. Daniel et Julien plongèrent sous l'eau. Daniel avait des gestes lents et quand il ressortit dans l'air vert, ses gestes restèrent lents. La tête de son père, de sa mère et de Julien étaient à trois endroits, de chaque côté et droit devant lui. Il pensa qu'ils étaient ensemble et pourtant séparés. La lumière du soleil au-dessus de l'eau commença à s'assombrir pour devenir une brume rouge, et elle s'assombrit encore tandis qu'ils se séchaient en silence. Ils marchèrent dans l'air comme s'ils avaient marché dans l'eau, pour rentrer à la maison, baignée dans un air vert et rouge. Le père mit une chemise propre, ample et blanche qu'il ne boutonna pas et qu'il garda par dessus son pantalon brun clair. Ils s'assirent autour de la grande table de pique-nique sous le chêne de la pelouse, pour manger les sandwiches.

Le père dit que le lendemain soir, il rentrerait plus tard parce qu'il avait une réunion politique en ville.

En l'abscence du père, la mère garda les garçons avec elle. Ils jouèrent aux cartes dans un coin de la grande salle de séjour, loin des immenses fenêtres obscures, toutes les portes fermées à clef. C'était comme s'ils n'avaient pas eu de père.

A l'heure où la mère pensait qu'il allait revenir, ils allèrent sur le balcon qui dominait la route et attendirent, en chassant les moustiques, jusqu'à ce qu'ils voient les phares jaunes de la voiture divisés en milliers de rayons par les branches et les buissons et ils se précipitèrent sur le chemin à sa rencontre.

Pendant les longues journées de semaine, alors qu'il était au travail, la mère s'asseyait dans la balancelle, elle montait et descendait le chemin ou elle s'allongeait au soleil quand il n'était pas trop chaud, et Daniel percevait en elle cette étrange tristesse qu'il y décelait presque toujours quand Julien et lui s'asseyaient près d'elle ou se promenaient avec elle ou s'allongeaient à côté d'elle sur la couverture. De temps en temps, assis, en train de se promener ou allongé sur une grande couverture militaire froissée, étalée sur la pelouse, Daniel l'observait : elle cessait de se balancer, ou elle s'arrêtait sur le chemin, ou restait allongée le regard fixe et brusquement des larmes lui emplissaient les yeux. Il ne savait pas d'où venaient ces larmes ; s'il lui avait demandé si elle était triste, il était sûr qu'elle lui aurait répondu non. Dans la maison et ses environs elle ne semblait pas avoir besoin de son mari et, le soir, dans la même pièce que lui, elle s'asseyait en lui tournant le dos, devant une fenêtre et contemplait la lumière sur le lac.

Un vendredi soir, il dit : "J'ai rencontré Georgie Girard dans la rue, aujourd'hui.

— Est-ce que tu lui as parlé ?

— Oui, dit-il, je l'ai invité avec Pauline, dimanche après-midi.

— Tu les as invités ? demanda-t-elle comme si elle n'avait pas voulu que quelqu'un vienne ici.

— Oui. J'ai pensé qu'ils avaient peut-être envie de voir la maison."

Et le dimanche, en fin d'après-midi, Georgie et Pauline, à qui Jim avait donné des explications très compliquées, descendirent de voiture stupéfaits d'être arrivés ; comme ils s'étaient perdus dans un labyrinthe de petites routes de campagne défoncées et envahies par la végétation, trouver, comme par hasard, la maison, ou n'importe quelle maison, était comme de découvrir soudain un bois dans l'enchevêtrement des rues d'une ville. Georgie Girard portait un costume et une cravate et Pauline une robe de taffetas sombre. Jim et Reena s'avancèrent pour les accueillir, Jim avec sa chemise déboutonnée et un pantalon de sport, Reena avec une robe d'été claire. Les hommes se serrèrent la main, les femmes s'embrassèrent. Ils restèrent sans bouger.

Jim dit : "Vous voulez voir la maison ?"

Ils leur montrèrent d'abord le terrain, le petit appontement, les arbres, la montée en courbe, la pelouse, les bois de pins derrière la maison, et ils leur indiquèrent de loin l'île, puis ils les conduisirent dans la maison en passant par le garage et la chaufferie, ils montèrent et descendirent des escaliers vers des pièces pauvrement meublées, certaines complètement vides et dans les parquets brillants se reflétaient les fenêtres et les arbres dans les fenêtres. Tandis que Reena et les garçons attendaient à l'extérieur où de temps en temps, ils pouvaient entendre sa voix par les fenêtres ouvertes, Jim guidait Georgie et Pauline comme dans une maison consacrée par un grand événement historique, en disant à chaque fois qu'il ouvrait une porte : "Et dans cette pièce, nous avons..."

Finalement, Reena entra dans la maison et cria : "J'ai préparé de la citronnade et la glace fond dans les verres."

"Oui, oui," répondit Jim d'en haut.

Elle sut qu'ils ne descendraient pas. Il leur montrerait le grenier et leur ferait une conférence à propos du toit. Elle allait l'agacer en montant, mais elle monta quand même, prit

Pauline par la main et la fit redescendre sur la pelouse. Des meubles de jardin en bois étaient disposés comme dans une salle de séjour. Le canapé était sous un chêne, et, en face, deux fauteuils étaient devant une cépée de bouleaux ; entre les deux fauteuils, il y avait un petit tonneau de bois, peint en rouge et dessus un plateau avec des verres remplis de glace et une carafe de citronnade couverte de buée. Reena entraîna Pauline auprès d'elle sur le canapé. Les deux hommes sortirent et s'assirent dans les fauteuils. La mère demanda à Daniel de faire passer les verres de citronnade. Ils parlaient à voix basse, le soleil descendait.

Pauline demanda, de loin, (en fait, c'était la plus vieille amie de Reena ; elles avaient été amies quand, ainsi que Reena le lui disait parfois, elles étaient seules et elles l'étaient restées alors que toutes deux étaient mariées) "Vous vous plaisez, ici ?

— Oh, je..." commença Reena, puis elle hésita et toucha le bras de Pauline pour se rapprocher d'elle d'une certaine façon.

"Et Jim ?

— Il ne dit rien."

Pauline renifla.

"Il avait envie de la maison, bien sûr, dit Reena. C'était son idée, bien avant que les garçons se mettent ensemble pour la lui acheter...

— Ce sont les garçons qui l'ont achetée ? demanda Pauline.

— On ne vous l'avait pas dit ?"

Pauline renifla à nouveau. "Quand Jim nous a fait visiter, il en parlait comme s'il l'avait achetée lui-même.

— Il n'a pas parlé des garçons ?

— Non.

— Ah," dit Reena. Elle tourna les yeux vers son mari. Il avait la jambe droite croisée sur la jambe gauche, il tenait une cigarette de la main gauche, sa main droite était posée à plat sur sa poitrine nue, à la place du cœur, et il parlait, parlait. Georgie, un cigare planté dans sa bouche plissée, se contentait d'écouter. De la tristesse et de la pitié pour son mari se répandirent en elle, comme derrière ses yeux, et tandis qu'elle le regardait son image se brouilla. Elle dit à Pauline : "Evidemment, on a dû hypothéquer la maison pour trouver l'argent et comme c'est sa maison, en fait il a bien acheté celle-ci..."

Au moment où Georgie et Pauline, s'apprêtaient à monter en voiture pour partir, Jim demanda tout à coup : "Comment ça va à l'usine de limes ?

— Très bien," répondit Georgie.

Puis Jim dit, en faisant un clin d'œil à Reena : "Je crois qu'aucun de ceux qui y travaillent peut espérer avoir une maison comme ça.

— Non, non", dit Georgie.

Jim et Reena remontèrent le chemin dans l'obscurité chaude, les garçons sur leurs talons et Reena dit : "Tu n'aurais pas dû dire ça."

Jim fronça les sourcils : "Dire quoi ?

— Avoir une maison comme ça.

— Qu'est-ce que j'ai dit ?

— C'était une vantardise et un mensonge, parce que toi non plus tu n'aurais pas eu les moyens avec ta paie.

— Elle est à mon nom.

— Oui.

— Et pourquoi est-ce que je n'aurais pas le droit de la montrer ? Je ne comprends pas, petite."

Elle ne dit rien de plus. Daniel pensa, et en même temps cette pensée soudain le surprit, que son père ne savait pas à quel point il était grossier, ou à quel point sa femme et ses fils le voyaient ainsi, on aurait dit qu'il considérait comme allant de soi, comme un tout solide et résistant, sa façon de se comporter, qu'eux, sa femme et ses fils, qu'elle gênait, auraient remise en cause en essayant de s'en débarrasser s'ils l'avaient découverte en eux. Le père aurait peut-être trouvé étrange de leur part de ne pas faire étalage de ce qu'ils possédaient, de ne pas faire savoir à tout le monde ce qu'ils avaient réussi, de ne pas se vanter, si c'était ainsi que s'appelait montrer ce qu'on possédait et parler de ce qu'on avait réussi. Le père parlait, parlait de lui quand il était avec quelqu'un, comme s'il ne lui était jamais venu à l'idée que lui, qui parlait de lui-même comme d'une autre personne, pouvait avoir un autre sujet de conversation et, le front ridé, les yeux grands ouverts, il était toujours stupéfait et un peu ennuyé quand, par la suite, sa femme le réprimandait. Quand ils atteignirent le haut de la pente, la mère s'arrêta pour contempler le lac obscur ; les garçons restèrent avec elle tandis que le père continuait et, dans la nuit, la porte claqua. Le père aurait pu se vanter auprès de sa mère si elle avait toujours été en vie, et elle n'aurait pas seulement accepté la vantardise de son fils, mais en plus elle l'aurait considérée comme naturelle. Dans un certain monde, le monde auquel appartenait son père, faire étalage de sa maison était ce qu'aurait fait quiconque aurait eu une grande maison imposante ; dans le monde de la mère de Daniel, avoir une grande maison imposante était une façon de se vanter et, honteux, on ne disait jamais qu'elle était belle, on disait qu'il fallait reprendre la toiture et repeindre les murs extérieurs.

Une lumière apparut dans la maison et s'avança jusqu'à l'endroit où ils se tenaient ; Daniel se retourna et vit son père qui s'asseyait sous une lampe, ne regardant pas vers la grande fenêtre de la salle de séjour, et les mains sur les hanches.

Quand Julien et ses parents furent couchés, Daniel se rendit sur l'île dans le clair de lune. Dans la nuit lumineuse, vibrante de grillons et de grenouilles, il savait qu'il était observé du fond de chaque ombre. Il courut jusqu'au pont. La lumière de la lune projetait l'ombre du pont sur l'eau. Il pensa qu'il pouvait glisser et tomber à l'eau, mais quand il fut dans l'île, en écartant les buissons d'airelles, il se sentit momentanément à l'abri. Il leva les yeux vers le sommet de l'île qui se dressait dans l'obscurité, à travers les arbres, et il eut peur à nouveau. Il continua.

Il s'arrêta sur un endroit plat, entouré de buissons. Il inspira profondément puis expira. Il se frotta les bras et la poitrine avec les mains. Une voix inquiète de la ville, une mémoire qui parlait et qui essayait de l'entraîner ailleurs, vers sa petite chambre en ville, ne cessait de répéter : N'y va pas, n'y vas pas. Ah, non, ah, non, pensa-t-il. Son corps était chaud mais il frissonnait.

Il se dit : il faut que je fasse pipi. Puis il se dit : Non, il ne faut pas. Il ressentait une vague tension dans le bas ventre. Il savait que penser qu'il devait faire pipi n'était qu'une excuse pour baisser la fermeture éclair de sa braguette, mais il accepta l'excuse et baissa sa fermeture éclair. Son pénis dénudé entra en contact avec l'extérieur de façon effrayante. Il prit le bout entre deux doigts en serrant un peu le prépuce. Il demeura ainsi pendant longtemps, son esprit faisant pression sur son corps pour l'obliger à faire pipi. Le soulagement vint avec une sensation soudaine d'abandon physique, comme s'il s'était jeté du haut d'une falaise. Il entendit le jet d'urine tomber sur les feuilles. Il resta sans bouger alors que le jet était réduit à quelques gouttes, son pénis en contact avec l'île nocturne. Il le rentra dans son pantalon et remonta à moitié sa braguette.

Il fallait qu'il se lave les mains. Il alla jusqu'à la rive où un arbre se penchait au-dessus du lac et s'agenouilla ; il plongea les mains dans l'eau qu'il agita bruyamment.

Il se recula parmi les buissons de l'île et fit courir ses doigts humides sur chacun de ses bras. Il toucha sa poitrine à travers le tissu fin de son T-shirt blanc. Il se dit : non, non.

Mais il enleva rapidement ses vêtements et les jeta loin de lui comme s'il n'avait pas l'intention de les retrouver. Immédiatement, son corps sembla se dilater dans l'air. Il marcha entre les buissons et ils se frottèrent contre lui, contre son ventre, ses cuisses, son pénis, ses jambes, ses fesses ; il marcha parmi eux pour qu'ils se frottent contre lui, pour qu'ils le mordent, qu'ils frottent et mordent un corps intérieur, enfermé en lui, afin qu'il sorte parmi les buissons chauds et sombres.

L'île elle-même était un corps. Sous lui, elle était un corps ; la masse des veines racines entrelacées, les os pierres enfoncés dans le sol, l'eau coulant dans son sang. Il sentit ce corps de soulever légèrement. Il se dit : maintenant, retiens ce moment, retiens ce moment, ce moment où pour la première fois je fais l'amour, ce moment où je fais l'amour au monde entier, le corps innocent, oh, mon Dieu, oh, mon Dieu, le corps si innocent du monde.

Matante Oenone vint au lac le jour où toute l'eau du monde semblait bénie par le bon Dieu. Le ciel gris et bas flottait juste au-dessus de la surface du lac gris. Elle enfila un maillot de bain gris tricoté. Ses gros seins aux tétins énormes et les bourrelets de graisse de sa taille gonflaient le tricot. Elle descendit seule au lac. Elle entra dans l'eau jusqu'aux cuisses, elle s'aspergea la figure et la poitrine puis se pinça le nez et s'enfonça sous l'eau où elle resta tandis que les ondes s'élargissaient à la surface calme, enfin elle se redressa, sortit et s'essuya soigneusement non pas en frottant mais en tamponnant sa tête et son corps avec la serviette et en la serrant contre elle. La serviette sur un bras et une chaussure dans chaque main, elle remonta l'allée vers la maison, très lentement et nu-pieds, comme pour un sacrifice ; de temps en temps, quand elle marchait sur un caillou pointu ou sur une pomme de pin, elle grimaçait, sinon elle avait sur le visage l'expression de quelqu'un qui marche sur les eaux.

Le soir, elle et d'autres membres de la famille, s'assirent sur la pelouse, à quelque distance d'un feu. Daniel se tenait un peu en retrait, comme s'ils avaient formé un cercle dans lequel il ne voulait pas entrer ; pourtant, il les écoutait parler dans leur cercle et les observait. Les flammes se reflètaient dans les lunettes d'Oenone, et les flammes de ses lunettes brillaient violemment quand Julien, qui s'occupait seul du feu, jetait dessus une branche de pin. Matante Oenone faisait face aux membres de sa famille — son frère Arsace, sa belle-sœur, son neveu Daniel, ses sœurs Claudine et Juliette (qui, sourde, regardait fixement le feu au loin), son jeune frère Eurybate avec sa grosse femme — et elle leur racontait, comme s'il s'agissait d'une histoire nouvelle, et pourtant ils la connaissaient parfaitement, même si en la réentendant elle pouvait sembler différente, la mort de leur mère, la mort de tout le monde. Elle parlait en français, d'une voix légèrement claquante.

"Je me souviens, quand mon père était en train de mourir, ma mère se tenait à côté du lit, elle ne disait rien, son visage restait le même. Elle se souvenait de la mort de sa mère quand elle n'était qu'une petite fille, et pourtant elle ne disait rien, ne pleurait pas, elle se contentait de regarder."

Daniel demanda : "Comment est-ce que sa mère était morte ?

— D'un cancer. Le cancer lui est sorti sur tout le corps. Elle n'a jamais dit un mot de ses souffrances, elle a gardé le silence et ma mère aussi, et pourtant elle est restée avec elle jusqu'à la fin. Ils étaient forts à l'époque, les gens. La mère de ma mère — non, attendez, son père — je ne m'en souviens plus, je pense que c'était peut-être sa mère — elle a déraciné un énorme pin pour le jeter sur un ours qui venait vers elle, parce qu'elle n'avait rien d'autre sous la main. Quand elle était plus jeune, ma mère avait l'habitude de soulever le radiateur quand quelque chose tombait dessous et qu'elle voulait le reprendre. Elle ne se brûlait pas. Elle avait un secret pour les brûlures. Mais Arsace le connaît mieux que moi..."

Ils savaient tous que la mère avait donné à Arsace une prière pour soigner les brûlures. Une fois, il y avait des années, il avait raconté à la famille qu'il l'avait utilisée et c'était la seule fois qu'il y avait fait référence : "J'étais jeune à l'époque et je passais devant l'atelier d'un maréchal ferrant quand j'ai entendu un cri à l'intérieur, alors, évidemment, comme j'étais curieux, j'ai glissé la tête et j'ai vu un apprenti qui tenait son bras en l'air, il était déjà couvert d'une énorme ampoule et il hurlait. Je suis entré, j'ai pris un vieux chiffon, j'ai attrapé le bras du jeune garçon, je l'ai tiré vers moi, je l'ai enveloppé dans le chiffon et je l'ai plongé dans un baquet d'eau, et tout en faisant ça je récitais la prière que ma mère m'avait prise (il disait toujours "prise" au lieu de "apprise"). J'ai sorti le bras de l'eau," (à ce moment du récit, le bras cessait d'appartenir à un corps à cause de l'influence du français, car il employait souvent l'article défini "le" au lieu d'un adjectif possessif, et ce bras aurait pu être une relique de saint appartenant maintenant à une communauté religieuse dont les membres disaient simplement "le bras" à chaque fois qu'ils en parlaient), j'ai enlevé le chiffon et le bras avait une peau aussi blanche et aussi douce que celle d'un bébé." Quand il avait à nouveau raconté l'histoire, Daniel n'en avait rien pensé de particulier, ce n'était qu'une histoire que son père avait racontée ; mais maintenant, il lui semblait qu'elle avait sa place dans le vaste et étrange ensemble d'années pendant lesquelles il l'avait entendue pour la première fois.

Le père demanda à Oenone : "Est-ce que c'était du côté de notre mère ou du côté de notre père qu'il y avait un oncle ou un grand-oncle capable de labourer un champ sans cheval, rien qu'en poussant la charrue ? Et son chariot n'avait pas de frein si bien qu'à chaque fois qu'il voulait s'arrêter, il se penchait pour attraper les roues avant.

— Je crois que c'était du côté de notre mère," dit Oenone.

Julien jeta une branche dans le feu. Le feu crépita, la flamme monta, des étincelles jaillirent et se perdirent entre les pins obscurs. Le père faisait face au feu ; dans la lumière soudaine, son corps sembla sortir des ténèbres et ses bras et son front brillaient.

Le père dit : "Une fois, ma mère m'a dit qu'au Canada, des années avant qu'elle vienne dans l'état de Rhode Island, un matin très tôt, elle a entendu qu'on grattait à la porte, et au lieu de réveiller mon père, elle est allée regarder à la fenêtre pour voir ce que c'était..."

Reena, un peu à l'écart du cercle, cessa d'entendre. Elle pensa : ils parlent de leur mère, toujours de leur mère, et leur père, dont ils ne parlent pas, ne compte pas. Elle ne se sentait jamais à l'aise avec ses beaux-frères et belles-sœurs ; elle devait toujours faire un effort. Le fait qu'elle n'ait pas avec eux de liens de sang signifiait qu'ils n'étaient apparentés que dans son esprit et le leur et, pour une raison quelconque, les relations entre eux s'achevaient toujours dans le silence. Maintenant, elle se retirait dans le silence, en se disant : eux, son mari et ses frères et sœurs, considéraient que leur mère était le centre de leur famille et, dans sa famille à elle, que c'était le père, aussi simple que ça.

Il dit : "... elle a vu."

La grosse femme d'Eurybate, qui était autant en dehors du cercle de la famille que la femme d'Arsace, dit : "C'était peut-être simplement le laitier."

Eurybate dit : "Il n'y avait pas de laitier à l'époque."

Claudine déclara prudemment : "Je n'en crois pas un mot."

Oenone dit : "Et bien, je peux vous le dire, ma mère voyait des choses que vous ne pouvez pas voir. Elle ne l'a jamais dit, en tout cas à moi, mais c'est vrai. Parfois, quand j'allais dans sa chambre où elle priait, je savais qu'elle voyait."

Elle s'arrêta. Le feu, qui semblait brûler en l'air, flotter dans la nuit chaude et humide, faisait se mouvoir des ombres autour d'eux qui restaient immobiles.

Oenone dit : "Et quand elle...

— Ça suffit, dit Arsace, ça suffit."

Une nuit, réveillé par un rire lointain, Daniel resta allongé, les yeux ouverts. Un léger souffle passait par les moustiquaires des fenêtres qui s'ouvraient sur trois côtés de sa chambre. Maintenant, il dormait dans sa propre chambre, et dans son propre lit. Il se leva, se baissa et s'avança vers la fenêtre, le menton à la hauteur du rebord. Il vit la lumière d'un feu qui tremblait entre les arbres de l'île et, là-bas, quelqu'un se mit à chanter, un chant sourd et plaintif.

Le lendemain matin, avant le petit-déjeuner, il alla dans l'île. Il retrouva les restes d'un feu, et dans les cendres des paquets de cigarettes à demi-consumés, du papier paraffiné froissé, et ce qui ressemblait à deux ballons, blancs, fins et allongés, qu'il prit dans les cendres au bout d'un bâton avant de les laisser retomber. Autour du feu, il y avait des boîtes et des bouteilles de bière vides et des mégots de cigarettes écrasés dans la terre foulée. Il jeta dans les cendres tout ce qui pouvait brûler et mit les bouteilles et les boîtes en tas. Il lui semblait étrange d'imaginer que ces objets, aussi immobiles, aient pu participer à une activité folle et malpropre. Il pensa que si des Indiens avaient campé ici, ils n'auraient pas laissé plus de traces que des fantômes. Il revint à la maison chercher des allumettes et un sac, retourna dans l'île, brûla les papiers et les ballons blancs, en ajoutant des brindilles et en retournant sans cesse le feu jusqu'à ce qu'il soit sûr que tout avait été réduit en cendres. Il pensa qu'il pouvait jeter les bouteilles et les boîtes dans le lac, mais il saurait toujours qu'elles se trouvaient là ; il les mit dans le sac et les rapporta à la maison.

La brume du petit matin flottait au-dessus de la route alors que Jim conduisait lentement dans les ornières sans être capable de les voir, et parfois, la brume se levait et il ne pouvait plus voir les tournants. La vieille Dodge se balançait et dérapait un peu quand les roues avant tombaient dans une ornière et, avec prudence, il tentait d'en sortir. Après un virage, il vit un coupé vert métallisé qui venait aussi lentement que lui dans sa direction. Il disparut dans le brouillard et réapparut. Jim s'arrêta, descendit de voiture et se tint au milieu de la route pour attendre Edmond qui, quand il vit son père, s'arrêta lui aussi, mais au lieu de descendre il baissa la vitre. Tout ce que son père lui dit, ce fut : "Il va falloir que tu recules jusqu'à un endroit dégagé afin que je puisse passer, tsi gars, sinon je vais être en retard au travail." Edmond fit une marche arrière et il vit son père, remonté dans sa voiture, passer près de lui. Edmond reprit la route dans la brume quand il eut disparu.

Sa mère, elle non plus, ne fut pas surprise de le voir. Elle l'embrassa et lui dit qu'il devait être fatigué et avoir faim (il aurait dû s'y attendre ; l'entendre dire ça l'entraîna loin de la maison). Elle lui prépara un petit déjeuner. Il mangea avec les gestes de quelqu'un qui s'endort. Il lui dit qu'il venait directement du Kentucky sans s'arrêter, mais rien d'autre. Dans le fait même qu'il ne dise pas un mot sur ce qui s'était passé au Kentucky, même pas sur le repas de serpent à sonnette, elle comprit à quel point il était découragé, et elle sut que, d'une certaine façon, elle devait entourer sa déception profonde et silencieuse par un accueil familial bruyant et joyeux. Elle savait qu'elle devait le faire pour lui, mais elle sentit que c'était au-dessus de ses forces ; elle fut seulement capable de dire, comme en passant : "Les garçons vont être tout excités de voir que tu es rentré, quand ils se réveilleront, ils vont vouloir que tu leur racontes tout." Ce n'était pas assez pour Edmond ;

avec la brutalité de son père, mais une brutalité inversée, une immense humilité au lieu d'un immense orgueil, il leva les yeux de ses œufs brouillés et demanda : "Est-ce que je vous ai manqué ?" La question la bouleversa. Elle s'efforça d'avoir une voix ferme. "Quel genre de parents crois-tu avoir ? Tu nous as beaucoup manqué. Nous n'avons pas pu t'empêcher de partir, nous n'avons jamais voulu empêcher aucun de nos fils de faire ce qui lui plaisait, mais nous étions tristes quand tu es parti et nous sommes heureux que tu sois revenu. Tu es ici chez toi, tant que tu voudras y rester." Elle vit que la peau du visage d'Edmond se tendait. "Sois-en toujours persuadé," dit-elle fermement, et elle essaya que sa voix soit encore plus ferme pour ajouter : "Tu peux me croire." Edmond eut l'air de se réveiller, et il demanda s'il pouvait avoir encore des œufs brouillés.

Avant de monter — les vagues de brume tournaient devant les fenêtres — il dit : "J'ai rencontré papa sur la route.

— Est-ce que tu lui as dit quelque chose ?

— Non. Il m'a dit d'enlever ma voiture pour pouvoir passer."

Elle eut un petit sourire. "Il avait peur d'être en retard à son travail. Tu peux en être sûr, Edmond, il a été aussi heureux que moi de te voir."

Edmond dit : *"Ma mère et mon père.*

— *Vas-y, vas-y."* Elle était toujours un peu impatiente avec Edmond et, maintenant, elle était aussi un peu triste. *"Vas-y",* répéta-t-elle.

En début d'après-midi, Edmond vint rejoindre Daniel et Julien qui pêchaient au bout de l'appontement avec des cannes qu'Albert leur avait offertes. Il faisait gris et un léger brouillard s'étalait à la surface des eaux calmes du lac. Daniel dit : "On a reçu ta carte postale avec la photo de la cabane en bois d'Abraham Lincoln.

— Ouais, dit Edmond, les yeux fixés sur l'eau.

— Est-ce que tu as vraiment mangé du serpent à sonnette ?"

Edmond dit, comme si rien de tout cela — le serpent à

184

sonnette, la cabane d'Abraham Lincoln, le Kentucky — n'avait plus d'importance. "Vous avez pris quelque chose ?

— Des perches bleues qu'on a rejetées, répondit Julien.

— Je peux essayer ?"

Julien lui tendit sa canne à pêche.

Daniel demanda : "Est-ce que tu as vu Bobby Lee ?

— Ouais," dit Edmond et il remonta sa ligne sur le moulinet pour regarder le ver fixé à l'hameçon.

Daniel dit à Julien : "Tiens, prends ma canne.

— Non, répondit Julien.

— Je ne veux plus pêcher.

— Non, je n'en veux pas."

Daniel posa la canne sur le quai sans remonter la ligne qui resta à pendre dans l'eau, et il s'éloigna. Son corps lui semblait sans cohérence, et il ne savait pas où il voulait aller.

Le lendemain matin — clair et lumineux —, au petit déjeuner, Julien dit qu'il allait ressortir le bateau à moitié coulé à côté de l'appontement pour le réparer. En réalité, Edmond et Daniel le sortirent tandis que Julien restait sur la berge en leur disant ce qu'il fallait faire. Ils réussirent à le retourner ; des herbes, comme des cheveux fins et verts, avaient poussé sur le fond boueux. Julien demanda à Edmond : "Tu crois que tu pourras trouver des racloirs à la cave ?" Et Edmond partit. Tous, en costume de bain, ils grattèrent la boue du fond du bateau. Daniel remarqua que les pointes des seins d'Edmond étaient larges contrairement à ceux des autres membres de la famille et il avait des seins un peu ronds, sans poils et doux, qui tremblaient quand il travaillait, et tous les autres frères ainsi que le père avaient des poitrines plates et dures. Il sentait fort et Daniel se demanda s'il avait pris un bain pendant les dix jours où il était allé au Kentucky. Il grattait très bien, et ce qu'il pensait avoir fini, comme par hasard, Julien le terminait, en grattant autant les planches imbibées que l'herbe et la peinture.

La mère descendit jusqu'à l'endroit où ils travaillaient au bord du lac. Elle les contempla un moment ; puis elle dit à Edmond, comme s'il s'agissait d'un à-côté calculé : "Maintenant que tu es rentré, est-ce que tu as pensé à reprendre ton travail ?"

Edmond s'arrêta de gratter. Il ne répondit pas.

"Ton père et moi, nous savons que tu as promis de contribuer chaque mois au remboursement de l'hypothèque, mais nous n'y comptons pas. Nous pensons pourtant que tu devrais participer aux dépenses quotidiennes de la maison et, pour ça, il faut que tu retrouves un travail."

Daniel était aussi attentif qu'Edmond. Il n'avait jamais entendu sa mère parler ainsi, il ne l'avait jamais entendue énoncer aussi calmement ce qui ressemblait à la loi, et il regardait Edmond, dont les épaules s'affaissèrent brusquement, comme s'il s'était trouvé à la place de son frère. La mère avait énoncé la loi comme Albert avait énoncé la loi qui disait que lui, Daniel, devrait aller à l'armée et, ce qui semblait inévitable à Daniel, faire la guerre.

Edmond dit : "J'irai en ville demain, avec papa, pour voir si je peux reprendre mon travail à l'imprimerie.

— Même si l'on était riches, dit la mère, j'insisterais pour que tous mes fils travaillent. Ils doivent suivre les règles de la maison.

— Oui," répéta Edmond.

Daniel se dit : ce n'était pas seulement qu'il n'avait jamais entendu sa mère dire ce qu'elle disait, il ne s'était jamais rendu compte qu'il y avait une sorte d'intelligence rigoureuse en elle ; Daniel comprit qu'il aurait été incapable d'aller dire à sa mère, je ne veux pas travailler, je ne veux pas aller à l'armée, en s'attendant à une réponse tendre.

Edmond posa le racloir sur le bateau et s'en alla. La mère resta avec les garçons et dit : "Je ne veux pas jouer au patron mais, je ne sais pas, il faut bien que quelqu'un le fasse." Elle posa la main sur la nuque brune et douce de Julien et il releva la tête.

Daniel et sa mère descendaient le chemin. Elle dit : "J'aurais aimé pouvoir vous garder tous, mes enfants, vous garder à la maison, mais ce n'était pas possible. Garder n'importe lequel d'entre vous serait tout aussi impossible." Elle cueillit un bleuet et le regarda dans le creux de sa main. "Tu partiras, toi aussi, dit-elle, et je ne serai pas capable de te garder.

— Non.

— Tu iras au lycée et tout de suite après à l'université. Est-ce que tu y penses ?

— Je crois."

Ils retournèrent dans la courbe du chemin pour revenir vers la maison.

"Est-ce que papa pense qu'on ne devrait pas partir ? demanda-t-il.

— Je ne sais pas ce qu'il pense à votre sujet," dit-elle.

Daniel était assis sous un chêne à un bout du long banc vert, et lisait, sa mère et sa belle-sœur Chuckie étaient assises à l'autre bout et parlaient. Il entendait leurs voix comme des voix qui se superposaient au dialogue qu'il entendait dans son livre, et, devant lui, quand il levait les yeux, mêlée aux scènes qu'il voyait dans son livre, il y avait la scène de ses neveux et de ses nièces qui s'éclaboussaient dans l'eau. Parfois, de l'eau tombait sur sa page ouverte. Ce qu'il voyait et entendait dans son livre et ce qu'il voyait et entendait autour de lui, se mêlaient ; son livre se dressa devant lui, et dans une pièce très grande et haute de plafond avec de grandes fenêtres étroites et pointues, si loin du plancher de chêne noir qu'elles étaient inaccessibles de l'intérieur, de faibles rayons d'une lumière pourprée passaient par les vitres des fenêtres garnies de treillages et éclairaient des tentures sombres, des meubles nombreux, inconfortables, anciens et en mauvais état, beaucoup de livres et des instruments de musique dispersés un peu partout, et brusquement il découvrit là, faisant irruption sur une vague, trois enfants qui criaient en se poursuivant en grands cercles et en se bousculant, tandis qu'un quatrième enfant, tout juste capable de marcher, pleurait parce que les autres l'éclaboussaient ; ou, interrompant un long poème accompagné à la guitare ("et brillante de perles et de rubis/ Etait la belle porte d'un palais/ Par laquelle passait, passait, passait/ Encore plus étincelante/ Une troupe d'Echos dont le doux devoir/ N'était que de chanter..."), il entendait une voix qui criait, "Vous êtes allés trop loin, je vous ai dit pas au-dessus de la taille", ou "Faites attention au bébé !" Puis, abaissant son livre, il vit fugitivement, entre les chênes dont les branches se croisaient comme une voûte, un cercueil noir posé sur des tréteaux et il entendit le bruit sonore d'un outil de fer frappant sur une pierre.

Reena chercha son mari des yeux. Par la porte mousti-quaire, elle l'entendit qui parlait avec Richard dans l'obscurité. Elle resta à l'intérieur, juste à côté de la porte, et écouta. Richard parlait de son travail à son père et, Reena en était sûre, Jim l'écoutait attentivement. Elle se rendit compte que les seules fois où il écoutait vraiment ses fils avec attention c'était quand ils lui parlaient de leur travail et de l'argent qu'ils gagnaient. La seule chose qui comptait pour lui, c'était que leur travail marche bien et qu'ils gagnent beaucoup d'argent ; rien d'autre n'avait d'importance à ses yeux — le ménage de Richard, ses enfants, sa maison — aussi, quand elle ouvrit la moustiquaire en s'éclaircissant la gorge, qu'elle sortit en leur disant : "Je viens d'aider Chuckie à mettre les enfants au lit, mais ils n'arrêtaient de donner des coups de pied dans les couvertures," Jim dit qu'il devait rentrer pour lire son journal.

Richard dit "J'espérais que Chuckie pourrait se repo-ser ici.

— Ici ou chez elle, elle a toujours les enfants."

Richard se tut un instant. "J'ai peur de ne pas être un père très responsable.

— Tu travailles beaucoup.

— Oui, mais tu sais, je n'ai pas l'énergie de les faire obéir. Et quand elle me demande de leur donner des coups de cein-ture, je ne peux pas, je ne peux vraiment pas."

Elle répéta : "Tu travailles beaucoup.

— J'essaie.

— Oh, je le sais, jusqu'à deux ou trois heures du matin sur ta planche à dessin et..."

Chuckie sortit et Richard lui demanda : "Est-ce qu'ils dorment enfin ?

— Oui, enfin."

Le bruit des grillons et des grenouilles s'enfla ; c'était comme si leurs stridulations et leurs coassements avaient duré toute la journée dans la chaleur écrasante mais qu'on ne les avait pas entendus à cause des cris suraigus et des hurlements des enfants, et qu'ils n'étaient audibles que maintenant. Après quelques instants, Richard se leva et quitta les deux femmes qui restèrent silencieuses jusqu'à ce que Reena, sans savoir pourquoi, dise :

"Tu sais, si toi et Richard vous avez des problèmes entre vous, je ne veux pas les connaître."

Chuckie ne dit rien.

"Parce que je ne peux pas choisir, ni toi ni lui.

— Non" dit Chuckie.

Parfois, Daniel trouvait sa mère qui errait d'une pièce à l'autre, les meubles tournés dans des directions bizarres, des vêtements en tas par terre, des cartons pleins de chaussures et de chaussettes sur le plancher, apparemment à la recherche de quelque chose. Parfois, il la trouvait allant et venant sur la route. Il imaginait une tache noire et ronde qui passait dans la famille, d'un front à un autre, car tant qu'elle regardait un membre de la famille — Edmond, Julien, son mari, Chuckie, Richard, un des enfants — la tache ronde et noire le fixait momentanément comme le centre de son attention distraite. Daniel voyait la distraction dans son regard fixe. A un moment, elle pouvait prendre le bébé d'un an sur le plancher pour le serrer contre elle, l'embrasser sur le front, sur les joues, dans le cou, puis, l'instant suivant, elle pouvait le reposer brusquement par terre où il se mettait à hurler. A n'importe quel moment, elle pouvait dire à son mari : "Tu ne prends jamais mon parti, " puis elle se détournait avant de revenir vers lui pour lui dire, d'une voix de gorge : "Oh, où serais-je sans toi ?" L'après-midi, elle montait dans sa chambre pour essayer de faire la sieste, mais on entendait des cris partout, comme la grande chaleur rendue audible. Elle dit à Daniel : "Je n'ai plus l'habitude d'avoir une famille. " Elle posa la main sur son front.

Richard et sa famille s'en allèrent, mais la tache noire

demeura, dans le silence figé et l'immensité de la maison. Pendant des jours, elle suivit la tache et erra dans la maison comme quand Richard et sa famille étaient là. Le père n'essayait pas de l'arrêter. Il la laissait se promener au hasard dehors et, le soir quand il rentrait du travail, il s'asseyait sous les bouleaux ou, quand il revenait d'une réunion politique, tard, il la regardait aller d'une chaise à une autre dans le salon marcher jusqu'à la cheminée, la grande fenêtre, la porte fermée, entre le moment où elle se levait d'une chaise et celui où elle s'asseyait sur une autre. Tandis qu'il l'observait attentivement, elle avait une expression tendue, avec une absence sinistre de douleur. A la façon dont elle s'arrêtait, si elle se trouvait à l'extérieur, pour regarder un érable ou un écureuil, ou si elle se trouvait à l'intérieur, un abat-jour ou un cendrier, Daniel pensait qu'en fait elle fixait la tache sur ce qu'elle choisissait à ce moment-là. Il remarqua que son père se raidissait à chaque fois qu'elle s'arrêtait, comme s'il retenait son souffle et il ne semblait se remettre à respirer que quand elle recommençait à bouger. Soir après soir, il lui disait calmement : "Essaie de rester en place." Elle ne semblait pas l'entendre. Puis elle lui disait soudain : "Ne t'occupe pas de moi. Tu as ton travail, je ne t'en ai pas parlé depuis longtemps, non ? Et il y a ta campagne électorale, il faut que tu penses à ta campagne. Est-ce que tu peux y penser ?" Il lui disait en la regardant fixement comme s'il la suppliait de le soulager de cette peine affreuse, "Il faut que j'essaie." "Oui." "Il le faut, il le faut." Elle s'asseyait et disait : "Dis-moi ce que tu vas faire pour la campagne. Raconte-moi. Est-ce qu'elle sera comme la dernière, celle de 1938 ? Raconte-moi." Tandis qu'il lui parlait d'une voix que la fatigue rendait rauque, ses yeux restaient fixes.

Un soir, tandis qu'il s'avançait vers elle après être descendu de voiture, et qu'elle allait à sa rencontre comme d'habitude, elle vit qu'il tenait la main gauche en l'air, et qu'il avait un mouchoir ensanglanté enroulé autour de l'index. Elle poussa un cri mais recula. Edmond descendit de la voiture qu'il avait conduite et dit : "Il n'a pas voulu voir de médecin, il est toujours aussi têtu." Jim l'embrassa et dit : "Je me suis coupé le bout du doigt avec une scie circulaire."

Le sang se retira de son visage et elle devint tout molle. Elle ne voulait pas regarder son doigt mais il le tenait dressé. Le mouchoir était imbibé de sang.

"Ça va aller" dit-il.

Elle le suivit tandis qu'il remontait lentement vers la maison. Dans la salle de bains, elle déboutonna sa chemise et fit glisser la manche gauche avec précaution, le poignet se tacha de sang en passant au-dessus de sa main. Il grimaça de douleur. Elle dénoua le mouchoir et le déroula tout douce-ment. La gaze dégoutait de sang et c'est elle qui grimaça. Il lui demanda presque à voix basse, comme si parler à voix haute aurait augmenté inutilement la douleur : "Est-ce que tu peux me faire bouillir de l'eau ?" Elle courut jusqu'à la cuisine, Daniel et Julien étaient immobiles à la porte de la salle de bains. Le sang coulait sur le poignet et sur le bras du père. Il attendit, aussi immobile que les garçons, que sa femme se précipite dans la salle de bains avec une bouilloire fumante. Elle rinça le lavabo avec l'eau bouillante, ferma la bonde et versa l'eau. De la buée s'éleva autour d'elle et de son mari, et dans la vapeur, elle se détourna pour regarder le doigt décou-vert pour la première fois, et elle cria : "Jim !"

Il dit : "Il vaudrait mieux que tu sortes de la salle de bains.

— Non !" répondit-elle mais elle ferma à demi les yeux quand elle essaya de regarder.

"Je me suis coupé le bout du doigt et une partie de l'ongle.

— Oh !"

Il tendit l'index comme s'il allait toucher quelque chose et le plongea dans l'eau. Il aspira et l'air en passant siffla un peu entre ses dents. Il secoua le doigt.

"Mais est-ce que ça va te faire du bien ?" demanda Reena. "Comment tu le sais ?

— Est-ce que tu peux aller me chercher encore de l'eau chaude ?" demanda-t-il.

Il resta debout toute la nuit, seul dans la cuisine, devant la table, le doigt dressé. Il essuyait le sang qui coulait sur sa main et attendait qu'il coagule sur la plaie. Reena descendait souvent et le trouvait, le coude sur la table, son doigt sanglant dressé en l'air, la tête penchée en avant, sa robe de chambre glissant sur ses épaules. Il relevait la tête à chaque fois qu'elle entrait en disant : "Viens dormir," et elle lui remontait sa robe de chambre avant de repartir. A l'aube, il sentit un battement dans le doigt. La palpitation douloureuse le rassura. Il marcha, la main toujours levée et, au bout de deux heures, quand Edmond descendit, il l'abaissa. Sa femme lui dit : "Mais tu ne peux pas aller travailler aujourd'hui," il dit : "Ça va aller." Elle dut l'aider à s'habiller.

Toute la journée, Daniel sentit, tandis qu'il lisait, que, derrière sa lecture, il y avait quelque chose qu'il avait oublié et que sa lecture essayait de lui remettre en mémoire. De temps en temps, il sortait de son livre et allait au-delà, non pas sur la véranda avec les bords découpés du store vert, mais au devant de quelque chose situé au-delà du livre, quelque chose devant quoi cédait le livre. Il le reposa. Il se dit : ce n'était pas quelque chose dont il pouvait se souvenir ni qu'il avait oublié parce qu'il ne l'avait jamais vu : son père au travail. Daniel ne pouvait pas seulement se le représenter au travail. Il essaya de l'imaginer en ce moment, incapable de travailler de la main gauche, la tenant en l'air et loin de ce qu'il faisait. Il ne put pas, mais la sensation, la sensation profonde de son père en train de travailler dans une dimension profonde, plus profonde que tout ce avec quoi Daniel était en contact dans son livre, l'accompagna toute la journée, et il ne pouvait penser à cette sensation, que de façon abstraite, comme une sensation de perte. Derrière le livre, derrière les moustiquaires, derrière les arbres, derrière le lac et le ciel, pensait-il en marchant au hasard, il y avait une sorte d'immense vide et son père y travaillait.

Daniel et Julien allèrent au devant de leur père, qui rentrait du travail avec Edmond, sur la route sinueuse. Ils atteignirent la route goudronnée où il y avait des boîtes à lettres délabrées fixées à des pieux et, de l'autre côté, un verger de pommiers. Ils attendirent la voiture et au cas où Edmond serait passé près d'eux sans les voir, ils firent de grands signes avec les bras. Edmond s'arrêta et s'ils assirent à l'arrière. Le père ne leur dit rien et quand Daniel demanda : "Comment va ton doigt ?" il se contenta de le dresser, enveloppé dans un pansement de gaze marqué à l'extérieur par une tache de sang noirci.

Daniel sentit quelque chose s'assombrir en lui quand son père dit, sans s'adresser à quelqu'un en particulier : "Dans cinq jours nous retournons en ville."

Daniel descendit de voiture et s'éloigna avant l'arrivée de sa mère. Il alla au bord du lac. Là où, auparavant, il n'avait rien vu, il aperçut des morceaux de verre près de l'allée, des boîtes de conserves rouillées, des rouleaux de fil de fer rouillé dans les buissons, et des pneus de vélo à demi enfouis dans la boue du lac. Il alla dans l'île et marcha d'arbre en arbre, dans la lumière ou dans l'ombre, avec une envie de vomir. Il pressa la poitrine contre un pin, il se pencha légèrement sur le côté et frappa doucement le tronc de l'arbre de ses deux poings serrés. La résine colla à sa poitrine quand il se détacha de l'arbre.

Il évita son père pendant les jours suivants et il évita aussi sa mère, Julien et Edmond.

Ils s'en allèrent le samedi après-midi, et les deux voitures lourdement chargées dérapaient dans les ornières de la route.

Jim Francœur quittait la maison, le visage rasé de frais, vêtu d'un costume et d'un pardessus sombres, un chapeau mou à la forme parfaite (le sommet un peu rentré, et pincé sur le devant pour former une pointe, deux creux, comme ceux de tempes immenses, de chaque côté de la pointe, le bord relevé à l'arrière et rabaissé à l'avant jusqu'au niveau des yeux, en faisant une ombre sur le visage : une mode si complexe qu'elle ne s'expliquait en grande partie que parce qu'on pouvait ôter et remettre aisément son chapeau en le tenant par la pointe déjà faite), sa cravate très large avec un petit nœud remonté très haut entre les pointes raides de son col, ses chaussures noires cirées, il se rendait à une réunion politique.

André vit son père ouvrir la porte de la cuisine et, brusquement, d'une voix nasillarde, il dit :"Papa, tu veux bien que je vienne avec toi ?" Le père, lointain, répondit : "Si tu veux." Le père s'assit dans son rocking-chair, avec son manteau et son chapeau, sans se balancer, en ne cessant d'ouvrir les lèvres nerveusement, pour attendre qu'André soit habillé. La mère le regardait attendre et elle savait qu'il ne voulait pas que son fils l'accompagne dans une épicerie abandonnée près de la rivière, dans un quartier italien, qu'ils louaient très peu cher et qu'ils appelaient leur quartier général de campagne. En partant pour la réunion, le père n'embrassa pas la mère, qui resta près de la porte en espérant pouvoir faire un signe à André afin qu'il comprenne qu'il devait rester, en disant peut-être avoir oublié une émission de radio qu'il voulait écouter.

Trois heures plus tard, la mère qui lisait le journal étalé sur la table de la cuisine, entendit la voix d'André dans l'entrée arrière, très haut perchée comme s'il n'avait pas cessé de parler depuis qu'ils étaient partis à la réunion. Le père entra le premier dans la cuisine, André derrière lui, toujours en train de parler, disant : "Et la première chose qu'on devrait faire c'est de nettoyer un peu cet endroit, c'est si sale, et de le repeindre, c'est tellement délabré," tandis que le père qui hochait légèrement la tête, enlevait son manteau et son chapeau, et allait dans sa chambre. Quand il revint dans la cuisine, il espérait peut-être qu'André serait pris par sa musique, mais André était prêt à continuer à dire ce qu'il avait à dire, à faire des reproches non pas au père mais à l'organisation, d'une voix toujours aussi haut perchée, et le père dût s'asseoir et, avec une grimace permanente sur le visage, écouter. "Ce n'est pas que personne n'a rien dit d'intelligent," dit André. "Ou que ce qu'on a déclaré était sot" (le père ne comprenait pas ce mot) "C'est que personne ne semblait avoir quelque chose à dire et, assis sur ma chaise cassée, je n'ai pas cessé de me demander, alors, à quoi sert cette réunion ? A quoi sert tout cela ? " André s'arrêta.

Le père regarda fixement André et dit : "Tu me demandes à quoi servait cette réunion. Tu sais, quand quelqu'un me demande pourquoi je suis Républicain, je réponds que ça n'a rien à voir avec moi. Il n'y a pas longtemps, je pensais que si je pouvais travailler à mon compte, pas pour quelqu'un, si je pouvais ne pas être employé, et aussi ne pas avoir quelqu'un qui travaille pour moi, ne pas être employeur, alors je serais capable de travailler, travailler vraiment. J'ai pensé à des outils que je voulais fabriquer. Autrefois, je pensais que j'aurais un atelier à moi pour fabriquer des outils. Autrefois, mon père a inventé un outil avec une lame de verre et avec il pouvait joindre deux planches, pour faire la bordure semi-circulaire d'un bow-window, et la jointure était si unie que personne ne pouvait voir où elle se trouvait. Je ne parle pas de ça aux réunions, du travail. Tu sais, le vieux curé a raison en un sens : le travail est sacré. Non, plus maintenant. Je veux qu'il y ait un meeting dans une manufacture, une manufacture abandonnée...

— Et pourtant, les manufactures étaient des prisons, papa, et personne ne peut regretter qu'on ferme une prison..."

Le père ne dit plus rien : il serrait les mâchoires.

"Et qui dit que le Parti Républicain est particulièrement attaché à l'aspect sacré du travail. Ils s'intéressent plus au caractère sacré du capital, parce que sans ça tu ne peux pas travailler..."

Le père dit : "Ecoute, tsi gars, il est tard," et pensant peut-être que, bien qu'il se soit expliqué clairement, il n'avait pas été compris, il alla se coucher.

La mère dit à André : "Tu n'aurais pas dû y aller."

André répondit : "Je voulais voir de quoi il retournait."

La mère dit rapidement : "Tu ne comprends pas.

— Oh, il est intelligent, plus intelligent qu'aucun de ses fils, dit André.

— Oui, dit la mère.

— Tu sais, dit André, ce soir, j'ai découvert quelque chose que je n'avais jamais remarqué chez mon père..."

La mère sembla un peu inquiète : "Quoi ?"

— Et bien, tu sais, en fin de compte, je suis quelqu'un d'assez pratique..."

La mère attendait.

"Mais lui ne l'est pas. Je pensais que sa grande force c'était son sens pratique. En fait, il est plus extravagant que je l'ai jamais été à mes moments de plus grand enthousiasme, quand je voulais être chanteur d'opéra. Qu'est-ce qu'il veut, papa ?"

La mère leva la main, les doigts écartés, jusqu'à sa bouche.

Tandis qu'elle revenait de l'épicerie sous la pluie, elle voyait de nombreuses images de son mari tout autour d'elle, sur des tracts et de petites affiches, elle voyait les yeux de son mari qui la regardaient d'un muret, d'une flaque d'eau, du pied d'un tronc d'arbre, d'un tas de feuilles détrempées, de sous le pare-chocs d'une voiture en stationnement, d'un poteau télégraphique et les yeux la troublaient. Ils exigeaient qu'elle vote ARSACE (Jim) FRANCŒUR COMME REPRESENTANT REPUBLICAIN POUR LE COMTE, qu'elle vote pour lui, POUR UN GOUVERNEMENT PROPRE. Elle avait du mal à croire que l'homme qui rentrerait tout à l'heure du travail, qui l'embrasserait, qui s'assierait à table, serait le même que celui qui se trouvait sur ces photos éparpillées partout ; et pourtant, c'était évidemment le même, et l'homme privé qu'elle connaissait l'embarrassait parce qu'il était devenu public, et l'homme public redevenu privé (qui parlait à table avec une grandiloquence contenue, qui téléphonait à des gens que sa femme ne connaissait pas, qui rentrait tard) la mettait mal à l'aise.

Après la pluie et alors que, sous un soleil humide, elle étendait des draps dans l'arrière-cour, son frère Lawrence vint, en marchant dans les hautes herbes qui avaient poussé pendant l'été. Lawrence était inspecteur des assurances auprès des autorités de l'état, c'était un Démocrate, et il travaillait sous le dôme blanc des bâtiments de l'administration de l'état. Ses cheveux étaient partagés en deux par une raie très droite un peu sur le côté gauche de la tête, et ils étaient coupés si courts que, sur les côtés on voyait son crâne, alors qu'au sommet ils étaient aplatis.

Elle croyait ce que son frère Lawrence lui disait parce qu'elle le comprenait sans avoir besoin vraiment de le comprendre, c'est-à-dire qu'elle comprenait son ton de voix, un ton clair et égal dont elle se souvenait que c'était le ton de voix de son père. (Comme Lawrence, son père avait toujours été avant tout raisonnable. Il lui avait dit, quand elle lui avait annoncé, à lui en premier, ensuite à sa mère, qu'elle avait accepté une proposition de mariage de Jim Francœur, "Alors, parlons-en, parlons-en," et elle l'avait écouté parler. Il n'était pas d'accord pour qu'elle épouse Jim —ou James comme il l'appelait— et il lui expliqua pourquoi il était contre ce mariage : non pas parce que James n'était pas un brave homme, un bon travailleur, un homme séduisant, mais il avait une façon de penser qui était différente de celle à laquelle elle était habituée. Elle n'avait pas compris à ce moment-là ; elle avait dit qu'elle se sentait en sécurité avec lui. Son père avait essayé de lui expliquer ; il n'agissait pas, James, en réfléchissant d'abord à tout. Mais, avait-elle dit, elle n'était pas intelligente, elle-même n'était pas capable de se montrer très raisonnable. Son père avait dit : "Réfléchis seulement à ceci : toi et moi, nous parlons calmement de ton mariage, nous essayons de comprendre, nous essayons d'être raisonnables, n'est-ce pas ?" Elle avait approuvé de la tête. Il continua : "Et crois-tu que lui, James, il a la même conversation avec l'un de ses parents ? Absolument pas. Je les connais, je sais comment ils sont. Il ne viendrait jamais à l'idée de James de parler de son mariage avec ses parents, ni même d'en parler avec lui-même. Il veut t'épouser..." "Quoi ?" avait demandé Aricie. Son père avait secoué la tête. Elle avait compris son père, sans du tout être capable de le comprendre, son père dont elle entendait la voix quand Lawrence, lui parlait.) Lawrence dit, calmement et un peu tristement, tandis qu'elle étendait les draps sur le fil. "Il ne comprend pas, Reena, et il n'a jamais compris." Aricie demanda : "Est-ce que tu es venu pour me dire ça ?" Il dit : "Je ne veux pas te faire de peine, tu es ma sœur." Aricie dit : "C'est mon mari." "Alors, protège-le. Ne le laisse pas placer ses espoirs trop haut. Après ce qu'il lui est arrivé à l'usine de limes, il ne faut pas qu'il espère trop gagner cette élection et, tu sais, il n'a aucune chance de l'emporter." "Oh, je sais, dit-elle, un Canadien français immigré avec le certificat d'études. Il répète à tout le monde : *dans le temps* le certificat d'études c'était quelque chose." "Réfléchis à ces élections." Aricie sourit et dit : "Il en a tellement envie."

Tellement envie, se disait-elle, dans l'entrée arrière en enlevant ses caoutchoucs, et elle n'y comprenait rien. Elle aurait pu comprendre s'il avait pensé que la politique pouvait lui permettre d'entrer, par exemple, dans le monde de son jeune frère Lawrence, un monde situé de l'autre côté du fleuve, dans le quartier est de Providence, sur le flanc d'une colline, où les maisons blanches de style colonial avec des volets noirs bordaient des rues étroites, où était située la vieille Brown University en briques et où les médecins chers avaient leurs cabinets ; mais elle avait plus conscience que le quartier est était un autre monde que son mari qui n'en avait peut-être pas conscience du tout, et s'il en avait effectivement conscience, il pouvait penser qu'il n'y avait là rien qui l'intéressait.

Sur la table de la cuisine, il y avait un paquet de tracts. Elle en prit un. Il souriait sur la photo. Il avait une mâchoire carrée. Il avait des cheveux gris sur les tempes. Il avait des lobes d'oreilles allongés et des yeux noirs. En regardant la photo, elle s'attendait presque à voir son expression changer, comme elle changeait souvent, quand la peau de son visage était tirée en arrière comme si quelqu'un l'avait tirée sur la nuque, et que son sourire se figeait dans un masque dur et sans expression.

A l'heure du déjeuner, dans la pension La Salle, Daniel s'assit tout seul dans le réfectoire du collège, au bout d'une longue table. A l'autre bout, assis côte à côte, il y avait cinq de ses camarades de classe qui tenaient des bananes de façon à ce qu'elles se redressent, puis ils les tournaient rapidement de façon à ce qu'elles redescendent, puis ils les tournaient à nouveau. Ils riaient. Un élève tenait deux oranges dans une main et la banane dans l'autre et il plaça un bout de la banane entre les deux oranges et il la secoua. Les autres rirent, mais pas trop fort. Daniel les observait.

Après le déjeuner, il mit son manteau et alla se promener dans le parc du collège. Les grands arbres à feuilles persistantes se balançaient dans le vent. Il alla jusqu'aux courts de tennis, puis jusqu'au terrain de baseball où les marques à la chaux blanche avaient presque été effacées par la pluie. Il contempla le terrain plein de flaques d'eau jusqu'à ce qu'il entende la cloche qui sonnait la fin de l'arrêt du déjeuner et il revint vers l'école. Il vit ses camarades de classe, ceux qui tout à l'heure jouaient avec des bananes et des oranges au réfectoire, debout derrière un énorme buisson. Ils sautaient en riant. Ils se donnaient des coups dans l'épaule. Ils ne semblaient pas avoir entendu la sonnerie. Daniel s'arrêta un instant pour les regarder. L'un d'eux le vit et tous se retournèrent, puis ils se dispersèrent.

Daniel rejoignit les élèves qui se rassemblaient à l'arrière de l'école. Il les observa. Il se demanda comment approcher les deux élèves les plus brillants de la classe qui parlaient ensemble, ou trois autres penchés sur une photo que tenait l'un d'eux. Au bord de la surface pavée, tourné de l'autre côté, un élève était seul. Daniel s'avança jusqu'à la limite des pavés et regarda la pelouse mal entretenue sur laquelle les élèves n'avaient pas le droit de marcher. Il jeta un coup d'œil à l'élève qui se trouvait à côté de lui. Il avait le visage couvert de petits boutons et encore plus de points noirs et parfois des tortillons de pus jaune sortaient de ses boutons ; il avait des cheveux noirs et graisseux plaqués sur la tête ; il portait toujours une cravate sale et les aisselles de ses chemises étaient toujours jaunies. C'était un Italien et personne ne lui adressait jamais la parole et Daniel se rendait compte qu'il ne s'était approché de lui que pour cette raison. Daniel lui dit : "J'aimerais qu'il y ait de l'eau à la place de l'herbe, et s'il faisait chaud je pourrais y plonger," et le garçon, tout d'abord alarmé, fronça les sourcils quand Daniel s'adressa directement à lui : "Je ferais la course avec toi, aller et retour", alors le garçon, apparemment avec difficulté, ouvrit sa grande bouche et ses grandes dents et dit : "Va te faire foutre", et Daniel se contenta de le regarder pendant un moment avant de se détourner et de partir. Il rejoignit immédiatement les trois élèves qui regardaient une photo et demanda s'il pouvait la voir aussi. On lui tendit la photo. On y voyait les trois élèves en maillot de bain, au bord du lac. Daniel la rendit. Ils attendaient qu'il dise quelque chose mais il s'en alla.

En classe d'histoire, en n'écoutant qu'à moitié frère Aloysius qui décrivait les qualités d'un Romain de l'antiquité, il se demanda quelles étaient les qualités que partageaient ses camarades et que dans l'avenir quelqu'un pourrait décrire comme les qualités de l'élève du collège La Salle, et pourquoi lui, qui vraisemblablement n'aurait pas été non plus capable de s'entendre avec les Romains de l'antiquité, ne possédait pas ces qualités qui lui auraient permis de s'entendre avec ses camarades. Pourquoi lui, de façon très claire, leur était-il étranger ? Pourquoi ne s'intéressait-il pas aux voitures, au base-ball et au football, aux petits boulots, pourquoi n'aimait-il ni fumer ni boire de la bière ?

Il ne pouvait pas parler à ses camarades de classe de nouveaux modèles de voitures ou des résultats des équipes de première division, ni de celui qui avait frappé un type dans le vestiaire, offrir ou demander une cigarette ou dire qu'elle était sa marque de bière préférée et d'en être incapable, le stupéfia soudain. Il ne put que se demander pourquoi il était à ce point différent. Il se savait, au sens le plus simple du terme, totalement inculte, car il n'avait d'intérêt pour rien.

Quand il sortit du collège, il bruinait et il fit tout le chemin lentement car le collège La Salle était en dehors de la paroisse. Près de chez lui, il vit un tract qui annonçait la candidature de son père, sur un tas de feuilles rouges réunies dans le caniveau. Il le ramassa et continua sa route, ses livres sous un bras et la photo de son père dans l'autre main pour l'examiner.

Sa mère était debout dans la cuisine près de la table, elle aussi examinait un tract, et il entra en tenant dans la main celui qu'il avait ramassé dans la rue.

Elle dit : "Mon frère Lawrence dit qu'il ne va pas gagner."

Mais quand il vit son père, un samedi matin, dans la quincaillerie (Daniel et Julien étaient allés avec lui acheter une vitre pour en remplacer une qui était cassée à une fenêtre), parler au propriétaire derrière son comptoir et à trois autres hommes venus acheter des vis et des clous, Daniel, dans un éclair comme celui d'un flash d'appareil photo, Daniel vit son père en politicien. Son père parlait des usines qui fermaient et il en expliquait les raisons, mais ce n'était pas ce que le père disait qui soudain le révéla à Daniel comme un politicien, c'était la façon dont il parlait : debout au centre d'un cercle formé par les autres hommes, les deux mains levées, les paumes ouvertes et dirigées vers le haut, dans un geste d'ouverture et d'honnêteté absolues, et aussi un geste pour qu'ils restent immobiles, et il parlait rapidement. Les deux qui avaient de petits sacs de clous et de vis voulaient s'en aller,

201

Daniel le voyait, et celui qui était arrivé alors que le père avait déjà commencé à parler voulait acheter ce qu'il était venu chercher et le quincaillier voulait lui vendre ce qu'il désirait. Mais le père les obligeait à rester où ils étaient et, en leur parlant alors que manifestement ils ne voulaient pas l'écouter, le père faisait exactement le contraire de ce qu'il voulait ; au lieu de les amener à être d'accord avec lui, il les poussait à ne pas être d'accord — Daniel voyait cela à leur expression, à la façon dont ils passaient impatiemment d'un pied sur l'autre — même s'ils auraient pu être d'accord avec lui. Daniel voulait l'arrêter à chaque fois qu'il voyait deux hommes se jeter un coup d'œil ou un des hommes lever le doigt, il voulait ouvrir la bouche et dire : "M. Lambert et M. Dandeneau doivent s'en aller", ou "tu devrais laisser M. Laplante dire ce qu'il a envie." Daniel alla même jusqu'à imaginer de lui dire que sa mère allait attendre et voici ce qui arriva : il vit leurs visages et leurs corps s'immobiliser, comme si l'un des mots que le père leur avait dit les avait pétrifiés, et Daniel se rendit compte que leur posture était en relation avec celle de son père, il vit leurs pieds, les poches aux genoux de leurs pantalons, leurs corps, leurs bras pendant sur les côtés, leurs yeux tournés vers son père qui avait un pied avancé devant l'autre, dont le corps semblait en torsion, dont les yeux allaient de l'un à l'autre, qui montrait le sol, le plafond, la grande vitrine de la boutique où il y avait des boîtes à ordures galvanisées, des rateaux, des pelles à neige et dont la voix était maintenant basse, monotone, comme un moteur qui, une fois mis en route, tourne tout seul, sans s'arrêter, et qui captivait ses auditeurs. Daniel avait l'impression que son père emmenait les hommes très loin, mais il se rendit compte que ce n'était que l'espace d'un instant, et les hommes se remirent à remuer, à jeter des coups d'œil autour d'eux, et celui qui était venu acheter des pinces se détourna entièrement, alors les autres se détournèrent aussi. Arsace dit au revoir à chacun d'eux en les appelant par leur prénom, et eux, devant le comptoir, regardèrent par dessus leur épaule, levèrent la main et dirent : "Fais attention, Jim."

Il partit de bonne heure à une réunion, et sa place à la table du dîner resta vide.

La mère dit : "Je ne me vois pas là-bas, avec tous ces gens, même si je sais que j'aurais dû y aller, qu'il voulait que j'y aille."

La mère savait qu'elle serait mal à l'aise à la réunion — elle avait assisté à deux réunions en 1938 —, soit parce qu'elle n'y connaîtrait personne, soit parce que la communication qu'elle pourrait établir avec les deux ou trois personnes qu'elle connaîtrait se ferait non pas en privé mais en public dans les conditions de la réunion qui, comme principe essentiel de gouvernement, faisaient que tous ceux qui étaient là devenaient des "gens", et elle ne se sentait jamais à l'aise au milieu des "gens", elle savait aussi que son mari, lui, s'y trouvait bien, et seulement à cause du principe abstrait et essentiel auquel il était attaché.

Edmond dit : "J'ai fait campagne pour lui. Chez le marchand de glaces, j'ai dit à tout le monde qu'ils devaient voter pour mon père.

— Qu'est-ce qu'ils ont répondu ? demanda Julien.

— Ils ont dit qu'ils allaient le faire, sûr.

— On m'a assuré la même chose, dit la mère, mais je ne le crois pas.

— Tu ne crois pas quoi ? demanda Daniel.

— Je ne sais pas.

— Qu'il va gagner ? demanda Edmond. Sûr qu'il va gagner. Tu vas voir. Il va aller à Washington serrer la main au président lui-même.

— Vous savez, dit la mère, ce n'est pas un homme très populaire, votre père. Il faut être populaire pour gagner. Il se trouve dans une position fausse, il essaie d'utiliser une popularité qu'il n'a pas. C'est mon frère Lawrence qui m'a dit ça. Il m'a dit aussi que le Parti Républicain se sert de lui pour récupérer quelques votes des Canadiens français, il m'a dit qu'il n'y avait jamais eu de Canadiens français qui avaient essayé de faire de la politique, et je pense que votre père est une exception, une curieuse exception, et tout le monde sait que quand il essaie d'être populaire, ça sonne faux.

— Faux ? demanda Daniel.

— Je ne voudrais pas le voir à la réunion.

— Pourquoi ?" demanda Daniel.

Elle dit : "Il ne sait pas comment jouer son rôle pour avoir l'air naturel.

— Oui," dit Daniel, et il rougit soudain comme si on l'avait surpris lui aussi en train de jouer un rôle alors qu'il ne faisait qu'écraser ses pommes de terre avec sa fourchette.

La mère dit : "Il me reproche de ne pas le soutenir. Est-ce que je devrais jouer un rôle moi aussi ?"

Edmond dit : "M. Lévêque m'a déclaré, il m'a déclaré : "Edmond, ton père est le genre d'homme dont nous avons besoin, solide, je vais voter pour lui."

Quand le père entra dans la salle de séjour, la mère éteignit la radio et lui, debout au-dessus d'eux, dit : "Le candidat républicain à la mairie est venu m'écouter et, après mon discours, il m'a dit : Nous allons gagner...

— Est-ce qu'il comprend le français ? demanda la mère.

— J'ai fait mon discours en anglais.

— Nous ne parlons plus jamais le français," dit la mère.

Daniel se dit : leur français a disparu, comme si cela venait de se passer. Il alla dans sa chambre et s'assit à la petite table sur laquelle il travaillait. Il pensa à sa mère qui avait l'habitude de dire quand l'un d'eux était sur le point de pleurer : *"Il va broyer du noir !"*, ou quand un de ses fils la complimentait sur sa blouse : *"C'est une vieille guenille"* et elle prononçait le double "l" comme un "g" ; et pour dire que quelque chose que Daniel ou Julien voulaient était trop cher, le père disait : "Je n'ai pas assez de piastres", ou il disait à un de ses fils : "Il faut que tu ailles te faire couper le cheveu" au singulier ; et les fils employaient le verbe français *puer* comme un verbe anglais : *I pue, you pue, he pues ;* et, en écrivant, tout le monde dans la famille mettait un e à la fin de beaucoup de mots, en particulier des verbes, comme en français : "controle", "dévelope", "considere".

La religion était française, *Jésus Christ* était un nom français. A chaque fois qu'il entendait le nom en anglais, même prononcé par les Irish Christian Brothers au collège La Salle, qui faisaient la grimace devant les quelques Français qui ne connaissaient pas leurs prières en anglais, Jesus Christ en anglais lui semblait toujours être un blasphème, même si l'intention était parfaitement pieuse.

Le français était une langue privée, la langue de sa religion. L'anglais était la langue publique dans laquelle il devrait travailler, et la religion et le travail, comme l'Église et l'État, étaient séparés. Dans l'État anglais, personne pour qui il devrait travailler, pour qui il devrait faire la guerre, ne s'occuperait de ce qu'il ressentait en français.

Il alla dans la salle de séjour où ses parents écoutaient le candidat républicain à la mairie qui parlait à la radio. La mère quitta des yeux la radio, qu'elle fixait avec un regard vide, et dit : "Daniel, ton père et moi nous avons discuté, nous allons le soutenir, nous tous." Daniel se fit tout petit. Elle ajouta : "Après tout, est-ce que ce qu'il dit ne devrait pas avoir force de loi ?"

Quand Albert, qui venait de sa base à l'étranger et qui n'était qu'en escale, vint à la maison en permission pour voter, le père ne se leva pas de sa chaise pour lui serrer la main.

Albert lui demanda : "Comment ça se passe, papa ?

— Très bien." Le père se leva. Albert s'avança vers lui. Le père regarda sa montre et dit : "Il faut que je me prépare pour le meeting."

Albert était assis devant la table de la cuisine avec sa mère. Il regarda la cuisine, puis sa mère. Il dit : "J'ai quelques histoires pour toi, maman."

Il employait des mots que la famille n'avait jamais entendus —nébuleux, ubiquité— et il était évident qu'en dehors de la maison, il ne parlait pas seulement de façon recherchée, il jurait aussi. Pas à la maison. Son père n'employait même jamais de mots comme "zut" ou "nom d'un chien", contrairement à la mère. Albert disait "merde" et "con", comme s'il savait que même si personne d'autre n'avait le droit de les employer à la maison, il se le permettait pour raconter des blagues à sa mère.

La mère riait comme elle n'avait jamais ri depuis des mois. C'était comme si Albert n'était venu que pour raconter des blagues à sa mère. Il ne disait rien d'autre, il ne posait même pas de questions sur la maison à la campagne. Albert se penchait vers sa mère et de temps en temps — quand il voulait lui dire une plaisanterie que, d'après lui, les garçons ne devaient pas entendre — il chuchotait et la mère transformait le chuchotement en éclat de rire postillonnant. La mère savait qu'elle prenait un risque en écoutant les histoires d'Albert et en en riant, mais pour rien au monde elle n'aurait voulu se protéger en se détournant d'Albert. Son rire augmentait à chaque plaisanterie. On aurait dit que ses plus récentes expériences étaient contenues dans ces histoires.

L'atmosphère — tous deux conscients de toutes ces conneries suspendues au-dessus d'eux et excités à l'idée qu'elles pourraient leur tomber dessus — resta la même après le retour du père et quand ils s'installèrent pour le dîner, bien que pendant le repas Albert ne racontât aucune blague car il savait que le père ne l'aurait pas approuvé ; mais l'esprit des plaisanteries avait pénétré leurs conversations les plus banales, et Albert n'avait qu'à dire "il y a une odeur" pour que la mère éclate d'un rire à moitié contenu. Au bout de la table Edmond n'arrêtait pas de dire "Oh, vous deux," et il essayait de rire. Les garçons, qui ne comprenaient rien, regardaient leur mère, puis leur père qui mangeait le visage baissé. La mère secoua la tête comme pour en chasser ce qui s'y trouvait et qui la faisait rire, et dit : "Allez, ça suffit maintenant". Il y eut un silence tendu. Elle se tapota le bout du nez et dit : "He, Al". Albert la regarda et ils éclatèrent de rire à nouveau. La mère dit : "Je me suis juste tapoté le bout du nez. Qu'est-ce que ça a de drôle ?" Un autre silence tendu. Elle se gratta légèrement l'aile du nez. Nouvel éclat de rire. "Qu'y a-t-il de drôle ?" demanda-t-elle, comme si elle était étonnée de rire. L'atmosphère était devenue si sensible que maintenant il lui suffisait de renifler un peu fort pour qu'elle et Albert, ainsi qu'Edmond et les garçons, éclatent de rire. Elle avait pris totalement la suite d'Albert. Elle lui dit : "Je te parie que tu es incapable de me regarder le nez sans rire." Albert essaya. La mère rit avant qu'il n'ait réussi à la regarder, les yeux pleins de larmes, puis elle se calma, reprit son souffle et dit : "Arrêtons. Ça suffit comme ça. Ton père n'aime pas ça," mais elle jeta un coup d'œil rapide au père et elle se cacha le visage derrière sa main ouverte puis, le montrant du doigt avec l'autre main, elle se pencha en avant et dit à voix basse : "Il n'aime pas que je plaisante, mais il ne peut pas me voir", et le père la regarda un long moment, les yeux mi-clos, puis en souriant légèrement comme devant une petite fille qui, profondément abattue pendant longtemps, recouvre brusquement la santé. Ce fut Albert qui dit : "Allez, ça suffit." La mère baissa la main.

Le père pencha la tête sur le côté et dit : "Je connais une blague.

— Quoi ?" demanda Reena.

Le père dit : "Pourquoi est-ce qu'un homme qui a des pieds n'aura jamais faim ?"

La famille fronça le sourcil.

La mère dit : "Parce qu'il peut aller dans une boutique.

— Non, dit le père, s'il n'a pas d'argent.

— Il peut voler et se sauver en courant, dit Daniel.

— Il n'a pas besoin de faire ça.

— Il peut ouvrir une épicerie, dit Albert.

— Non," répondit rapidement le père sans peut-être comprendre, et il dit : "Parce qu'il peut manger ses oignons."

Avec le dégoût général qu'ils auraient exprimé devant des plaisanteries sur des pets et de la merde, la famille cria : "Pouah !"

Le père arborait un grand sourire.

La mère restait d'excellente humeur comme si le soutien qu'elle apportait à son mari dans sa campagne ressemblait à une blague, et c'est ce qu'il attendait d'elle ; elle savait que la façon qu'elle avait de le soutenir était entièrement dans l'attitude qu'elle pouvait prendre, non pas envers sa politique mais envers lui, car elle savait qu'à chaque fois qu'elle n'avait pas bon moral, lui-même n'avait pas bon moral, et quand elle était de bonne humeur, même si elle plaisantait, il était sûr que tout allait bien. Son rire le rassurait ; si elle disait : "Quand votre père sera élu représentant régional, nous mettrons un grand lustre dans la salle de bains", il avait confiance.

Le jour des élections, le père, sa femme, Albert, Edmond, Daniel et Julien se rendirent de bonne heure au bureau de vote, dans une classe d'un lycée privé. Daniel et Julien ne purent aller au-delà d'un homme et d'une femme assis à l'entrée de la salle de classe devant des tables, avec de grands registres dans lesquels ils vérifiaient les noms, mais ils pouvaient voir dans la pièce. La salle de classe était triste, le tableau était lavé et d'un noir mat, on avait repoussé les pupitres contre le mur, et, au début de la classe, là où aurait dû se trouver le bureau du professeur, il y avait un isoloir.

La mère y entra la première. Elle referma le rideau d'un petit mouvement brusque, mais on voyait ses pieds. Puis le rideau s'ouvrit tout à coup et elle sortit en souriant, avec l'air de quelqu'un qui, à l'intérieur, a fait quelque chose qu'aucun, à l'extérieur, ne peut soupçonner.

Le père y entra à son tour avec une brusquerie affairée et cependant avec la solennité de celui qui sait que cet acte absolument privé derrière un rideau aura d'immenses conséquences dont la plus immédiate serait que lui-même cesserait d'être une personne privée pour devenir un homme public ; son vote, à défaut des autres, lui permettrait de gagner les élections. Le rideau se ferma avec un bruit sec. Derrière, simplement en pressant le levier, quelque chose se passerait et il ressortirait différent de celui qui était entré, et chacun, stupéfié, le regarderait ; ce qui en lui était resté le plus intime, le plus secret, une fois révélé, rendrait public son corps sombre. Le rideau se rouvrit tout de suite après s'être fermé, et le père se retourna pour sortir, mais il sembla hésiter dans l'ombre de l'isoloir.

Daniel, avec une sorte de panique qui s'abattit sur lui quand il vit son père, se dit : "Non, non, je ne veux pas qu'il gagne, je ne veux pas qu'il gagne." Et, brusquement, un autre sentiment, plus profond que sa panique, s'empara de lui, et il se dit avec une plus grande sensation d'urgence, comme si la vie ou la mort de quelqu'un en dépendait : oui, il fallait que son père gagne, oui le fallait. Il aimait son père, il aimait son père, grand, fort, public, son père qui sortait de l'isoloir.

Le lendemain matin, en sortant de sa chambre, il trouva son père qui prenait des papiers, des enveloppes et des feuilles dans les tiroirs de son bureau dans la salle de séjour, et il le suivit dans la cave jusqu'à la chaudière près de laquelle il y avait en tas des papiers, ses carnets de discours sans ponctuation de 1938, des journaux jaunis, de vieux tracts, des paquets d'enveloppes imprimées, des rouleaux d'affiches aplatis, deux télégrammes et d'autres choses arrivées là par hasard comme un catalogue sur les roulements à billes, un manuel sur la réparation des vieux postes de radio ou un livre intitulé *Discours célèbres*, et le père ouvrit la porte de la chaudière et y jeta une liasse de papiers.

Daniel retira du tas un livre de caricatures politiques et il le lut tandis que son père continuait à jeter des papiers dans la chaudière ; sur la première page, il y avait le dessin d'un soldat dans un trou, le visage caché par son casque, son fusil prêt à tirer, et le trou était au milieu d'une pelouse bien entretenue devant une petite maison avec une haie et la légende disait : *un trou dans votre jardin*. Un autre dessin portait en légende : *de Yalta à la Corée*. Il jeta la bande dessinée dans la chaudière sur un tas de papiers dont les bords s'enroulaient en noircissant ; elle resta intacte pendant un moment puis, comme une bombe silencieuse, elle explosa en flammes.

Albert descendit. Il resta près de la chaudière à regarder à l'intérieur tandis que le père y jetait des poignées de papier.

Albert dit : "Tu sais, papa..."

Son père se redressa et le regarda.

Albert dit : "Ce n'est pas ton échec aux élections qui va changer ce que tu es, pas pour nous. Tu as sûrement pensé de temps en temps, qu'on ne s'intéressait pas beaucoup à ta campagne — Philip et André qui ne sont pas venus voter, qui n'ont pas envoyé de télégramme, qui n'ont pas téléphoné — mais en fait, nous savons tous que tu es au-dessus d'un succès ou d'un échec."

Le père jeta dans la chaudière la poignée de papiers qu'il tenait à la main. "Quand est-ce que tu pars ? demanda-t-il.

— Aujourd'hui.

— Je voulais te montrer les comptes de l'hypothèque que j'ai tenus," dit le père.

La samedi après-midi, chez le marchand de glaces, M. Lévêque demanda à Edmond comment allait son père et Edmond répondit : "Oh, très bien." Un jeune homme, très grand et très gros, avec une casquette de base-ball et, malgré le soleil, ses pieds énormes dans des caoutchoucs, demanda : "He, Edmond, c'est vrai pour ton père ?" Edmond était gentil avec tout le monde ; il dit : "Qu'est-ce qui est vrai, Bill ?" Bill écartait les pieds dans des directions différentes, et ses longues jambes étaient arquées comme si ses genoux avaient été articulés pour se plier sur le côté ; il écarta encore plus les pieds et sourit de ses lèvres épaisses. "Aux prochaines élections est-ce que ton père va jouer les lèche-culs pour le Parti Républicain ?" Il y avait cinq autres personnes chez le marchand de glaces, debout devant le comptoir ou penchées dessus ; elles rirent. M. Lévêque aussi et, après quelques instants, Edmond rit aussi, "Je ne sais pas, Bill, dit-il. Tu devrais lui demander." "Il pouvait pas gagner", dit Bill. Edmond regarda le patron, mal rasé, un tablier attaché au-dessus de la taille, les bras croisés, puis il regarda ceux qui se trouvaient à côté de lui ; il dit : "He, je savais qu'il n'allait pas gagner." "Il avait pas une chance, dit M. Lévêque. Vingt-deux voix." "Je le savais," dit Edmond en écarquillant ses yeux noirs. Bill dit : "Je te paie un ice-cream soda, Ed, pour fêter ça." Edmond posa un coude sur le comptoir. "Le mien à la vanille", dit-il. La patron lui prépara l'ice-cream soda. Edmond tendit la main pour le prendre ; il avait les ongles et les doigts noirs d'encre d'imprimerie ; il mélangea la glace et le soda avec une longue cuiller, mais il s'arrêta et regarda Bill. "Tu n'en prends pas ?" lui demanda-t-il. Bill se mit à rire et ses grosses joues, douces comme des fesses de femme, montaient et descendaient. Il dit : "Personne ne m'a demandé si j'en voulais un." Edmond regarda son ice-cream soda ; il ne savait pas quoi en faire. Il dit "Tiens, prends

210

celui-là, et il le tendit à Bill qui le prit et l'avala, en ne faisant qu'une bouchée de la glace en train de fondre. Il rendit à Edmond le verre vide dans sa coupe métallique et dit : "Celui-là, c'était le tien, maintenant, où est le mien ?" Edmond dit au patron : "Donnez-lui ce qu'il veut." "Faites m'en un à la fraise, " dit Bill. Il l'avala en écartant encore plus les jambes. Tout le monde le regardait, puis on tourna les yeux vers Edmond qui cherchait de la monnaie dans ses poches pour payer les ice-cream. Il dit qu'il devait s'en aller.

A la maison, sa mère le retrouva dans l'office où il était venu boire un verre d'eau et elle lui demanda : "Pourquoi est-ce que tu es rentré si tôt ?" Il secoua la tête, avala et dit : "Oh, il n'y avait personne." "Qu'est-ce qu'ils disaient ?" Edmond répondit avec une passion soudaine : "Je leur ai dit, si mon père avait gagné les élections, ils auraient vu, il aurait fait ce qu'aucun d'eux, pas un seul, avait le courage de faire. Je me suis mis vraiment en colère." "Ce n'est pas vrai", dit la mère. Edmond détourna le regard. "Je voulais," dit-il.

Le père passa tout l'après-midi du dimanche à son bureau, avec ses lunettes éclaboussées de peinture, ses mains pleines d'entailles, à vérifier soigneusement les chèques qu'il avait reçus de ses fils avant d'en faire l'addition et de soustraire la somme de l'hypothèque.

Les fenêtres fermées de la grande maison réfléchissaient le soleil qui se couchait sur le lac gelé. Tandis qu'à l'intérieur Edmond mettait le chauffage en marche pour que la maison soit chaude quand, deux jours plus tard, la famille viendrait à la campagne, Daniel et Julien marchaient au bord du lac. Près de la berge, ils virent de l'eau noire qui bougeait sous la glace claire ; ils s'avancèrent sur le lac gelé là où la glace était bleu gris, craquelée en longues fissures. Ils allèrent assez loin pour voir derrière eux la maison, dont les fenêtres lançaient des incendies et tout autour, à part les grands pins restés verts, les arbres semblaient avoir été brûlés par un immense feu froid. C'était très étrange de se tenir debout là où, été après été, ils s'étaient baignés. Le vent poussait des feuilles sèches de chêne, des feuilles qui quelques mois auparavant avaient rendu les arbres familiers. Pour Daniel, la seule saison pour la campagne, c'était l'été ; à la campagne, pendant les mois d'été, il ne se passait rien sans qu'il soit au courant, et que, d'une certaine façon, il domine tout : pas une feuille qui bougeait dans le vent du matin, pas un poisson qui sautait à la surface de l'eau le soir. Ils marchèrent jusqu'au pont, s'accroupirent pour passer sous les planches et suivirent le bord de l'île. Il avait si souvent parcouru l'île sur toute sa longueur et regardé vers le lac ; maintenant il marchait sur le lac devenu solide et regardait vers l'île, les buissons sans feuilles avec les taches rouges des baies, les rochers qui affleuraient et les troncs d'arbres abattus. Un désir lui traversa la poitrine et lui remonta jusque dans la nuque.

Julien dit : "Je retourne dans la voiture."

Daniel continua tout seul pendant un moment, sans vraiment marcher mais en faisant glisser ses bottes sur la glace lisse, jusqu'à ce qu'une rafale de vent l'oblige à se retourner et il revint vers la voiture. Julien n'y était pas. Il entra dans la maison, traversa le garage et trouva Edmond dans la chaufferie, debout près du brûleur à huile qu'il regardait fixement.

Edmond dit : "Albert a écrit pour dire qu'il voulait passer le Thanksgiving au lac, mais qui est-ce qui doit tout préparer pour tout le monde ? Moi. Pas papa.

— Papa a dit qu'il viendrait.

— C'est parce qu'Albert lui a dit qu'il devait venir. Si j'avais dit ça à papa, il ne serait pas venu.

— Où est Julien ?

— Je ne sais pas. Je crois qu'il est monté."

L'air glacial de la maison était sombre et épais. Les planchers craquaient. Daniel trouva Julien dans sa chambre, endormi sur le matelas sans draps, avec son manteau, sa casquette, ses gants et ses bottes. Un rayon de soleil couchant passait entre le bord du store baissé et l'encadrement de la fenêtre et tombait en diagonale sur le plancher et sur Julien puis montait sur le mur opposé où il enflammait un miroir. Daniel regarda son frère endormi. Il avait la bouche ouverte, la tête penchée sur le côté, comme s'il avait eu le cou brisé, et les paupières un peu levées. Daniel alla chercher une couverture dans un placard de l'entrée et revint pour la mettre sur son frère. Tandis qu'il étalait la couverture, Julien se réveilla.

Daniel dit : "J'ai pensé que tu avais peut-être froid.

— Non, dit Julien. Non," et il se leva.

La nuit tomba alors qu'ils revenaient en ville en voiture.

André téléphona de la gare de Providence pour demander à Edmond s'il voulait venir le chercher. Edmond cria à moitié : "Oh, bien sûr, mon frère, bien sûr !" mais quand il raccrocha il dit, à la cantonade : "Ils attendent que je fasse tout. Ils s'en vont, ils font ce qu'ils veulent, mais quand ils reviennent qui est-ce qui doit aller les chercher, qui est-ce qui doit tout leur faire ? Moi."

Daniel et Julien allèrent en ville avec Edmond. André, qui n'était pas rentré depuis qu'il avait quitté les affaires pour s'engager dans la marine, se tenait dans la lumière d'un réverbère devant la gare, portant un manteau sombre de la marine et une casquette blanche. Il leva les deux mains pour les saluer et rit.

Et, la veille du Thanksgiving, alors que le père, la mère, Edmond, André et les garçons étaient en train de souper dans la salle à manger de la maison près du lac gelé, le téléphone sonna, le père se leva et répondit, et Philip dit qu'il était à la maison en ville, où il s'attendait à les trouver, il avait ouvert avec sa clef en voyant la maison fermée et il demandait si Ed pouvait venir le chercher ; le père raccrocha et dit à Edmond : "Philip attend que tu ailles le chercher," et Edmond rentra ses lèvres et souffla entre ses dents. Sa mère dit : "Ils te sont reconnaissants, Edmond, nous te sommes tous reconnaissants pour ce que tu fais."

André dit, en se passant la main dans ses cheveux courts, comme s'il avait encore un cran : "Ed, tu es un type formidable, vraiment formidable, vraiment vraiment formidable."

Le père dit : "Je vais y aller aussi."

Edmond savait que même si son père disait cela et s'il pouvait y aller seul, Edmond ne pouvait pas lui demander d'aller chercher Philip.

"Je veux jeter un coup d'œil à la maison, dit le père.

— Mais on est parti, il y a seulement deux heures, dit la mère.

— Je veux encore y jeter un coup d'œil."

Ils trouvèrent Philip assis dans le rocking-chair de la cuisine, dans la lueur jaune de la lampe. Son sac de l'Air Force était posé à côté de lui. Il se leva immédiatement, remit en place sa veste d'uniforme sur sa poitrine, puis, la casquette coincée sous le bras gauche, il tendit la main droite pour serrer la main de son père et il la garda un moment tandis que les deux hommes se souriaient. Le père dit : "Je suis content que tu sois là." "Merci," dit Philip. Edmond serra la main de son frère dans ses deux mains et la secoua, non pas de bas en haut, mais de chaque côté et dit : "Oh, mon petit frère, mon petit frère" et des larmes lui emplirent les yeux.

Le père les quitta pour aller de chambre en chambre, en ouvrant et en fermant les portes des placards, en regardant dans l'entrée de devant, en levant les stores pour regarder au dehors, comme si l'extérieur obscur, vu de l'intérieur, était une extension de l'intérieur qu'il lui fallait vérifier. Edmond et Philip attendaient.

Dans la voiture, Edmond dit : "Tu vas enfin voir la maison à la campagne.

— Oui, dit Philip.

— Tu vas voir ce qu'achète ton argent."

Philip dit : "Je n'ai pas envoyé ma dernière contribution, je l'ai apportée pour la donner en personne."

Le père approuva de la tête.

Edmond dit : "Ma contribution consiste à servir de garçon de courses, c'est mon travail dans la famille...

— Tu fais beaucoup de choses, dit Philip.

— Oh, je fais ce que je peux. Mais vous les gars — toi, Al, André et même Richard, vous tous qui envoyez de l'argent à papa chaque mois — vous en faites beaucoup aussi, et vous n'êtes presque jamais là pour profiter de ce que vous faites dans la famille. Regardez, moi, je ne paie rien, et je passe tout l'été à la maison. Vous tous, vous devriez rester à la maison, vous devriez profiter de ce que vous payez.

— Si la famille en profite, dit Philip.

— Oh ! On en profite, je peux te le dire." Edmond commença un long inventaire de tous les plaisirs qu'ils avaient connus au cours du dernier été, des plaisirs dont Philip, il en était sûr, avait envie d'entendre parler, comme si la vie de la famille était pour Philip naturellement plus importante que la vie qu'il avait menée ces dernières années : un jour, Julien avait pris cinquante perches bleues, il les avait mises dans un seau puis il les avait rejetées ; une cane avait pondu deux œufs dans un nid sous l'appontement ; un soir, un écureuil était descendu dans la cheminée et leur avait fait peur ; ils avaient maintenant un bateau à moteur...

Philip écoutait à moitié et souriait à moitié.

Sa mère lui tira une chaise devant la table sur laquelle elle lui avait mis un couvert et où André et les deux garçons étaient déjà assis pour être avec lui. Son père dit : "Tu ne veux pas d'abord voir la maison ?" Philip regarda sa mère qui dit : "Va avec ton père."

Elle les entendait marcher dans la maison, elle entendait son mari parler. Ils finirent par la cuisine où elle se trouvait et le père et le fils restèrent debout face à face.

"Oh, oui," dit le père, "j'ai plus d'un projet." (Daniel qui se trouvait lui aussi dans la cuisine se demanda si son père savait ce qu'était "un projet".) "Je vais refaire la maison. Tu la reconnaîtras à peine quand j'aurai fini.

— Tu vas tellement y travailler ? demanda Philip.

— Bien sûr. Je veux en faire une maison vraiment formidable, vraiment vraiment formidable. Je sais travailler sur une maison.

— Oui," dit Philip.

La mère se dit : son mari ne s'occupait absolument pas de Philip, il ne se rendait même pas compte que c'était Philip qui se tenait devant lui ; Philip aurait pu être n'importe lequel de ses autres fils, car l'attitude du père envers lui était la même qu'envers tous les autres, elle consistait à les traiter tous comme un seul fils.

Son père le laissa enfin partir, il alla dans la salle de séjour lire ses journaux et Philip s'assit avec le reste de la famille. Sa mère dit : "Je veux savoir tout ce que tu n'as pas écrit dans tes lettres."

Elle s'assit sur le bord du lit, dans sa chambre, pendant qu'il déballait ses affaires. Elle remarqua qu'il avait soigneusement plié ses vêtements dans son sac et qu'il les rangeait soigneusement dans les tiroirs de sa commode. Elle se dit : il était difficile de dire comment il se différenciait des autres garçons — il était peut-être tout simplement plus soigné que les autres. Il parlait du Texas, où il était en garnison, de façon retenue. Quand il enleva sa chemise et son pantalon pour se changer, elle vit qu'il avait un corps soigné. Son visage avait une expression concentrée pour que ses paroles, ses actes et son corps soient soignés.

Il s'allongea sur le canapé de la salle de séjour, et, en silence, il écouta les autres parler autour du feu. Son père lui aussi se contentait d'écouter et, quelque temps après, il alla se coucher. Un courant d'air froid traversa la pièce au ras du sol et l'obscurité de la campagne à l'extérieur pénétra les murs et on eut l'impression que la lumière des lampes devenait plus intense. Les frères allèrent se coucher. La mère en robe de chambre s'assit près du feu et attacha ses cheveux avec des épingles en regardant Philip qu'elle croyait endormi jusqu'à ce qu'elle se rende compte qu'il avait les yeux ouverts. Elle s'approcha du canapé pour lui dire bonne nuit et elle pensa qu'elle le surprenait car il ne s'attendait pas à ce que ce soit elle qui lui parle. Il était quelque part ailleurs, il était avec quelqu'un d'autre.

Elle lui demanda : "A quoi penses-tu ?
— Oh... dit-il.
— Je ne veux pas savoir ce qui ne me regarde pas."
Il sourit.
Elle dit : "Je veux seulement savoir si quelque chose t'inquiète.
— Est-ce que j'ai l'air inquiet ?
— Je ne sais pas."
Il eut un petit rire : "Non, dit-il, je ne suis pas inquiet.
— Je vais me coucher", dit-elle.
Il dit : "Cette maison... papa en est très fier, non ?
— Il l'aime beaucoup.
— Oui, " dit Philip.

Le matin du Thanksgiving, alors que le break de Richard, où s'entassait sa famille, s'arrêtait devant la maison et qu'on ouvrait les portières pour que les enfants s'enfuient dans toutes les directions, la neige se mit à tomber. Richard sortit avec un énorme carton dans les bras, et sa femme, Chuckie, suivie d'un enfant, portait un bébé emmitouflé, le dernier de ses sept enfants. Daniel et Julien sortirent pour les aider à décharger de la voiture les sacs en papier pleins de pommes et de bananes, une grande marmite de soupe cabossée dont le couvercle était attaché avec une ficelle, des tartes à la citrouille enveloppées dans du papier paraffiné, un bol de sauce aux airelles. On entendait la voix des autres enfants près du lac.

La mère et Chuckie préparaient le repas et les hommes entraient et sortaient de la cuisine. Ils s'arrêtaient devant les fenêtres embuées et regardaient le paysage blanc gris, le lac blanc gris, les arbres dénudés blanc gris. De temps en temps, un enfant passait devant une fenêtre en courant et en criant, mais l'extérieur semblait vide et silencieux dans sa blancheur grise. Les hommes quittèrent la cuisine pour rester un instant dans la salle de séjour, près de la grande fenêtre embuée, derrière laquelle le paysage apparaissait blafard. Ils ne savaient pas comment s'installer dans cette maison. Il y avait des chaussures et des bottes entassées dans les coins de la salle de séjour et de la salle à manger, des vêtements posés sur le dossier des chaises et sur la rampe de l'escalier de l'entrée. Et ils ne savaient pas comment se tenir les uns devant les autres, se parler quelques instants, au pied de l'escalier, se croiser dans la salle de séjour, à une porte, devant la salle de bains occupée, avant de se séparer impitoyablement.

Edmond se tenait près du poêle dans la cuisine. "Je veux manger à midi," dit-il.

La mère dit : "Nous ne pouvons pas manger avant l'arrivée d'Albert.

— Ça m'est égal, nous mangeons toujours à midi, et c'est à cette heure-là que je veux manger. Il y a des règles dans cette maison, le déjeuner est à midi. Ils peuvent faire ce qu'ils veulent quand ils sont à l'extérieur mais ici ils doivent respecter les règles."

André, devant une des fenêtres de la cuisine, dit : "Il y a un taxi qui monte l'allée."

218

Les enfants couraient derrière. Il s'arrêta et Albert sortit par la portière arrière, comme sur un trottoir dans une ville.

Edmond dit, d'un ton agressif : "Mais pourquoi est-ce que tu ne m'as pas téléphoné ? Je serais allé te chercher en ville."

Albert dit : "Je voulais être là à midi, à l'heure où vous déjeunez."

Ils durent rallonger la table de la salle à manger en plaçant des tables de jeu à chaque extrémité. La mère essaya d'en faire une seule table en étalant dessus deux nappes, l'une avec des fleurs, l'autre avec un motif de treillis, qui se recouvraient au milieu. Ils s'assirent — la mère et le père, les sept fils, la belle-fille, les six enfants, et le bébé dans une chaise haute et pliante : de grandes bouteilles de lait, des soucoupes de radis, des verres avec des branches de céleri, des soucoupes d'olives vertes farcies au piment, un bol de sauce aux airelles, de grands plats de purée de pommes de terre et de navets, un saladier avec la farce de la dinde et l'énorme dinde elle-même, sur une planche à découper, des plats de haricots verts et de haricots beurre, un plateau où s'empilaient des tranches de pain blanc, un morceau de margarine dans une soucoupe, une grande salière et une grande poivrière, et un sucrier. Il y avait des verres de lait devant les assiettes des enfants et des tasses de thé avec des sachets devant celles des adultes. Les épaules de chacun s'appuyaient de chaque côté sur les épaules de ses voisins.

Albert dit, juste au moment où le père s'apprêtait à découper la dinde : "Je pense qu'on devrait dire le bénédicité."

La mère, coincée entre les enfants devant la table de jeu, dit :
"Vas-y, Albert.
— Oh, non. Papa, dis le bénédicité."

Le père fronça le sourcil. "Et si l'un de vous le disait, les garçons ?"

Richard se recula un peu de la table. "Non, non, dit-il. Non, ce n'est pas pour moi.
— Allez," dit Albert.

Les deux frères se regardèrent puis brusquement, un petit

sourire comme une légère contraction de la bouche, des joues et des yeux, traversa le visage de Richard. Il continua à regarder son frère. Un autre sourire changea ses traits pendant quelques instants. "D'accord," dit-il. Il baissa la tête. Les autres l'imitèrent. Richard dit : "Voici à manger, voici à boire, merci mon Dieu, mangeons." Quand ils relevèrent la tête, il avait un large sourire dirigé en particulier vers Albert, pas très sûr apparemment de sa réaction, mais Albert sourit.

La cheminée fumait. Edmond ouvrait et fermait la porte de la véranda, pour essayer de faire du tirage et André disposait les bûches pour qu'elles flambent. Philip dit à Edmond qu'il les glaçait et Richard prit les pinces des mains d'André et poussa les bûches de bouleau au fond des chenets. Les enfants allongés par terre lisaient des illustrés ouverts sur le tapis ou tapaient sur le plancher avec des jouets. Le père était assis à l'écart, loin de la cheminée, près de la fenêtre, et de la neige était entassée autour des petites vitres. Albert lui dit : "Pourquoi est-ce que tu ne viens pas avec nous, papa ?" Le père se leva, tout raide, et vint s'asseoir dans un fauteuil près de la cheminée où maintenant les flammes étaient claires.

Albert lui demanda : "Tu as des idées pour la maison ?

— Oui, oui, j'en ai.

— Qu'est-ce que c'est ?"

Le père posa les mains sur ses hanches. "Je pensais agrandir cette salle de séjour en abattant le mur de séparation avec la véranda pour ne faire qu'une grande pièce...

— Tu as abandonné l'idée de transformer le garage en salle de jeu pour les enfants ?

— C'est toujours une possibilité. J'ai envie de faire tellement de choses."

André, assis sur un coussin devant le pare-feu, dit : "Tu as tout le temps que tu veux pour en faire la plus belle maison du monde."

Le père hocha la tête.

"Et même si tu ne fais rien, dit Richard, elle est très belle comme elle est.

— Oh, oui.

— Et c'est un bon investissement, dit André.

— Oui, c'est vrai.

— Est-ce que tu as pensé à la vendre ?" demanda Philip.
Tous le regardèrent.

"Tu peux la vendre, tu peux en faire ce que tu veux.

— La vendre ?

— Je veux dire, si tu as besoin d'argent, si tu as besoin d'un petit capital. On a déjà remboursé une partie de l'hypothèque, suffisamment pour que tu récupères quelques milliers de dollars si tu as besoin d'un capital.

— Pour quoi faire ?

— Tu disais toujours que tu voulais ouvrir une petite quincaillerie dans la paroisse."

Le père avait les yeux fixés sur le feu. "Avant, il faudra en rembourser beaucoup plus sur l'hypothèque.

— Ça se fera plus vite que tu ne le penses," dit Albert.

Edmond dit : "J'ai repeint le garage à bateaux, l'été dernier. C'est plus que ce que n'importe qui a fait pour la maison. Si vous voulez mon avis, c'est toute la maison qui a besoin d'être repeinte. Et il y a une fuite au toit."

Philip se leva de sa chaise, passa par dessus les enfants et alla s'allonger sur le canapé, un coussin sous la tête puis il ferma les yeux. La fumée du bois remplissait la pièce.

Daniel dit : "Je vais faire un tour dehors."

Philip ouvrit les yeux : "Où ça ?

— Jusqu'à la ferme du Verger.

— Je vais avec toi," dit Philip.

Ils suivirent la route recouverte de neige, sous les branches blanches ; la terre blanc-gris était du même blanc-gris que le ciel et la neige fine semblait à la fois tomber et voler dans l'air blanc-gris. Ce n'était pas seulement parce qu'il se trouvait à la campagne à une saison inhabituelle que Daniel ne se sentait pas à sa place, c'était aussi parce qu'il était avec son frère qui, lui-même habitait une saison inhabituelle, la saison inconnue de quelqu'un qui vivait au loin.

Philip dit : "Vous aimez tous être ici, n'est-ce pas ?

— Oui, dit Daniel.

— Et papa, il aime vraiment ?"

Daniel répondit avec la sensation soudaine de prendre un risque physique : "Non, il n'aime pas être ici."

Philip ne dit rien.

"L'été, on vient le plus tard possible. Il repousse toujours le départ. Et à chaque fois qu'il y a un orage et que l'électricité est coupée pendant quelques jours, il dit qu'il faut retourner en ville. A la fin de l'été, il veut toujours rentrer une semaine avant le début de l'école."

Philip dit : "On l'a achetée pour lui. On l'a achetée parce qu'après tout ce qu'il avait perdu, on croyait qu'il pourrait au moins se dire : mes fils pensent à moi."

Daniel dit : "Il en est fier."

Philip clignait des paupières quand les flocons lui tombaient dans les yeux.

Ils arrivèrent sur la route où une voiture venait de passer, et ils marchèrent dans les traces des roues vers la ferme située sur une petite montée et vers une grange en pierre devant laquelle on voyait de grands paniers de pommes sous la neige. Un vieil homme, vêtu d'une canadienne et d'une casquette à oreillettes, était assis dans l'entrée, près d'un poêle à pétrole.

Daniel dit : "Voici M. Leveret. Il possédait le terrain sur lequel notre maison est construite."

M. Leveret se leva comme s'il voulait les empêcher d'entrer dans la grange.

"Vous voulez des pommes ? demanda-t-il.

— Oui, d'accord," dit Philip.

M. Leveret donna un coup de pied dans un panier : "C'est de la reinette des Carmes, elles sont très bonnes."

Philip prit une pomme et mordit dedans.

Daniel restait à côté du poêle. Il demanda : "M. Leveret, est-ce qu'il y a eu des Indiens par ici ?

— Qui pouvait-il y avoir d'autre ?

— Vous savez où ils étaient ?

— Je sais qu'il y avait un sachem, Tocomus, Tocomo, quelque chose comme ça, qui a vendu huit ou neuf kilomètres carrés de terre à quelqu'un de ma famille contre des hameçons. Pour le contrat, le fils aîné s'est allongé par terre et il lui a mis sa marque sur le dos, et ses autres fils ont dû signer chacun sur le dos de l'autre.

— Où est-ce qu'ils sont allés ?"

M. Leveret fit un geste en l'air.

Les deux frères rapportèrent le panier en le tenant chacun par une poignée en fil de fer qui leur rentrait dans les doigts, parfois le panier se balançait et des pommes roulaient dans la neige. Des rafales de vent soufflaient dans les bois et transformaient la neige en spectres qui tournoyaient entre les arbres sombres ; dans le silence profond les spectres faisaient un faible *chee*.

Richard, Chuckie et les enfants jetaient les affaires — les bols et les casseroles vides, les illustrés, les jouets, les bottes — dans des caisses en carton pour s'en aller, quand Daniel et Philip rentrèrent. La nuit tombait, encore plus tôt à cause de la neige, quand Richard et sa famille partirent.

Albert, André et Philip montèrent faire un somme dans leur chambre.

Daniel resta devant la fenêtre de la salle de séjour pour contempler la neige bleu-gris. De l'autre côté de la pelouse, entre les bouleaux penchés, il vit deux silhouettes, une grande et une petite, qui descendaient l'allée vers le pont ; il reconnut Edmond, vêtu d'une vieille veste militaire, et d'un bonnet de laine, avec un jeune garçon dont il pensa d'abord que c'était un neveu oublié. Il dit à sa mère, assise près de lui, les yeux fermés : "Qui est avec Edmond ?" La mère se leva pour voir. Edmond et le petit garçon étaient sur le pont. Le petit garçon avait le bas du visage caché par une écharpe et une casquette rabattue sur les yeux. Edmond lui fit signe de le suivre dans l'île. Brusquement, la mère quitta la fenêtre, ouvrit la grande porte de la salle de séjour et cria à travers la porte moustiquaire gelée : "Edmond ! Edmond !" Par la fenêtre, Daniel vit Edmond lancer un caillou ou une pomme de pin, mais c'était un geste d'ennui habituel à Edmond. "Edmond !" cria sa mère. Edmond laissa le garçon sur le pont et remonta lentement vers la maison ; il n'avait pas attaché ses bottes et la tige battait. La mère tint ouvertes la moustiquaire et la porte tandis qu'il enlevait ses bottes pour entrer, puis elle les referma en les faisant claquer. "Où est-ce que tu allais ?" demanda-t-elle. "J'allais seulement faire visiter l'île à Billy." "Qui est-ce ? Qui est Billy ?" "C'est le fils d'un fermier." "Alors, il connaît l'île, il n'a pas besoin que tu la lui fasses visiter."

Daniel dit : "Ed, tu devrais rester avec des garçons de ton âge."

Edmond jeta sa casquette par terre. "Oh, ouais, ouais ! Vous sortez, vous avez vos amis, et quels amis est-ce que j'ai ici ? Je reste à la maison, je fais ce que je peux, je m'occupe de maman et de papa. Tu vas aussi aller à l'université, et ensuite Julien. Je vais rester ici. Je vais rester pour faire tout ce que vous ne voulez pas faire !"

Daniel cria : "Personne ne t'oblige à rester. Pars, vas-y si tu veux."

Edmond tendit le doigt vers lui. "Attends d'aller à l'université. Essaie de me téléphoner de la gare pour que j'aille te chercher, tu verras ce que je ferai, je te raccrocherai au nez. Tu te crois malin...

— Oh ! La ferme ! cria Daniel.

— Non, je ne la fermerai pas. Je ne suis pas idiot. Je sais que c'est ce que vous pensez. J'en ai marre d'être le garçon de courses de la famille. Edmond l'idiot. C'est moi.

— Ça suffit tous les deux", dit la mère puis elle s'adressa au père : "Dis-leur d'arrêter."

Le père, près de la cheminée dit : "Ça suffit".

Julien n'avait pas levé les yeux de son illustré.

Dans le silence de la maison, la mère s'assit dans un fauteuil devant son mari, près de la cheminée. Elle avait l'habitude de ne pas savoir ce qu'il pensait, mais elle n'avait pas l'habitude de ne pas savoir ce que pensaient ses fils. Edmond, allongé sur le canapé, lisait l'illustré que venait de terminer Julien. Les autres, réveillés de leur sieste, revinrent dans la pièce, un par un, Albert en se frottant les arcades sourcilières, André en se passant les doigts dans ses cheveux coupés court.

Alors qu'ils prenaient du thé et des tranches de tarte dans la salle de séjour, Daniel monta tranquillement dans sa chambre.

Il passa devant la porte ouverte de Philip et, il vit son frère sur le lit, qui tenait une photo. Philip la mit sur le côté pour regarder Daniel et, comme s'il s'était attendu à le voir là, il dit : "Salut, Dan". Daniel s'arrêta. Philip le regarda quelques instants puis tourna à nouveau les yeux vers la photo ; il la posa sur sa poitrine et croisa les poignets.

Daniel était allongé sur son lit, les yeux ouverts, et essayait de se représenter le visage et le corps de Philip dans l'air.

Au souper, la mère dit à Philip : "Je crois que la prochaine fois que tu viendras à la maison, si tu veux revenir, tu ne seras pas seul."

Il la regarda avec de grands yeux : "Quoi ?

— Oh, j'ai l'impression..."

Philip eut un petit sourire.

"J'ai raison ?" demanda-t-elle.

Edmond abaissa sa fourchette et l'enfonça dans un gros morceau de dinde froide.

"Raison à propos de quoi ?"

La mère dit : "Et c'est sérieux ?

— Oui, dit Philip.

— Où est-elle ? demanda la mère.

— Au Texas.

— Elle est texane ?

— Oui.

— Comment l'as-tu rencontrée ?

— Je suis allé chez un ami lieutenant, un type qui s'appelle Jack Hantz, dans sa famille, au Texas, près de la côte. Son père a une plantation de coton. Jenny est sa sœur.

— Jenny.

— Oui."

La mère tourna les yeux vers le père qui fixait Philip avec un regard dur.

Philip dit : "Vous savez, la première fois que je suis allé là-bas, je ne pense pas qu'elle m'a vu. Jack et moi, nous l'avons accompagnée à un match de football dans son université. Elle est étudiante. Quand nous sommes sortis du stade, elle m'a pris la main. Vous voulez voir sa photo."

Edmond écarquilla les yeux. "Evidemment !"

Philip sortit la photo de son portefeuille et la tendit à sa mère.

"Oh, elle est jolie."

Elle passa la photo au père qui leva et baissa la tête comme si la fille avait été devant lui et comme s'il la regardait de la tête aux pieds.

La mère fronça les sourcils et demanda : "Est-ce qu'elle est française ?"

Philip dit : "Elle s'appelle Jenny Hantz.

— Allez, dit André, tu ne veux quand même pas qu'on épouse des filles de la paroisse.

— Ç'aurait été bien, dit la mère."

Le père passa la photo à Albert. "Son père a une plantation de coton ?

— Oh, oh ! dit Edmond. C'est déjà l'accent du sud, "J'crois bien."

— Est-ce qu'elle est catholique ? demanda la mère.

— Non," dit Philip.

La mère tendit les bras comme si elle venait de libérer un oiseau et elle tourna d'abord les yeux, non pas vers son mari, mais vers son fils Albert, qui regardait son père : lui aussi, elle s'en rendit compte quand elle tourna les yeux vers lui, regardait Albert.

Seul, près de sa mère qui faisait la vaisselle, Philip lui demanda : "Est-ce que c'est très important pour vous qu'elle ne soit pas catholique ?" La mère tordit un torchon pour l'essorer comme si elle voulait s'essorer l'esprit, puis elle dit : "Tu sais, quand nous étions enfants, les sœurs nous demandaient de ne pas passer devant le temple protestant, mais de traverser la rue pour changer de trottoir, parce que le diable se trouvait dans le temple. Tu dois essayer de comprendre. Ton père et moi, nous n'assisterions jamais à un mariage dans un temple protestant, même si deux protestants se mariaient. Tu comprends, ils ne seraient pas vraiment mariés parce que seul le mariage catholique est valable et si nous assistions à un mariage protestant ce serait accepter un péché.

— Je ne me marierai jamais dans un temple protestant," dit Philip.

La mère le regarda, le visage légèrement tordu. "Je sais, je sais. Je sais que tu ne commettrais pas un péché.

— Qu'est-ce qu'a dit Papa, demanda-t-il.

— Il n'a rien dit.

— Est-ce que son silence signifie qu'il n'est pas d'accord ? Il faut que je sache.

— Je ne sais pas ce qu'il signifie.

— Est-ce qu'il serait contre mon mariage ?

— Oh, ton père ne dit jamais rien. Il me laisse dire les choses.

— Si tu disais que c'est d'accord, est-ce qu'il te suivrait."

Elle dit : "Je vais prier. Je vais prier pour ce qui est le mieux."

Philip sourit. Il prit sa mère dans ses bras pour la serrer contre lui et il enfouit son visage dans son cou. "Ne t'inquiète pas, dit-il, ne t'inquiète pas. Je ne commettrai pas de péché. Nous nous retrouverons tous au paradis, comme tu le veux, et ma femme, qui que ce soit, y sera aussi. " La mère laissait pendre les bras et elle dit, alors qu'il la tenait toujours contre lui : "Nous savons bien que tu ne peux pas rester dans la paroisse. Nous savons même que tu ne peux pas rester à Providence. Mais, oh Philip, n'abandonne pas l'Eglise." Il ouvrit les bras. "Tu es intelligent, le plus intelligent de nous tous ; j'ai gardé tes carnets de notes du collège La Salle. Tu as rencontré des gens que tu n'aurais jamais rencontrés ici, et je pense que tu ne les amèneras jamais à la maison. Albert s'en est allé loin de nous, plus loin que les autres, et pourtant, quand il revient, c'est comme s'il n'avait pas quitté la maison. Mais quand tu reviens, j'ai l'impression que c'est la première fois que tu es là. Parfois, je me demande si tu n'es pas allé trop loin. Ne quitte pas l'Eglise. S'il te plaît. Parce qu'en dehors de l'Eglise tu ne trouveras pas de salut." Elle serra ses mains contre sa gorge.

Le soir, ils s'assirent dans la salle de séjour. Il ne neigeait plus et, dans le vent qui soufflait doucement, ils pouvaient entendre craquer les branches des pins qui entouraient la maison. Tandis qu'Albert apprenait à Julien à jouer aux échecs, tous deux accroupis devant la table basse, qu'Edmond continait à lire ou relire l'illustré qu'il avait lu tout l'après-midi, que Daniel lisait : "... idées — conceptions telle que *celles-ci* — pensées qui semblent ne pas avoir été pensées — rêveries de l'âme plutôt que conclusions ou même que considérations de l'intellect...", que la mère et le père se balançaient de chaque côté du feu en train de mourir et qu'André écrivait dans son carnet, Philip, au centre de leur attention, était assis sur son coussin près de la cheminée.

Après un silence, Philip dit : "Je veux lui acheter un cadeau.

— Pour lui rapporter au Texas ? dit la mère.

— Oui, je veux lui acheter quelque chose à Providence.

— Du parfum, dit André.

— Ou quelque chose de plus durable..."

De la neige tomba d'une branche et s'écrasa sur le toit avec un bruit sourd.

Philip dit, en baissant la tête : "Je devrais peut-être lui acheter un chapelet."

La mère se ranima, comme si Philip avait trouvé la solution à un problème qu'elle savait qu'ils devaient résoudre avant d'aller se coucher. "Oh, Philip, ce serait tellement merveilleux."

Albert frappa de sa main ouverte sur la table basse. Les pièces du jeu d'échec sautèrent sur place. "S'il vous plaît, dit-il, ne lui imposez pas notre religion !" Il regardait fixement sa mère.

"Oh, je..." s'exclama-t-elle, en raidissant brusquement son corps.

"Est-ce que tu ne sais pas qu'on ne peut pas *imposer* à

quelqu'un de faire ce qu'il ne veut pas ? Est-ce que tu ne sais pas qu'on ne peut rien *imposer* à personne ?"

Tout le monde resta silencieux, puis la mère dit, d'une voix aussi tendue que son corps et que son visage : "Alors, qu'est-ce que tu fais à la guerre, sinon imposer à d'autres de faire ce que tu veux qu'ils fassent ?

— Tu ne comprends pas.

— Alors, je veux comprendre. Vous me semblez tellement étranges parfois. Je ne comprends pas ce que vous pensez."

Albert dit : "Nous faisons la guerre pour donner aux gens la possibilité de choisir tout seuls ce qu'ils veulent, nous faisons la guerre pour leur donner la liberté...

— Mais..., dit-elle.

— Ça suffit comme ça," lui dit son mari.

Albert dit à Philip : "Nous irons en ville ensemble. Nous lui choisirons quelque chose de bien particulier.

— Merci, dit Philip.

— Ce doit être une fille très particulière," dit Albert.

Julien dit : "Qu'est-ce qu'il y a de si particulier chez une fille ?"

Les frères rirent, le père aussi. La mère regardait le feu et les chenets, des hiboux de fer noirci.

Le père posa sa tasse sur une pile de journaux et dit : "Je pense qu'il est l'heure que j'aille me coucher." Il dit à sa femme : "Qu'est-ce que tu penses, *ma p'tite fille ?*"

André dit : "Reste encore un peu avec nous, papa. C'est agréable de te voir au milieu de nous, de te voir profiter de la maison avec nous.

— Ce n'est pas vraiment la mienne, tant que le dernier paiement n'est pas effectué," dit le père, en serrant les bras de son fauteuil et en se levant.

Philip dit : "Evidemment, si je me marie, je ne pourrai plus envoyer d'argent."

Le père resta à moitié levé.

Albert dit rapidement : "On s'occupera de tout ça..."

Le père se mit sur ses pieds. Il regardait toujours Philip. Il dit d'une voix ferme : "Mais tu t'es engagé."

Philip détourna les yeux.

Au bout d'un moment, pendant lequel tous sauf Philip regardaient le père, le père dit à la mère : "On va se coucher."

Elle se leva.

Il dit : "Et nous rentrerons en ville demain."

Edmond dit : "Mais nous sommes venus pour une semaine.

— Vous, les garçons, vous n'avez qu'à rester. Votre mère et moi, nous rentrerons en ville demain.

— Pourquoi ?" demanda Daniel.

La peau du visage du père se tendit ; ses oreilles bougèrent. "Parce que je le veux," dit-il.

Il sortit. La mère regarda silencieusement ses fils l'un après l'autre, puis elle suivit leur père.

Albert leva les mains. "Tout va bien se passer," dit-il.

Daniel dit : "Je crois que je vais aller faire un tour."

Il descendit jusqu'au lac, jusqu'à la petite plage. La seule lumière était celle de la fenêtre de la salle de séjour, un grand faisceau pâle qui glissait jusqu'à lui et qui se perdait dans l'obscurité du lac d'où venaient des grondements lointains. Il s'avança sur la glace couverte de neige et s'arrêta quelques instants en essayant de s'obliger à continuer d'avancer, mais il revint sur la terre ferme.

Par la grande fenêtre, il vit que la salle de séjour était vide. Un lampadaire était allumé près de la cheminée. Il ouvrit la porte moustiquaire de la véranda, et la glace qui l'entourait craqua, puis il ouvrit doucement la porte. Il entendit sa mère qui disait : "Oh," quand il referma la porte, il la vit, en peignoir, près de la cheminée, devant le lampadaire.

Elle dit : "Je croyais que tu étais allé te coucher, je croyais être la seule debout."

Il enleva ses bottes sur le paillasson devant la porte.

"Je suis allé faire un tour.

— Par ce froid ?

— J'aime ça."

Elle ne bougeait pas.

Il demanda : "Il y a quelque chose qui ne va pas ?

— Je ne voulais pas déranger ton père. Je toussais un peu.

— Tu ne pouvais pas dormir ?

— Je suis descendue lire le journal."

Il enleva son manteau et son écharpe. Il dit : "On s'asseoit sur le canapé ?

— Volontiers," dit-elle.

Ils s'assirent à chaque bout du canapé. Elle se balançait d'arrière en avant. Elle dit : "Je crois que tu penses à ton départ, quand tu vas aller à l'université.

— Ce n'est pas pour demain.

— Ce ne sera plus comme ici...

— Non," dit-il.

"Tu préfèreras peut-être ça.

— Je ne sais pas.

— Ce ne sera pas facile pour toi. Tu fais à ta guise à la maison. Tous vous êtes comme ça. Vous faites ce qui vous plaît. Ton père et moi, on vous a toujours laissés libres. Pourtant, tu vas découvrir que tu ne pourras pas faire à ta guise à l'extérieur. Tu te souviens quand tu voulais une bicyclette, tu as dit que tu en voulais une, et je t'ai répondu — je ne sais pas, mais je crois que je n'aurais pas dû plaisanter — "Je vais t'en donner deux, une pour la semaine et une pour le dimanche," et tu as jeté tes lunettes par terre et tu les as cassées, ton père avait travaillé dur pour te les acheter afin que tu puisses lire sans problèmes, et je t'ai dit : "Tu n'auras pas de bicyclette, pas après ça," et malgré tout, tu l'as eue, nous te l'avons achetée. Toi et Julien, les plus jeunes, ça a été plus facile pour vous que pour vos frères. Personne n'exige rien de vous ici. Tu vas découvrir qu'à l'extérieur, c'est très différent. Tu ne pourras plus faire à ta guise. Regarde ton père. Il voulait faire ce qui lui plaisait. Il n'a pas pu. Tu seras obligé de faire beaucoup de choses que tu ne veux pas faire. Ton père voulait toujours faire à sa guise. Tu vois ce qui s'est passé.

— Je suis comme papa, alors ?

— Je ne sais pas. Peut-être. Comme lui, tu penses que tu peux avoir ce que tu veux. Tu seras toujours déçu si tu penses ça, comme ton père l'a été. Tu n'auras pas ce que tu veux.

— Papa, qu'est-ce qu'il voulait ?"

Elle se frotta le dos d'une main avec le bout des doigts de l'autre main. "Il voulait simplement faire à sa guise.

— Et il n'a pas pu ?

— Non.

— Et tu penses que je veux faire à ma guise et que je ne pourrai pas ?

— Je te souhaite de pouvoir. Je suis ta mère, et j'espère que tu pourras."

De la neige glissa de toit et tomba par terre devant la fenêtre.

La mère dit : "Je me demande ce qui va se passer.

— Je ne sais pas," répondit-il.

Elle se pencha un peu, en silence.

Il lui demanda : "Est-ce qu'on va se coucher ?

— Non, dit-elle, on est très bien ici," puis elle ajouta : "Mais tu veux peut-être que je te laisse seul ?

— Non, non," dit-il.

Elle sembla prendre une grande respiration et elle dit, comme dans un seul souffle : "Oh, Daniel, Daniel, il y a tellement de choses que j'ai envie de dire. Pourquoi est-ce que je ne peux pas ? Tu es le seul qui m'écoutes quand j'essaie de les dire. Il y a des choses qui ne cessent de me tourner dans la tête, pas des pensées, parce que s'il s'agissait de pensées, je pourrais les penser, n'est-ce pas, et les dire, mais je n'arrive pas à les penser, pas clairement, et je ne peux pas les dire. Ton père est un brave homme, un très brave homme. Il dit exactement ce qu'il pense. Où en serais-je sans lui ? Sa pensée est si claire. Il ne comprend pas. Et si je lui dis : "Jim", il se contente de me regarder. Je ne t'énerve pas ?

— Non, dit Daniel.

— Je crois que je t'énerve.

— Non", dit-il en se tournant brusquement vers elle. "Non, tu ne m'énerves pas.

— Sois patient avec moi."

Il pensait : il y avait, il devait y avoir quelque chose en elle, un petit globe flottant, une sorte de centre non fixé, auquel tout ce qu'elle disait était relié, ou qui libérait les vagues successives de ce qu'elle disait ; il voulait localiser ce centre, il voulait qu'en une phrase, en un seul mot, elle le révèle et il aurait su de quoi elle parlait.

Elle dit : "Parfois, je me demande si l'une de mes fausses-couches n'était pas une fille. J'espérais que tu sois une fille. Tu devais t'appeler Janine Marie. J'avais demandé à ton père qu'il peigne ton berceau en rose, j'y avais mis des rubans roses, j'étais si sûre. Après toi, j'ai fait une fausse-couche, puis j'ai eu Julien, puis une autre fausse-couche. Ton père enveloppait l'embryon dans un journal et le brûlait dans la chaudière. C'est seulement parce que ton père l'a voulu que Julien et toi vous êtes nés. Après la naissance d'André, j'ai eu — oh, je peux te le dire, tu es assez grand maintenant — une descente de matrice. Le docteur, M. Lalande a dit que je devais me la faire enlever. Mais tu sais comment est ton père. Il n'a pas voulu qu'on m'opère. Il a dit : "Ma femme ne sera pas soumise au couteau." Le docteur Lalande a dit : "Si elle est à nouveau

233

enceinte, elle peut en mourir." Je crois que c'est ce qu'il a dit. J'aurais dû être opérée, mais ton père a dit non. Tu sais, on ne connaissait pas le contrôle des naissances ou des choses comme ça. Mais ton père insistait pour qu'on couche dans le même lit. Tu comprends ? Ma vie dépendait du contrôle qu'il avait sur lui-même. C'était dur pour lui. Nous avons vécu ainsi pendant sept ans. J'en étais malade. Je me suis dit, ce n'est pas ça la vie, nous devons vivre, je vais prendre le risque d'avoir un enfant. Je l'ai décidé. Je ne me suis pas occupée de moi. Je ne me suis vraiment pas occupée de savoir si j'allais mourir, pourvu que la paix revienne à la maison. Je me suis décidée. Tu es né. Tu vois, si ton père avait écouté le médecin, s'il avait accepté qu'on m'opère, tu ne serais pas là. Tu le dois à ton père. Mais je pensais que tu serais une fille. Ensuite, j'ai fait une fausse-couche. C'était une petite chose avec des ouies. Ton père l'a brûlée. Puis Julien est né. Je savais que ce serait un garçon. Et après, j'ai encore eu une fausse-couche."

Daniel s'enfonça dans le canapé et ferma les yeux.

Elle dit : "Je t'ennuie, je le sais."

Il ne pouvait pas ouvrir les yeux. Il dit : "Non, non."

Elle dit : "Il y a des choses qu'un garçon, même s'il est gentil, ne peut pas comprendre."

Derrière ses paupières closes, il avait l'impression de ne pas être un corps mais un immense espace. Il dit : "Non." Il sentait le canapé bouger légèrement à cause du balancement régulier de sa mère.

Le balancement s'arrêta brusquement. Elle dit, d'une voix plus basse : "Daniel, promets-moi quelque chose."

Il ouvrit les yeux. Elle le regardait.

"S'il te plaît, promets-moi d'être patient avec moi.

— Patient ?

— S'il te plaît ne sois pas impatient avec moi, jamais. Je te demande beaucoup. Je le sais. Je te demande plus que je n'en ai le droit."

Il mit longtemps avant de répondre : "Je serai patient", mais en disant cela une inquiétude le traversa.

"Oh," dit-elle.

Il tendit la main pour prendre la sienne. C'était comme s'il s'obligeait à s'avancer alors qu'il n'avait qu'un désir, celui de s'allonger sur le dos. Il dit : "Tu penses que je ne pourrais pas comprendre, mais je le peux.

— Non, dit-elle, non, tu ne pourrais pas, même une fille ne le pourrait pas.

— Je comprendrai.

— Tu veux t'en aller.

— Non."

Elle recommença à se balancer. "Je pense à vous, à vous, tous mes garçons, si souvent. Je sais que si je te le demandais, tu serais patient avec moi. Je pense à vous quand vous étiez des bébés. Quand je ne peux pas dormir, je vous revois dans vos berceaux, quand vous faisiez vos premiers pas, quand vous avez commencé à parler. Je sais que vous ne me décevrez jamais, aucun de vous."

Daniel l'écouta parler de la famille. Il ne cessait de se mordre le dos des mains.

"Richard, *il était un vrai diable,* mais, oh, tout le monde l'aimait, avec ses longues boucles blondes et claires et ses yeux bleus toujours grands ouverts. Il avait l'habitude de soulever la jupe des femmes pour regarder dessous. Il a laissé tomber son nounours dans la soupe. Ton père l'a mangée, moi je n'ai pas pu. Il criait aux gens qui passaient sur la place : *"Je vois tes fesses",* et j'espérais qu'ils ne comprenaient pas. Une fois, il a jeté une pomme de terre dans le berceau d'Albert. Ton père s'est mis en colère. Il l'a frappé sur la tête. J'ai dit : "Non, non, pas sur la tête, ne le frappe pas sur la tête." Il n'a jamais, ton père, il n'a jamais plus frappé aucun de vous. Tu ne te souviens pas qu'il t'ait frappé, hein ? Albert était brun. Il avait les cheveux coupés court. Il était toujours calme. Il ne voulait jamais sortir. Lui et Richard, nous les avons emmenés voir un film au cinéma le Château quand ils ont été assez grands. C'était un film sur un combat entre un serpent et une mangouste. La mangouste gagnait. Albert en a fait des cauchemars, il se réveillait en hurlant ; Edmond était brun lui aussi. Il venait toujours me dire : "Ils m'embêtent". Je lui disais : "Défends-toi." Une fois, il est venu me dire : "Ils se croient malins, mais je suis plus malin qu'eux, je leur ai dit, vous n'êtes pas si malins et je leur ai flanqué une volée, je les ai tellement battus que j'ai peur de leur avoir rompu les os." Je lui ai dit : "Ed, ce n'est pas vrai." Il a pleuré. "Enfin, je voulais le faire". Philip pouvait se mettre dans des colères noires, Edmond ne s'est jamais vraiment mis en colère, mais Philip si. Il hurlait et tapait dans tous les sens, et je demandais aux plus âgés de l'emmener dans la salle de bains et de le tenir pendant qu'il se débattait, je mouillais un gant de toilette pour qu'il soit plein d'eau froide et je le lui appliquais sur le visage. Il hurlait : "Tu vas me noyer", je lui répondais : "Tiens-toi tranquille et ça ira bien," et il se calmait, alors je le séchais et je le coiffais. Nous ne vous avons jamais battus ; le pire que nous ayons fait, a été de vous montrer la courroie sur laquelle votre père repassait son rasoir et de vous dire : "Tu ferais mieux de te tenir tranquille, sinon..." André n'a jamais posé de problème. Il était toujours en train de faire quelque chose, tout seul dans sa chambre. En fait, aucun de vous ne nous a jamais créé de problèmes ; tu jouais pendant des heures avec des chiffons que tu prenais dans les boîtes de mon placard, tu les sortais des boîtes et tu les rangeais par couleurs et par motifs sur mon lit ; je disais à ton père : "Il sera dans les chiffons". Tu avais les yeux bleus comme Richard et j'ai pensé qu'il devait être ton parrain. Julien ne nous a jamais posé non plus de problèmes quand il était bébé, mais il était tellement silencieux que, pendant un moment, nous nous sommes demandés s'il n'était pas sourd. Il n'a jamais beaucoup parlé, même quand il a su, et il reste buté dans son silence. Un jour, je l'ai emmené en ville pour faire des courses et nous nous sommes arrêtés chez un marchand de glaces, je lui ai demandé ce qu'il voulait et, après un long silence, il a répondu : "De l'eau". Je pensais que je ne pouvais pas prendre un ice-cream soda avec, à côté de moi, mon petit garçon qui buvait de l'eau. J'ai essayé de le tenter, parfum après parfum, mais il répétait toujours : "De l'eau, de l'eau." Mais moi je voulais un ice-cream soda, aussi, je m'en suis commandé un et j'ai dû dire, très fort, à la serveuse : "Il veut seulement un verre d'eau."

Elle s'arrêta de se balancer et resta tout à fait immobile. Elle dit : "Je vais essayer d'aller dormir.

— Oui, dit-il. J'éteindrai."

Avant de partir, elle dit : "Ne dis pas à ton père que nous avons parlé.

— Non," dit-il.

Il ferma les portes à clef. Sur la chaise, sous le lampadaire, il y avait un journal. Il le ramassa et vit, soigneusement écrit au crayon, de l'écriture claire et régulière de sa mère : Richard A. Francœur, Albert B. Francœur, Edmond R. Francœur, Philip P. Francœur, André J. Francœur, Daniel R. Francœur, Julien E. Francœur, Richard A. Francœur, Albert B. Francœur, Edmond...

Quand la mère était seule, chaque pensée — qu'il fallait laver les fenêtres, qu'il y avait une personne de moins dans la maison, que la pendule retardait — la faisait tressaillir de douleur ; la moindre sensation — qu'elle avait froid, qu'elle n'avait pas envie de parler à Edmond quand il sortait de la salle de bains le matin, qu'elle n'avait pas envie de réveiller Julien pour le sortir de son lit — la faisait tressaillir de douleur. Pendant la longue matinée, la vue d'un livre oublié sur la table, le contact de l'eau chaude dans la bassine à vaisselle, le bruit dans les conduites d'eau chaude, lui étaient douloureux. Elle regardait fixement le livre, remuait les mains dans l'eau, écoutait le bruit de tuyaux sans savoir pourquoi cela lui faisait si mal. Elle se disait que tout ce qui n'allait pas pouvait être facilement, très facilement réparé — comme ranger le livre dans le bureau, ajouter de l'eau froide, libérer de la vapeur de la chaudière. Elle avait des pensées inquiètes à propos d'un craquement au plafond, des sensations angoissées en imaginant qu'elle pouvait tomber en se penchant à une fenêtre pour étendre du linge, et, parmi ces pensées et ses sensations, ne cessaient de revenir, avec autant d'inquiétude et d'angoisse que la pensée des craquements au plafond ou la sensation de la chute par la fenêtre, la pensée, la sensation qu'elle pouvait perdre sa maison.

Elle aimait ses fils mais elle ne voulait pas, jamais, dépendre d'eux — et maintenant elle ne pensait à rien d'autre qu'à les appeler au secours parce qu'en fin de compte, elle et son mari dépendaient d'eux. Elle ne l'avait pas voulu, elle ne l'avait pas voulu. Alors, était-ce sa faute ? Elle ne l'avait pas voulu, ce qui était arrivé. Ce n'était pas la faute de Philip, c'était la sienne ; elle n'accusait pas Philip. Ses pensées tournaient en rond. Si seulement elle avait su quoi faire. C'était entièrement sa faute, aussi elle devait trouver quoi faire. Elle était sûre qu'avec une pensée juste, elle pourrait facilement, très facilement tout remettre en ordre.

Elle alla dans l'entrée de devant et ramassa une lettre par terre. C'était une lettre d'Albert. Elle la lut dans le froid de l'entrée. Ensuite, elle alla dans sa chambre pour s'allonger calmement sur son lit et celui de son mari.

Elle donna la lettre d'Albert à son mari quand il eut mis ses pantoufles. Il la lui rendit après l'avoir lue. Elle la prit et la regarda. Il montra la lettre avec son doigt coupé.

"Ça ne change rien, dit-il.

— Mais si, dit-elle.

— Non, Albert va s'occuper de tout. Il va reprendre la totalité de l'hypothèque, dit-il, la part de Richard et celle d'André. Il en a les moyens.

— Douze cents dollars de plus par mois.

— Il dit qu'il peut

— Il ne lui restera rien.

— Il dit que c'est ce qu'il veut.

— Ce n'est pas bien de la part de Philip, de la part d'aucun de nous, d'attendre qu'Albert s'occupe de tout.

— Tu n'aurais pas dit ça il y a quelques mois.

— Je le dis maintenant.

— Mais c'est Albert qui le veut.

— Il y est obligé par ses frères.

— Obligé ? Non, Albert ne ferait jamais ça. Il fait ce qu'il sait être bien...

— Je pensais qu'il avait plus de religion qu'il en a maintenant.

— Mais il est pieux ; c'est justement parce qu'il est pieux qu'il fait de tels sacrifices afin que la famille reste en paix.

— Alors, il fait des sacrifices pour rien, parce que notre famille n'est pas en paix.

— Mais après qui est-ce que tu en as ?

— Tu le sais.

— Tu veux que Philip abandonne son projet de mariage ?

— Je veux qu'il fasse ce qu'il a dit.

— Mais même Albert, qui est tellement strict sur les questions d'honneur, n'exige ça. Philip et Jenny se marient à l'église. Il ne commet pas de péché.

— Si. Philip s'est engagé.

— Pourquoi est-ce que tu insistes ?

— Parce que. J'ai passé ma journée à lessiver des plafonds. Maintenant je suis fatigué.

— Ils ne te feront jamais de mal."

Le père regarda vers la porte de Julien à travers laquelle on entendait de la musique comme si elle venait d'une maison bien close.

"Je vais frapper à sa porte pour lui dire de baisser l'électrophone, dit Reena.

— Non, dit Jim d'un air sombre, laisse-le."

Le père passa la soirée devant son bureau à écrire une lettre pour Philip. Il la montra à sa femme. Elle disait brièvement et sans ponctuation que si Philip se mariait il ne pourrait plus se considérer comme chez lui dans la maison familiale et que la prochaine fois qu'il verrait son père, s'il le revoyait, ce serait dans une boîte de sapin.

Reena lui demanda : "Tu veux savoir ce que j'en pense ?

— Non, dit-il, je voulais seulement que tu la lises avant que je l'envoie."

La mère errait dans la maison comme dans une ville où elle était née autrefois mais à laquelle elle n'appartenait plus et qu'on lui demanderait de quitter à un signal. Ce n'était pas son mari qui y avait amené l'armée, elle le savait, et ce n'était pas lui non plus qui la commandait ; l'armée y était entrée à cause d'une grande guerre qui n'avait rien à voir avec son mari ni avec elle, et ni son mari ni elle ne savait qui la commandait.

Quand arriva une lettre de Philip, adressée à son père, la mère examina l'écriture, aussi nette, soigneuse et arrondie que la sienne, puis elle la posa sur la table. Jim vit la lettre alors qu'il enlevait sa veste mais il n'alla pas la prendre avant d'avoir accroché son vêtement et mis ses pantoufles. Sa femme quitta la cuisine pendant qu'il la lisait. Elle savait que ce n'était pas une lettre de Philip mais des ordres émanant de la direction des forces d'occupation disant qu'ils devaient quitter leur maison. Quand elle revint dans la cuisine, elle trouva son mari qui se balançait dans son rocking chair et qui regardait par la fenêtre. Sur la table de la cuisine, il y avait la lettre et l'enveloppe de Philip déchirées en de nombreux morceaux et, près de la lettre, la photo de tous les fils, prise au MIT quand Philip avait passé son examen, et elle était découpée en trois morceaux, Richard, Albert, Edmond sur l'un d'eux, Philip, avec sa robe et sa toque, sur le morceau étroit du centre, André, Daniel et Julien sur le troisième, et les trois morceaux étaient séparés, si bien que Philip était seul ; les ciseaux étaient aussi sur la table ; Reena quitta aussitôt la cuisine pour aller s'asseoir dans la salle de séjour.

Quand il arriva à la maison, qui semblait fermée et vide sous le ciel bas et pourpre du soir, Daniel ne sut pas s'il devait simplement entrer ou s'il lui fallait sonner. Il essaya d'ouvrir la porte ; elle était fermée à clef. On ne la fermait à clef que s'il n'y avait personne à l'intérieur. Il se demanda où ses parents, Edmond et Julien pouvaient bien être un vendredi soir ; il prit sa clef dans sa poche et ouvrit la porte de derrière. Il se dit qu'il revenait de très loin dans une maison vide. En ouvrant la porte de la cuisine, il entendit une voix qui demandait dans l'obscurité : "Qui est là ?" et il aperçut son père assis dans son rocking-chair.

Daniel posa son sac. Son père se leva, et Daniel lui serra la main : "Où sont les autres ?" demanda Daniel. "Julien est allé chez ses amis, Edmond chez le marchand de glaces et ta mère est dans sa chambre." "Elle va bien ?" "Elle est allée se coucher de bonne heure." Daniel se dit : il n'aurait pas sû s'attendre à ce qu'ils fêtent son retour. Son père ne lui demanda pas comment s'étaient passées ses deux premières semaines à l'université mais Daniel n'aurait peut-être pas été capable de l'expliquer ; le père se rassit. Daniel restait debout au milieu de la cuisine sombre, les fenêtres étaient de grands rectangles d'un rose livide dans l'obscurité, et il demanda : "Pourquoi est-ce que la porte était fermée ?" "Ta mère veut qu'on la laisse fermée." "Oh," dit Daniel, puis il demanda : "Je prends quelle chambre ?"

Il dormit dans le lit de Julien. Il s'éveilla de temps en temps et écouta son frère qui respirait bruyamment. Il se dit qu'il ne connaissait plus son frère, éveillé ou endormi. A demi éveillé et à demi endormi, il avait conscience d'entendre son frère respirer et en même temps il rêvait qu'il entendait respirer son camarade de chambre. Il était à deux endroits en même temps.

Le matin, quand il se réveilla vraiment, il se souvint qu'à l'université il avait rêvé de s'éveiller dans les bruits qu'il entendait maintenant autour de lui dans la maison : la chasse d'eau, les robinets qui coulaient, le bruit d'une casserole et ses parents qui parlaient à voix basse.

Quand il se leva, bien après Julien, il trouva sa mère en train de repasser dans la cuisine. La cuisine sentait les draps et les taies d'oreiller propres et chauds. "J'espère qu'on ne t'a pas réveillé, dit-elle. Je voulais que tu dormes tout ton saoul." Il alla vers elle et la prit dans ses bras mais, quand il se recula, il ne sut pas quoi dire. "Où sont les autres ?" demanda-t-il. "Ton père travaille dans la cave. Edmond et Julien sont sortis." "On dirait qu'il n'y a jamais qu'une personne à la fois dans la maison", dit-il. Elle ne comprit pas ; elle dit : "Il y a tant de choses que je veux te demander." Il s'assit devant la table avec une tasse de thé, il se sentit pris de vertige. "Ça ne va pas ?" demanda-t-elle. Elle fronça les sourcils comme pour se concentrer sur ce qu'elle disait. "C'est étrange, dit-il, là-bas je rêve que je suis-ici, et ici je rêve que je suis là-bas." "De quoi as-tu rêvé ?" "Je ne sais pas exactement." "Raconte-moi, dit-elle.

242

Tu as rêvé de ton camarade de chambre ?" "Oui. J'ai rêvé qu'il se brossait les dents. Dans la salle de bains de notre étage, il y a une rangée de lavabos et nous nous brossons les dents côte à côte. En général, il y reste pour parler, je reviens dans la chambre, et je me remets au lit et j'attends qu'il revienne à son tour. J'entends sa voix et, quand je l'entends taper sa brosse à dents contre le lavabo, je sais qu'il va revenir." "Tu t'entends bien avec lui ?" "Oui. Mais je ne le vois pas beaucoup, tu sais. Le soir, après le dîner, quand on doit travailler dans nos chambres, il est rarement là, il parle avec quelqu'un dans une autre chambre. Il aime parler. Il est très sociable." "Il a beaucoup d'amis ?" "Des centaines. Il a toujours sur lui un carnet d'adresses et il y recopie l'adresse de ceux à qui il parle, même si ce n'est que cinq minutes. Il dit qu'à Oak Park tout le monde a un carnet d'adresses. Il veut être président des étudiants de première année. Il fait déjà campagne." "Vous devez avoir beaucoup de choses en commun." Daniel ne répondit pas. "Et tu aimes les Jésuites ?" demanda la mère. Elle essayait de trouver des questions dans la lumière grise de la cuisine. Il se dit : ça ne l'intéresse pas. "Leur façon de penser est tellement différente", dit-il. Elle leva le fer et étala une taie d'oreiller sur la planche à repasser. "J'aurais dû repasser mardi, dit-elle. Mais je n'ai pas pu. Et aujourd'hui, il faut faire les courses. Je vais demander à ton père d'y aller avec Edmond. Je n'en ai pas très envie. Je ne veux pas penser à la nourriture." Elle fit glisser le fer chaud sur la taie humide ; de la vapeur s'éleva. "Ça n'a pas d'importance, dit-elle ; parle moi encore de l'université." Il ne trouvait rien d'autre à lui dire. "Est-ce que tu penses à nous," demanda-t-elle. "Evidemment." Elle n'avait pas fini son repassage mais elle reposa le fer sur le talon comme si elle ne pouvait plus le pousser. Sa voix s'éleva brusquement : "Daniel, est-ce que tu te souviens de moi dans tes prières ?" "Oui, oui," dit-il. "C'est vrai, c'est vrai ?" "Mon camarade de chambre dit ses prières à genoux, à côté de son lit avant de se coucher et, maintenant, je fais comme lui, et chaque soir je dis une prière spécialement pour toi." "Tu dis toutes tes prières à genoux ?" "Oui, comme lui. Son père ne croit pas en Dieu."

"Son père ne croit pas en Dieu ?" "Non, mais sa mère y croit. Il prie pour son père." "Oh, Daniel, s'il te plaît, n'oublie pas. Je prie aussi, mais mes prières ne sont pas assez fortes. Je ne sais pas ce qui va se passer. Je n'arrêtais pas de me dire qu'il fallait que je veille à ce que ton retour soit agréable, qu'il ne fallait pas que je te parle comme je le fais maintenant. Tu vas te fâcher, tu vas t'énerver. Daniel, il faut que je te dise, je n'y arrive pas. Je ne peux pas, j'ai l'estomac complètement noué, j'ai tous les muscles complètement noués, j'ai un bourdonnement continuel." Daniel la regardait avec de grands yeux. "Tu vas vouloir retourner tout de suite à l'université. Tu ne vas pas vouloir rester ici. Tu n'aurais pas dû revenir ; pour ton bien, tu n'aurais pas dû revenir." Il continuait à la regarder, puis il lui demanda : "Mais qu'est-ce qui ne vas pas ?" "Oh, ne dis pas à ton père que je t'ai parlé comme ça. Il se mettrait en colère contre moi." "Qu'est-ce qui ne va pas ?" lui demanda à nouveau Daniel.

Il la suivit dans sa chambre où elle ouvrit le tiroir du bas de sa commode, et, sous des slips et du linge, elle prit une enveloppe et elle en vida le contenu sur la commode : des morceaux de papier et la photo des fils, découpée en trois morceaux et recollée par derrière avec du ruban adhésif.

"C'est une lettre de Philip à ton père, dit-elle. J'ai essayé de rassembler les morceaux pour la lire. Je n'y suis pas arrivée. Que signifie "ladre" ?

— Je ne sais pas, dit Daniel.

— Sur un des morceaux, Philip dit à son père qu'il l'a trouvé ladre d'avoir écrit cette lettre. Tu connais Philip quand il est en colère. Tu chercheras pour moi ce que ça veut dire ?

— Qu'est-ce que papa avait écrit ?

— Il a écrit à Philip que la prochaine fois qu'il le reverrait, il serait dans une caisse en sapin." Elle se mordit la lèvre supérieure, apparemment pour s'empêcher de sourire.

Daniel rit : "Une caisse en sapin ?"

La mère rit aussi en se mordant toujours la lèvre. "C'est ce qu'il a écrit.

— Papa ne le pense pas.

— Oh, si. Et Philip lui a répondu ça. Il n'aurait pas dû. Ton père a déchiré sa lettre. Il a sorti la photo de son portefeuille et a découpé Philip. Il a laissé la photo et la lettre déchirées sur la table de la cuisine. Quand il est allé se coucher, j'ai recollé la photo. Je ne lui ai pas dit que j'avais tout gardé. Il ne m'a rien demandé. Il ne le fera pas. Philip n'existe plus. Il a retiré sa photo qui était accrochée au mur de la salle de séjour. Tu peux aller voir. Il y a un vide. Dans la maison, il ne reste rien qui ait un rapport avec Philip — le fanion du M.I.T., la timbale de l'association d'étudiants, tout ce qui rappelait Philip, il l'a enlevé. C'est comme s'il avait tout brûlé, et c'est la fin de Philip."

Daniel souriait à sa mère comme si ce qu'elle racontait n'était pas vraiment important. Sa mère baissa les yeux. Il dit : "Je vais aller voir ce que veut dire "ladre"."

Il ne put pas lui donner la définition parce que le père était remonté de la cave ; il était assis devant la table de la cuisine et regardait sa femme qui, à côté de lui, faisait la liste des courses. Elle dessinait des ronds sur le papier. Elle dit : "Je n'arrive pas à penser." "Si tu faisais un effort, lui dit Jim, tu aurais fini en cinq minutes." "Tu ne peux pas la faire ?" demanda-t-elle. Il serra les dents, et ses mâchoires, comme celles de sa mère, ressortirent sur ses joues. "Tu la fais toujours," dit-il. "Je n'arrive pas à penser aux repas. Fais-la s'il te plaît." Il respira bruyamment. "Tu peux écrire ce que je dis." "Oui, d'accord." Il commença : "Cinq livres de pommes de terre..." Elle lâcha le crayon. "Je ne peux pas. S'il te plaît, ne m'oblige pas à faire ce que je ne peux pas." "Tu peux le faire si tu le décides." "Je ne peux pas." "Très bien, dit-il. Je vais l'écrire. Je vais aller faire les courses." "Edmond va t'accompagner." "D'accord. Je vais demander à Edmond de m'accompagner."

Tandis que le père et Edmond allaient faire les courses, Daniel resta assis avec sa mère dans la salle de séjour ; elle vint près de lui, sur le canapé, puis elle alla s'asseoir dans un fauteuil, sur une chaise à dossier droit, et elle revint sur le canapé. Elle dit : "Parle-moi de l'université. Raconte-moi quelque chose qui m'empêche de penser à moi. Je ne supporte plus de penser toujours à moi. Je ne pense qu'à moi. C'est terrible de penser à soi. C'est ce qu'il y a de pire au monde. En enfer, les gens doivent continuellement penser à eux-mêmes. Je prie Dieu pour qu'il m'aide à ne plus penser à moi-même. Je n'en dors plus. Je reste allongée et je pense à moi. On pense, on pense, et on croit qu'on va pouvoir épuiser sa pensée en pensant, mais ce n'est pas possible. Quand je suis allongée et que je ne dors pas, j'essaie au moins de concentrer ma pensée. Je me promène dans la maison. Tu m'écoutes ? Je t'ennuie ?" "Non, dit Daniel, non." "Je pense à la maison de mon père et de ma mère, dans Sheridan Street. Je revois toutes les pièces. C'était une grande maison avec un grand jardin. Elle avait toujours appartenu à des gens qui avaient de l'argent. Ma mère faisait pousser beaucoup de fleurs dans le jardin — des capucines, des zinnias, des renoncules, des soucis. Elle tendait des fils, du sol jusqu'aux grilles, pour que les volubilis puissent y grimper. Elle cousait. Elle nous faisait tous nos vêtements. Et elle tricotait. Je ne fais rien de tout ça. Et elle avait douze enfants. Elle était tellement triste quand mon père est mort. Elle a dit : "Oh, Reena, tu ne sauras jamais ce que c'est que d'être sans ton mari avant que ça ne t'arrive." Il était fier de la maison. Il était fier de la maison, il était fier de sa voiture. Il la lavait avec une brosse à dents. Il avait appris à conduire très tard. Nous disions souvent : "Papa, nous t'enterrerons dans ta voiture", et ça le faisait rire. "Reena, disait-il, Edmond sera conducteur. Je te le dis." Il est mort quand ma mère avait soixante ans. J'aurai soixante ans dans cinq ans. Elle ne savait plus quoi faire. Elle a légué sa maison à mon frère Claud parce que Claud vivait avec elle et elle a pensé qu'il resterait vieux garçon jusqu'à ce qu'elle meure. Mais Claud s'est marié, il s'est marié avec cette vieille infirmière, et ma mère a vécu dans la maison de son fils et de sa belle-fille, qui n'était plus sa maison. Et quand elle est tombée et qu'elle s'est cassée la jambe, ils n'ont pas voulu s'occuper d'elle, ils ont dit qu'ils ne pouvaient pas. Je l'ai prise ici. Tu te souviens d'elle, de ma mère, dans cette maison ? Elle m'a donné tous ses meubles, les meubles étaient toujours à elle. Je ne savais pas quoi en faire. J'en ai mis dans la cave et au grenier. J'ai essayé, j'ai fait de mon mieux pour l'aider. Il fallait que je m'occupe d'elle et que je m'occupe de ma famille. Ma famille subissait. Il fallait que je pense à ma famille. Quand elle avait sali son lit, elle disait : "Je suis comme un bébé," et je lui disais : "Ça n'est rien, maman," mais elle savait que ce n'était pas rien. La nuit, elle m'appelait pour le bassin, je me levais et je le glissais sous elle, et au bout d'une demi-heure, elle me disait qu'elle n'en avait pas besoin, mais quand je le lui avais enlevé et que j'étais retournée me coucher, elle m'appelait parce qu'elle s'était salie. Et j'avais tellement d'autres choses à faire, avec ton père, avec vous tous. Comment est-ce que j'aurais pu la garder ici ? Avant qu'on l'emmène à l'hôpital, elle m'a donné une boîte pleine de vêtements dans lesquels elle voulait être enterrée, ses sous-vêtements, ses longs bas de soie rouge. Elle m'a dit : "Promets-moi de m'enlever mon chapelet des mains avant qu'on ferme le cercueil ?" Je lui ai dit : "Oui, je te le promets." Je suis allée la voir chaque jour, chaque jour. Tu t'en souviens, n'est-ce pas ? Tu te souviens d'y être allé avec moi. Elle ne cessait pas de me dire : "Garde ta maison, Reena. Ne perds jamais ta maison. On n'est rien sans sa maison, Reena. J'aurais dû la garder avec moi. Elle est morte dans cet hôpital, sans maison. Je pense si souvent à sa maison, j'y pense quand c'était aussi la mienne, quand j'y vivais. Je pense à tellement de choses. Le jour du Vendredi Saint, nous, les enfants, on restait silencieux pendant trois heures, on serrait les lèvres, mais on grognait, on montrait du doigt et on écrivait par terre avec des bâtons. Puis on jouait aux petites fleurs. Laisse-moi parler. Je parle tellement à ton père. Il m'écoute. Il est gentil. Il m'écoute parler, parler. On prend une image, l'image d'une tomate sur une boîte de conserve ou celle d'une fleur sur un paquet de graines, on creuse un trou, on met l'image dedans et on la recouvre de morceaux de verre puis on verse du sable par dessus. "Ça coûte combien pour voir vos petites fleurs" ? demandaient les amis. On répondait : "Deux épingles." Ils couraient chez eux demander des épingles à leurs mères et quand ils avaient payé, on repoussait le sable sur le côté pour faire voir l'image. C'est comme cela que j'appelais vos parties honteuses quand vous étiez petits. "Ne touche pas à tes petites fleurs." Tu te souviens ? Juste avant de mourir, mon père a dit, en levant les yeux : *"Le chemin est si beau. Regardez les belles fleurs."* Nous avons pleuré, pleuré. Il y en a tant qui sont morts dans la famille. Je pense souvent à eux, je les prie, et je leur demande de l'aide. Ma sœur Agnès est morte à la dernière épidémie de grippe. Elle a eu le dernier cercueil blanc de Providence. Une fois, nous étions tous autour de la grande table de la salle à manger en train de faire des guirlandes de popcorn pour décorer l'arbre de Noël, le piano de la salle de séjour s'est mis à jouer tout seul. Ma mère était effrayée. Agnès a dit : "C'est simplement une souris qui court à l'intérieur." Elle est morte peu de temps après. Elle était plus âgée. Elle était si belle et si intelligente. Elle m'a appris à démêler mes cheveux et à faire des pièges à poux sur les côtés. Une fois, elle m'a appelée pour faire la vaisselle, c'était mon tour, mais je jouais au base-ball avec mes frères. C'était à Lawrence de tenir la batte. Il a dit : "Je veux mon dernier tour". J'ai dit : "Je ne peux pas rester." Alors, il a pris une grosse bouteille et m'a donné un coup sur la tête. Les garçons jetaient des pierres sur les cabinets quand Louis y allait. Une fois, Claud a mis des morceaux de charbon dans nos chaussettes de Noël. Je me souviens de mes frères rentrant à la maison et racontant à mes parents qu'avec leurs copains, ils avaient jeté des pierres à un homme qui s'était déculotté devant eux dans une ruelle. Je ne savais pas ce que ça voulait dire. Je ne connaissais rien aux choses sexuelles jusqu'à mon mariage. Quand j'étais très jeune, un garçon m'a mis une bague de cigare au doigt et m'a embrassée, j'ai couru vers ma mère et je lui ai demandé : "Maman, est-ce que je suis mariée ?" Plus tard, quelqu'un m'a demandé si je voulais me marier avec lui. Je lui ai dit : "Attendez une minute, je vais aller demander à mon père et à ma mère." J'ai dit à ma mère : "Il veut se marier avec moi." Elle m'a dit : *"Es-tu folle ?"* Je suis retournée le voir et je lui ai dit : "Ils ne veulent pas." Il y avait un Suédois que j'aimais bien. Il portait un bonnet rouge avec un pompon quand il faisait du patin à glace. Quand j'allais patiner, mon cœur faisait boum-boum à chaque fois que je voyais le bonnet rouge. Il m'invitait à sortir. Une fois, quand il m'a raccompagnée à la maison, nous étions dans l'entrée et j'ai vu qu'il tremblait. Je lui ai demandé : "Vous avez froid ?" Il m'a dit : "Je veux vous embrasser." Je l'ai laissé faire. Il m'a simplement donné un bécot sur la joue. Il est mort. Mon père ne voulait pas que j'épouse ton père. Ma mère pensait que je ne devais pas me marier. Elle disait que je n'étais pas assez forte. Nous avons été heureux quand j'étais petite, à la maison. On broyait des pierres pour les réduire en poussière et ma mère s'en servait comme poudre à récurer. Elle nous donnait un penny à chacun. Quand nous avions cinq cents nous allions le dimanche jusqu'à Onlyville et nous nous arrêtions à Sansouci pour acheter des bonbons, un grand sac, puis nous rentrions à la maison, et pendant qu'Agnès jouait du piano, nous restions debout autour d'elle pour chanter, pourtant je n'ai jamais bien chanté. Je n'ai jamais rien fait de bien. C'est ma mère qui disait ça. Je le savais. Je le sais maintenant. Je n'ai jamais rien fait. Je ne sais pas faire la cuisine, pas coudre, pas tricoter. Je ne suis pas une bonne maîtresse de maison. Ma mère me disait : "Comment espères-tu être une épouse et une mère si tu ne sais rien faire ?" Je ne pouvais pas. Je ne peux pas. Je n'ai fait qu'une chose, la seule chose bien de toute ma vie, j'ai eu sept fils.

— Ne dis pas ça.

— C'est vrai. C'est vrai." Brusquement, elle se mit à gémir, c'était effrayant." Oh ! Je ne peux rien faire. Rien. S'il vous plaît ne m'obligez pas à faire ce que je ne sais pas faire ! S'il vous plaît, ne m'obligez pas !

— Personne ne t'oblige à faire ce que tu ne sais pas faire, maman.

— Je ne peux pas c'est tout. Tu le sais, je ne peux pas."

Daniel sentit ses muscles se raidir car il avait envie de bouger, mais il s'obligea à rester immobile. "Je ne peux pas, continua-t-elle, je ne peux pas." Elle était assise sur le bord d'un fauteuil ; elle ne cessait de répéter : "Je ne peux pas, je ne peux pas", et elle se balançait d'arrière en avant à chaque fois qu'elle disait : "Je ne peux pas." Et brusquement, elle s'immo-

249

bilisa et se raidit en entendant la porte s'ouvrir. Le père entra. Son regard alla de sa femme à Daniel et de Daniel à sa femme.

Pendant la nuit, la mère hurla. Julien s'assit dans son lit ; Daniel resta allongé. Il entendit Edmond sortir de sa chambre et se diriger vers celle de ses parents. La mère continuait à hurler, des cris aigus et brusques. Daniel les entendait à travers le mur, à la tête de son lit, puis la porte de la chambre de ses parents s'ouvrit et il les entendit plus clairement. Il se leva, enfila un peignoir et sortit. Julien resta assis dans le lit. Edmond se tenait devant la porte ouverte de la chambre de leurs parents. La lumière était allumée. Le père en sous-vête-ments était debout près du lit et tenait un mollet de sa femme qui sortait de sous les couvertures ; son corps se tordait d'un côté et de l'autre et elle hurlait : "Ah !ah !ah !ah !" Le père serra son mollet. Il dit : "C'est simplement une crampe, ça va passer dans une minute." Elle cria : "Oh, Jim ! Oh, Jim ! Fais quelque chose ! Fais quelque chose !" Le père écarquillait les yeux.

Daniel écrivit à Albert. Il savait que ce qui le poussait à le faire ce n'était pas tant le besoin de lui dire ce qu'il se passait, que d'exprimer sa brusque et très vive émotion devant ce qu'il se passait. Il écrivit la lettre un dimanche alors qu'il prétendait faire la sieste avant de repartir à l'université. Son émotion — sa véritable fascination — augmentait tandis qu'il écrivait : il se rendait compte qu'il était de plus en plus troublé par le fait même d'écrire ce qui se passait et tout en écrivant il se disait, non, il ne devrait pas écrire, il avait tort d'écrire sur sa mère, et écrire à Albert n'était qu'une excuse pour écrire sur elle. "J'écris cette lettre en cachette. Maman ne veut pas que je t'écrive car elle a peur de t'inquiéter mais je pense qu'il faut que tu saches et aussi je crois que tu voudrais savoir qu'elle ne va pas bien. La nuit dernière, elle s'est réveillée en hurlant. Sa jambe gauche la faisait souffrir. Ce matin, elle a dit que c'était un caillot de sang qui finirait par lui remonter dans le cœur et la tuer. Elle n'a pas pu aller à la messe sans pour autant pouvoir rester au lit. Elle a peur de marcher parce qu'elle pense que cela va faire bouger le caillot mais elle n'arrive pas à rester en place. Elle ne s'est pas habillée. Papa n'arrêtait pas de lui dire qu'elle devrait au moins se débarbouiller, se peigner, s'habiller et il ferait tout le reste, le dîner, les lits. Julien et moi nous l'avons aidé. Finalement, elle s'est habillée, mais elle a dit que cela lui demandait un effort. Elle a dit qu'elle ne pouvait pas manger mais elle a peur de maigrir et de s'affaiblir. Au dîner, elle a éclaté en sanglots et elle a dit qu'elle espérait que le caillot allait lui remonter dans le cœur et la tuer ; papa lui a dit : "Ça suffit maintenant, ça suffit." Le pire c'est qu'elle n'arrive pas à cesser de pleurer, de s'agiter et de penser. Je la regarde et je me dis : ne peut-elle pas s'arrêter, pourquoi ne peut-elle pas, tout simplement s'arrêter ? C'est comme si un corps intérieur s'était affirmé, qu'il avait échappé complètement au contrôle de son propre corps pour le contrôler à son tour, comme si ce corps la faisait pleurer quand elle ne veut pas et qu'elle n'a aucune raison pour le faire, comme s'il l'obligeait à aller de chaise en chaise quand elle ne veut pas bouger, à penser sans cesse quand elle veut se reposer. Je ne sais pas quoi faire. Je reste avec elle le plus possible, je l'écoute parler, parler, parce qu'elle parle autant qu'elle pense, et j'essaie de la rassurer : ça va aller mieux, ça va aller mieux. Cet après-midi, je l'ai observée alors qu'elle déchirait des pages du journal en longues bandes et je me demandais sans avoir de réponse : que puis-je faire ?"

Dans le train, il étudia ce qu'il n'avait pas regardé à la maison, une page de brefs raisonnements dans un manuel de logique qu'il fallait réduire en syllogismes catégoriques simples qui démontreraient alors que le raisonnement était ou non valide.

1 - C'est manifestement un communiste puisqu'il se plaint toujours des méfaits du capitalisme et que c'est précisément ce dont se plaignent toujours les communistes.

2 - Toutes les vraies démocraties ont du respect pour la dignité de la personne humaine ; en conséquence, puisque le Vatican respecte la personne humaine, c'est donc une démocratie.

3 - Les Américains ne toléreront jamais la tyrannie. Depuis leurs origines, ils ont été habitués à la liberté de pensée et

d'expression. Aucune nation possédant un tel passé ne se soumettra jamais à l'arbitraire et à l'égoïsme d'un despote.

4 - Toutes les vraies démocraties ont du respect pour la dignité de la personne humaine ; en conséquence, puisque le Vatican n'est pas une vraie démocratie, il n'a pas de respect pour la dignité de la personne humaine.

5 - Il pense qu'on devrait interdire les syndicats. La raison qu'il avance c'est que les syndicats sont la cause des grèves et que, d'après lui on devrait interdire tout ce qui est la cause des grèves.

6 - Aucun chien n'est chat parce qu'aucun chat n'est épagneul et que les épagneuls sont des chiens.

7 - Celui qui hait son frère est un meurtrier. Et vous savez qu'aucun meurtrier ne possède la vie éternelle. En conséquence, vous voyez que celui qui hait son frère ne peut possèder la vie éternelle. (Jean 3.15)

8 - Tout ce qui encourage des locataires déjà en possession des lieux à utiliser de grandes surfaces pour des loyers réduits crée les conditions de la crise du logement. Beaucoup de locataires déménageraient s'il était légal d'exiger d'eux le loyer qui correspond à la valeur de leur appartement. En conséquence, le contrôle des loyers a lui-même créé les conditions de la crise du logement.

Le train était presque vide et les lumières faibles. Il était rassuré d'isoler une fonction de son esprit, élevée et sans passion, qui réduisait tous les problèmes à un sujet, un prédicat et des conclusions ; ce n'est pas tant cet exercice qui l'intéressait que de penser à cette fonction de son esprit qu'un jésuite venait de lui révéler, dans une salle de classe avec des fenêtres gothiques et un plancher nu. Il savait qu'il était étrange de ne pas vouloir employer cette fonction pour penser à quelque chose — pour penser, s'il avait pu le faire clairement, à sa mère, à son père, ou à lui-même — mais dans le train bruyant il voulait simplement penser à cette fonction en elle-même, ou peut-être penser sur elle, comme si cette fonction n'était pas un centre de réflexion active, mais d'une sorte de contemplation totalement inactive. Il souhaitait que le train n'arrive jamais à Back Bay.

Albert, en uniforme d'officier, était assis à la table de la cuisine avec sa mère et son père. Les avant-bras du père reposaient sur la table et il croisait les mains. Il était légèrement penché et regardait Albert. La mère était assise loin de la table. Elle laissait pendre les bras. Elle regardait Albert avec une telle intensité qu'on aurait cru qu'elle fixait un point au centre de son cerveau.

Albert leur parlait calmement : "Je crois que vous êtes tous les deux sous tension et je ne voudrais pas empirer les choses."

Ses parents étaient inquiets ; ils savaient qu'Albert ne dirait jamais rien à l'un d'eux qu'ils pourraient prendre comme un jugement parce qu'Albert ne se permettrait jamais de juger ses parents ; et pourtant il savait qu'ils l'écoutaient avec l'attention des ouvriers qui écoutent un bureaucrate, capable à n'importe quel moment, par un simple changement de la voix, de passer d'un homme calme et tolérant à quelqu'un leur disant qu'ils avaient complètement tort.

Albert dit à sa mère : "Tu as l'air fatigué. Est-ce que tu dors bien ?

— Oui," répondit-elle.

Le père souleva légèrement ses mains croisées et les laissa retomber plusieurs fois.

"Si j'ai du mal à dormir, je dis mes prières. Je n'ai pas raison ? Je prie pour que nous dormions bien. Ce n'est pas bien que je prie, Albert ?

— Si," dit-il.

Le père leva et rabaissa à nouveau ses mains croisées ; elles étaient tachées de peinture blanche.

Avec le même calme et la même tolérance dont il faisait preuve d'ordinaire pour leur poser des questions sur eux-mêmes — un calme et une tolérance qui n'en étaient pas moins tendus à cause de son intention délibérée de rester calme et tolérant — Albert dit : "Philip s'est marié ce matin en Virginie où il est en garnison. André est allé au mariage. Je n'ai pas pu, aussi je lui ai écrit pour lui demander s'il pouvait prendre quelques jours de permission pour s'y rendre puisqu'il revenait de l'escadre de Méditerranée. Je crois que le mariage s'est passé sans histoires. De toute façon, André nous racontera. Il vient ce week-end.

— André vient aussi ? demanda la mère.

— Oui, seulement pour le week-end. J'ai pensé que tu aurais envie d'entendre parler du mariage, maman.

— Je ne savais pas qu'il était revenu aux Etats-Unis, dit le père d'un ton tranquille. Les dernières nouvelles que nous avons eues de lui, c'était une carte postale de Barcelone.

— Il va venir," dit Albert.

Les yeux de la mère, qui pendant tout ce temps étaient restés fixés sur ou dans Albert, se fixèrent de la même façon sur son mari. Puis elle s'appuya sur le dossier de sa chaise et dit brusquement : "Quand André arrivera nous aurons une bonne discussion.

— Quoi ? demanda Albert.

— Nous discuterons de tout...

— Discuter...''

Elle ouvrit les mains et essaya de parler de façon impersonnelle : "Je n'accuse personne de ce qui s'est passé. Je n'accuse absolument personne. Mais est-ce que tu ne crois pas que nous devons décider quelque chose, que nous devons décider quelque chose et agir en conséquence..." Ses mains décrivirent un cercle. "Une table ronde avec toi, André, Edmond et Richard s'il vient, et Daniel et Julien aussi, et ton père. Et si vous décidez que votre père a raison, très bien, j'accepterai. Mais je veux qu'il dise que si la discussion conclut que c'est lui qui a tort, il acceptera cette décision. Est-ce que je n'ai pas raison ? Est-ce que ce n'est pas ça se servir de sa tête ? Est-ce que ce n'est pas la seule façon d'avoir la paix ?" Elle s'adressa à son mari : "N'est-ce pas Jim ?"

Il ne bougea pas, pas plus qu'Albert qui le regardait. La mère eut un brusque mouvement de peur en entendant quelqu'un entrer par derrière. La porte de la cuisine s'ouvrit et

Daniel entra. La mère alla vers lui et le prit dans ses bras. Daniel regarda successivement Albert et son père par dessus l'épaule de sa mère.

Tard ce soir-là, alors que la mère était allée se coucher, le père interrompit Daniel qui lisait en lui montrant une carte postale et en lui déclarant : "Ça vient de Barcelone." Qu'une carte postale de Barcelone, en Espagne, soit arrivée jusque chez eux à Providence, dans l'état de Rhode Island, faisait au père l'effet d'un exploit personnel. Ses connaissances en géographie étaient en grande partie déterminées par les endroits où ses fils étaient allés, et bien qu'il fût aussi incapable de situer sur une carte Barcelone que Miami, il pouvait parler de ces endroits, où André était allé, avec un sentiment de possession qui faisait de ces villes les capitales essentielles d'un monde qu'il contrôlait. Le sentiment de possession de Daniel (et, en réalité, ses faibles connaissances en géographie) était plus grand ; il ne savait absolument pas où se trouvaient les lieux, mais il possédait le monde entier. Il regarda la carte postale avec attention. La photo montrait les arches d'une rue à arcades, il y avait de petites tables et des chaises sur le trottoir et quelques personnes assises aux tables et, derrière les arcades, des palmiers et, au-delà des palmiers, les fenêtres des immeubles de l'autre côté de la place. La photo semblait avoir été prise vingt ans plus tôt, et était rehaussée de lavis pâles, roses, bleus et verts et les gens assis aux tables flottaient dans de petits nuages clairs de rouge et de jaune.

Il essaya de s'imaginer assis à une table près de la porte d'un café. Il se demanda si André s'y était assis. C'était une carte postale de la Plaza Real/ Place Réal/ Royal Square. Il essaya de s'imaginer, dans un petit nuage bleu lumineux, marchant sous les arcades, devant les palmiers et disparaissant, mais il n'y réussit pas.

André ouvrit la porte avec sa clef. Il trouva son père devant son bureau sur lequel s'étalaient des feuilles couvertes de colonnes de chiffres et, à côté, Albert était assis sur une chaise et examinait les feuilles avec son père ; sa mère était allongée sur le canapé, immobile, les paupières levées, la bouche ouverte et légèrement tordue, dans un fauteuil, les jambes par dessus le bras capitonné, Daniel contemplait une photo dans une revue de cinéma ; Edmond et Julien regardaient la télévision où des patineurs gris tournaient en rond sur une piste grise.

Avant qu'André ait eu le temps de les saluer, le père se leva, s'avança vers lui rapidement, lui prit la main droite entre ses deux mains, et la secoua si fort que le corps entier d'André en fut secoué. Il ne cessait de répéter combien ils étaient heureux qu'il soit à la maison et André, pour bien montrer qu'il appréciait cet accueil, saisit les mains de son père dans les siennes et les secoua plus fort que son père ne secouait sa main. La mère, comme si elle avait dormi et n'était qu'à moitié réveillée, se leva avec difficulté, en parcourant la pièce des yeux pour voir qui était entré et dit : "Oh." André s'avança vers elle d'un bond léger et la tint serrée contre lui. Il lui embrassa les joues, le lobe de l'oreille, le côté du cou ; il enfouit son visage dans le creux de son épaule et elle écarta la tête. Il se recula et regarda ses frères dont il secoua gravement la main. Il s'assit sur le canapé. Debout, ils le regardaient.

Il dit : "Oh, c'est merveilleux de se retrouver à la maison. *Mon cher père et ma chère mère*, laissez-moi vous dire..." Il secouait le doigt comme pour leur faire une remontrance et sa voix devint nasale. "... Laissez-moi vous dire quelque chose de sérieux, quelque chose que, pendant les longues heures en mer, j'ai compris aussi clairement, plus clairement même, que n'ai jamais compris quelque chose ; tous les deux, *père et mère, mère et père*, — je vous assure que je suis très sérieux - vous avez créé la famille idéale, et je vais vous dire pourquoi elle est idéale..." Il serra les lèvres pendant un instant. "C'est parce que vous l'avez faite ensemble." Albert fronça les sourcils. "Vous avez toujours tout fait ensemble, chaque décision vous l'avez prise ensemble, et c'est pour cela que quand je rentre dans la famille je ressens ce que je ne ressens jamais quand je suis loin de chez nous ; une merveilleuse harmonie. C'est une chose très, très, très rare." Personne ne parla. "Vous savez, reprit-il, j'ai imaginé quelques mots pour m'aider à vivre quand j'étais en mer. Je les ai tapés à la machine. J'ai pensé à tellement de choses. Je voyais les autres, la tête levée, qui regardaient les étoiles et je me disais : pense à ce qui est au-delà, contemple ce qui est au-delà, demande-toi combien il y a d'univers. Mais ce que j'ai pensé de plus important — et si je suis revenu pour vous transmettre cette pensée afin que vous y croyiez, tous les deux, j'aurai tout fait, vraiment tout, ce qu'un fils qui aime ses parents peut espérer faire — ce que j'ai pensé de plus important, c'était ceci : comment deux personnes peuvent-elles, par leur seule harmonie, lancer les accords de l'harmonie dans le monde entier, dans l'univers entier, d'un univers dans l'autre et ainsi de suite." Il s'assit.

Après une pause, le père demanda :

"Est-ce que tu... ?

André dit : "Non, attends, je vous ai rapporté des cadeaux."

Il se précipita dans la cuisine et revint en portant deux valises de toile. "Je vous ai rapporté des cadeaux qui vont vous plaire à tous, ce sont des cadeaux pour la famille. Julien viens m'aider." Julien l'aida à déballer d'un papier de soie et à tenir, comme la traîne d'une robe de mariée fantastique appartenant à une jeune épousée invisible, une nappe de dentelle, lourde et immensément longue. André baissa le bout qu'il tenait pour le poser sur le tapis et développa d'un autre papier douze grandes serviettes avec de larges bords de dentelle. Il en leva une en la pinçant au milieu et la dentelle retomba en longs plis profonds. Il dit : "C'est pour douze couverts." Le père dit : "Regarde ça, Reena, regarde ça !" La mère joignit les mains comme pour prier et dit, calme : "Oh !" "Quel repas on va faire là-dessus !" dit le père. "Oui, répondit-elle, mais on mange sur la table de la cuisine." Le père l'interrompit : "C'est très beau, vraiment très beau !" Il voulait qu'on continue à parler de la nappe et des serviettes — ces éléments d'une très riche cérémonie — que cela devienne une activité générale qui, il l'espérait, les entraînerait tous et en particulier sa femme, comme dans une cérémonie brillante et riche, et écarterait comme des importuns les personnages sombres qu'il savait attendre au dehors et qui à chaque instant pouvaient entrer de force.

La mère dit : "Oui, oui." Elle s'assit.

André regardait la nappe étalée par terre.

Albert dit : "Et le mariage ?"

Il y eut brusquement un silence tendu mais André le considéra comme une pause théâtrale et, avec un changement dans l'expression car l'enthousiasme manifestement exagéré de sa voix haut perchée se transforma en un enthousiasme encore plus exagéré quand sa voix devint plus grave, il dit en levant et en baissant les mains et les sourcils à chaque phrase : " C'était très beau ! C'était très beau !" Il y eut un autre silence tendu. Les fils ne regardaient ni le père ni la mère.

Albert, avec une immense indifférence qu'il considérait chez les autres aussi évidente que chez lui, demanda : "Raconte nous."

Le père quitta la pièce.

Albert dit : "Raconte nous."

André dit : "C'était exactement comme on pouvait imaginer le mariage de Philip : très simple et justement parce que c'était très simple, c'était très beau. Oh, et Jenny ! Elle est merveilleuse, merveilleuse, c'est une fille vraiment merveilleuse. Et ses parents. Des gens extra. Ils ont fait le voyage du Texas en Virginie pour le mariage. Ils ont dit que ça ne les dérangeait pas que le mariage n'ait pas eu lieu au Texas. Ils n'étaient pas très rassurés que leur fille épouse un catholique. Ils pensaient qu'il valait mieux qu'elle se marie ailleurs. Oh, c'est des gens extra. On voit bien qu'ils aiment Philip. Ils le traitent exactement comme un fils. La mère de Jenny m'a dit : "Quand il est venu chez nous avec notre fils Jack, nous avons su tout de suite que c'était un bon garçon et qu'il devait venir d'un bon milieu."

La porte de la cave se ferma et ils entendirent le bruit des pas du père qui descendait l'escalier. La mère ne regardait ni André ni ses autres fils.

"Continue," dit Albert.

La mère se leva, marcha jusqu'à la double porte, entre la salle de séjour et la salle à manger, puis elle s'arrêta et resta là en tournant le dos à ses fils. Puis elle s'avança jusqu'à la porte entre la salle à manger et la cuisine, elle s'arrêta à nouveau puis, après quelques instants, elle se retourna et attrapa le chambranle de chaque côté. Et comme si elle était poussée en avant, elle retraversa rapidement la salle à manger, la salle de séjour et l'entrée jusqu'à la porte de sa chambre. Elle y entra mais en ressortit aussitôt, traversa une nouvelle fois, à toute vitesse, la salle de séjour et la salle à manger et entra dans la cuisine. Albert fit un pas pour la suivre. Elle réapparut dans l'entrée entre la cuisine et la salle à manger, et elle resta immobile puis, à nouveau, elle saisit le chambranle et se jeta en avant, traversa la salle à manger, la salle de séjour, jusqu'au bout, puis elle tourna, se précipita dans un coin, vers la porte de sa chambre, elle s'arrêta avant d'y entrer, se retourna, regarda dans la salle de séjour, puis fila à nouveau dans la salle à manger. Albert tendit la main pour la saisir par le bras, son corps se recula et elle essaya de se dégager. Il lui prit l'autre bras par derrière et l'attira vers lui. Le dos de la mère toucha la poitrine du fils. Son regard fixe ne pouvait pas le voir. Elle ne bougeait pas. Il la lâcha et elle s'assit.

André, Edmond, Daniel et Julien restèrent avec elle tandis qu'Albert descendait voir le père à la cave.

Albert dit : "Elle a déjà été comme ça. Je n'étais pas si jeune que je ne puisse pas m'en souvenir. Il faut faire quelque chose..."

Le père ne répondit pas.

"Je vais téléphoner au docteur Lalande, dit Albert, et je vais la conduire chez lui."

Le père baissait la tête ; il la secoua légèrement.

"Qu'est-ce que tu dis ? demanda Albert.

— Je ne dis rien."

Albert remonta l'escalier. Il dit à sa mère : "Lève-toi," et elle se leva. Il lui dit : "Mets ton manteau", et il lui tint son manteau pour qu'elle puisse glisser les bras dans les manches. Il dit : "André a ton chapeau," et elle le prit des mains d'André et le mit. Il dit : "Boutonne ton manteau," et elle obéit. "Allons-y," dit-il et elle marcha entre eux.

Longtemps après leur départ, le père remonta de la cave. Il marcha au hasard dans la maison. Edmond alluma la télévision et s'assit devant, tout près. Deux immenses hommes gris, qui avaient l'air couverts de graisse, s'empoignaient dans un match de catch. Les cris du public semblaient très loin d'eux. Le téléphone sonna et Edmond alla répondre. C'était Albert. Edmond tendit le combiné à son père et revint voir le match. Albert dit : "Papa, nous conduisons maman dans une maison de repos." Le père ne dit rien. "Papa." "Oui,", dit le père. Albert dit : "Tu dois te souvenir mieux que moi des fois précédentes. Vous ne pouvez pas vivre ça une nouvelle fois, ni l'un ni l'autre. Est-ce que nous avons ton autorisation ?" "Mais elle n'a pas de brosse à dents, de chemise de nuit, ni de sous-vêtements pour demain..." "Ça ira bien pour une nuit. Demain, nous lui apporterons ce dont elle aura besoin. Tu es d'accord ?" "Oui," dit le père. Edmond monta le son de la télévision pour entendre l'arbitre. Le père dit : "Je suis d'accord." Il raccrocha et alla s'asseoir devant le poste de télévision. Edmond se déplaça pour qu'il puisse voir. Au bout d'une minute, il se leva et alla dans sa chambre.

Quand il entendit Albert entrer dans la maison, il se releva lourdement, le corps raide comme à cause de la rigidité cadavérique de la mort à laquelle il avait été condamné, et il alla dans la cuisine. Il se tint devant Albert, qui félicitait Daniel et Julien pour leur présence d'esprit parce qu'ils avaient préparé le dîner, et qui, en voyant son père — l'homme condamné qui revient pour manifester par sa présence même l'injustice de sa condamnation — dit : "Papa, il fallait qu'elle quitte cette maison, c'est une maison de mort," et le père sembla se décomposer en un instant. Il était peut-être vrai que son père souffrait plus de l'absence de sa femme qu'elle-même souffrait de la présence de son mari, mais Albert vit la décomposition de son père comme une sorte de tour de magicien pour impressionner les spectateurs et au moment où les spectateurs auraient le souffle coupé et le supplieraient de s'arrêter, le magicien se reconstituerait dans toute sa fierté pour avoir fait ce qu'il voulait. Albert resta insensible.

"Je n'aurais pas dû donner l'autorisation qu'elle s'en aille, dit le père.

— Est-ce que tu voulais la garder ici pour la tuer?" demanda Albert.

Le père regarda André qui sourit.

"Elle sera revenue à elle dans quelques jours, dit André, tu verras."

Le père dit : "Quand elle reviendra, ce ne sera plus ma femme.

— Allez papa, dit André.

— Non, ils vont la changer. Elle ne sera plus comme avant.

— Elle sera comme avant, quand elle allait bien, une femme heureuse qui riait et qui aimait son mari et sa famille.

— Elle ne sera plus comme elle était, et moi non plus. Tu crois que je la garde ici pour la tuer. Mais sans elle, je suis mort.

— Papa, tu dramatises un peu, dit André.

— Non. Je serai mort quand elle reviendra. Elle le sait." Il avait le visage livide.

Albert dit : "Elle ne voulait pas rester. Elle pleurait quand nous sommes partis. Elle voulait revenir ici, avec toi. Nous l'avons obligée à rester. Pour votre bien à tous les deux. Vous ne pouvez pas vous tuer l'un l'autre."

Le père ne dit rien.

Albert reprit : "Je veux te dire ça, papa : personne ne te condamne à mort en emmenant maman loin de toi à cause de quelque chose que tu aurais fait. Personne, absolument personne, ne pense que tu as fait quelque chose de mal. Tu as fait comme tu croyais qu'il fallait faire et comme tu as toujours fait. C'est pour ça que nous t'admirons. Nous t'admirons pour les idées que tu défends. Nous n'avons pas choisi entre vous deux. Nous ne le ferons pas parce que nous aurions tort, nous le savons tous. Si tu penses que nous avons eu tort d'emmener maman, de vous séparer — c'est peut-être vrai — tu n'as qu'à me dire : "Je veux que ma femme revienne", et je vais immédiatement la chercher. C'est ce que tu dis qui compte, pas ce que nous disons nous. C'est même plus important que ce que dit maman. Si jamais on doit prononcer une condamnation, c'est à toi de le faire, pas à nous. Tu peux nous condamner, tu peux condamner maman. Je te jure que nous ne te condamnons pas, aucun de nous ni maman." Brusquement, Albert découvrit ses dents crochues comme s'il allait se mettre à jurer violemment. "Je lutterai, je lutterai contre n'importe lequel de mes frères, contre maman elle-même pour qu'il en soit ainsi."

Le père détourna les yeux.

"Tu veux que j'aille la chercher ? demanda Albert.

— Non, " répondit le père.

Pendant la nuit, le craquement du rocking-chair dans la cuisine réveilla Albert. Il se leva , mit sa robe de chambre japonaise et sortit de sa chambre ; il s'assit en face de son père qui, en peignoir, continua à se balancer dans l'obscurité bleutée.

"Tu devrais essayer de dormir, dit Albert.

— Je ne peux m'empêcher de penser à ce qu'ils sont en train de lui faire, dit le père.

— Ils sont sans aucun doute en train de la calmer.

— Je ne sais pas. Je n'arrive pas à imaginer ce qu'ils lui font.

— Tu verras demain.

— Non, je ne pense pas que j'irai demain.

— Tu ne veux pas voir ?

— Non.

— Tu ne crois pas qu'elle est mieux là-bas que quand elle délirait autrefois et que tu ne savais pas quoi faire ?

— Nous avons réussi à nous en sortir.

— Elle va très bien, papa.

— Je ne sais pas.

— Pourquoi est-ce que tu ne pries pas ?

— J'ai prié. J'ai prié ma mère.

— Est-ce que tu as demandé à Matante Oenone de prier ?

— Je vais le faire.

— Tu veux que nous priions ensemble ?

— Oui, je veux bien, dit le père.
— Est-ce que tu as ton chapelet ?"
Le père le prit sur ses genoux.
"Je vais aller chercher le mien."
Albert retourna dans la chambre qu'il partageait avec Edmond et glissa la main sous l'oreiller du canapé qui lui servait de lit pour y prendre son chapelet ; il revint dans la cuisine.
"Tu vas dire les mystères et conduire la prière, dit-il, et je répondrai."
Richard arriva le lendemain matin, quand ses frères et le père partaient pour la messe. Il les accompagna. Ils s'assirent ensemble dans un banc, au fond de l'église, et s'en allèrent dès que le curé quitta l'autel avec les enfants de chœur. Le père et Julien revinrent à la maison dans la Dodge. Les cinq frères partirent dans la direction opposée, dans la voiture de Richard.
Albert indiquait le chemin à Richard. Il lui dit de tourner dans une trouée entre des bois bruns et gris. Le chemin boueux ressemblait à celui qui conduisait à leur maison à la campagne. Des branches frottaient contre les côtés de la voiture. Il y eut brusquement une clairière et une grande maison blanche avec une véranda vitrée, des pignons et des clochetons ; elle avait beaucoup de grandes fenêtres, opaques à cause du reflet du ciel bleu et des nuages. Ils sortirent dans le vent.
Richard, Edmond et Daniel attendirent à l'extérieur. Albert et André entrèrent. Une allée de gravier entourait une pelouse et, au bord de l'allée, sous les branches dénudées, il y avait des bancs de bois. Sur le banc le plus proche de Richard, un vieil homme avec un énorme pardessus, était assis, les bras croisés, la main gauche sur le genou droit, la main droite sur le genou gauche ; il avait les yeux baissés et restait immobile ; Richard se détourna. Il marcha nerveusement dans la petite zone à la fois illimitée et limitée, dans laquelle ils se tenaient. Il dit :"J'aimerais m'en aller d'ici." André ressortit de la maison. Il tenait à la main sa casquette de lieutenant de la marine. Il

dit : "Elle revient à la maison. Le docteur n'a pas signé l'autorisation de sortie, mais elle insiste."

Dans la voiture, coincée entre Richard et Albert sur le
siège avant, elle parla comme si, au plus profond d'elle-même,
elle n'avait pas eu le droit de parler pendant des mois et,
libérée, l'acte même de parler l'excitait : "Quand vous m'avez
laissée hier, des femmes sont venues me demander ce qui n'allait pas et, au lieu de m'écouter, elles m'ont dit, toutes
ensemble ce qui n'allait pas avec elles. Les nerfs, les nerfs.
C'était insupportable. Je n'arrêtais pas de me dire : pourquoi
est-ce qu'elles ne s'occupent pas d'elles-mêmes ? Je ne supportais pas le mot "nerfs". "Mes nerfs, mes nerfs." Puis quand je
suis allée voir le docteur, il a dit : "On va vous faire des électrochocs," et je lui ai demandé : "C'est douloureux ?" et il m'a
répondu : "Mme Francœur, vous allez avoir l'impression
d'être en train de mourir," alors je lui ai dit : "Non, non pas
question." J'ai dit que je voulais m'en aller, que je ne voulais
pas rester ici. Il a dit : "Nous allons vous prescrire des tranquil-
lisants, mais il vaut mieux que vous ne partiez pas." Je lui ai
dit : "Il faudra bien que vous me laissiez sortir, il faut que je
sorte, je veux retourner auprès de mon mari." J'ai dormi avec
ma combinaison. Ils m'ont donné des pillules. Je ne pense pas
que j'aie dormi, mais ma tête ne tournait pas rond. Autour de
moi, j'entendais les autres femmes qui respiraient et je me
demandais si elles dormaient ou si elles étaient éveillées et si
elles pensaient. Je vous ai attendus toute la matinée. Ça va
aller. Vous verrez. Je vais me remettre. Vous pouvez dire à
votre père que je suis décidée. Dites-moi comment il va. Est-ce
qu'il fera la tête quand je vais rentrer ? C'est la seule chose qui
m'inquiète, qu'il fasse la tête parce que je l'ai quitté contre son
gré.

— Papa sera heureux de te voir revenir, dit André. Tout va
bien se passer. Crois-le, maman, et tout ira bien.

— D' accord, d'accord," dit-elle.

Elle était joyeuse. Daniel se dit qu'André l'était encore
plus. Lui sur le siège arrière, elle à l'avant, se disaient combien
la vie était agréable si, simplement, on ouvrait les yeux et les

264

oreilles pour l'apprécier à sa juste valeur, et Daniel avait l'impression que pour tous deux — la mère en ce moment, André toujours — la vie était un gaz en expansion, dense et lumineux, un gaz euphorisant, et la mère la respirait à pleins poumons ("Ouvre la fenêtre que je respire l'air frais — oh, de l'air frais") alors qu'André ne respirait jamais au grand air *("Ah oui, dit-il, ah oui, respirez bien l'air")*. André et la mère étaient capables de communiquer par le biais d'une sorte d'appréciation exaltée de la vie. Les autres restaient silencieux.

André l'aida, comme si elle avait un peu chancelé sur ses jambes, à monter le perron derrière la maison. La porte s'ouvrit brusquement et le père apparut. La mère s'arrêta avec un petit mouvement de recul mais quand elle leva les yeux vers son mari une douce chaleur éclaira son visage et elle dit en souriant : "Oh, Jim", puis elle tendit un bras. Il s'avança sur le perron en tendant les bras lui aussi et, quand André s'écarta, il prit sa main et l'aida à entrer dans la maison.

"Oh," dit-elle.

Le père la serra contre lui. Elle s'écarta légèrement en posant ses deux mains sur la poitrine de son mari et dit : "Maintenant, je veux dire quelque chose, Jim, je veux dire quelque chose que j'ai décidé cette nuit et je veux que nos fils l'entendent. Les enfants s'en vont, ils font ce qu'ils doivent faire. Je ne peux pas vivre pour eux." Elle tourna les yeux vers son mari ; elle avait le regard un peu vague, et un coin de sa bouche tombait. "Ce n'est pas vrai, Jim ? Il faut que les garçons, tous les garçons, sachent cela : que toi et moi nous vivons l'un pour l'autre."

Daniel revint à la maison au milieu de la semaine. Ses parents ainsi qu'Edmond et Julien soupaient. Edmond cria : "Hé ! C'est une surprise !" et il se leva pour lui serrer la main. Daniel serra la main de Julien et Julien, qui se leva lui aussi, ne dit rien et Daniel déclara : "Tu es plus grand que moi ?" Le père se leva rapidement et dit, en prenant les mains de Daniel : "Oh, c'est agréable de te voir." Daniel sourit à son père. Il dit :

"On nous a donné des petites vacances." Il ne tourna pas les yeux vers sa mère qui restait assise.

Les meubles de la salle de séjour et de la salle à manger étaient entassés au milieu des pièces et recouverts de housses. On avait enlevé le papier des murs, dont on voyait le plâtre. Daniel suivit son père en marchant sur les journaux qui recouvraient le sol autour des échelles, par dessus des racloirs, des brosses humides et des seaux, pour voir le travail qu'il avait accompli. Le père prit un rouleau de papier mural sur un tas posé par terre et le déroula comme s'il voulait faire un discours sur le motif ; c'était pour le montrer à Daniel. "Très beau," dit Daniel. "Tu l'aimes vraiment ?" demanda la mère. Elle se tenait derrière lui. Il regarda attentivement le motif d'aigrettes marron dans des vases bleus sur un fond vert pâle. "Oui, dit-il, c'est très beau." Le père rit. "C'est moi qui l'ai choisi, dit-il ; ta mère m'en a laissé le soin." "Oui, oui, dit Daniel, c'est vraiment très beau." Il entendit sa mère dire : "Je suis heureuse que ça te plaise." Il ne pouvait pas se retourner pour la regarder.

Le lendemain matin, il se leva dès qu'il entendit Julien, le dernier à s'en aller, claquer la porte. Il n'arrivait pas regarder sa mère quand il lui parlait ; il baissait les yeux ou regardait sur le côté.

"Comment vas-tu ? lui demanda-t-il.

— Tu ne vas pas le croire si je te dis que je vais bien mais c'est vrai.

— Tu as décidé de changer ?

— Je laisse les choses arriver. Je vais bien. Nous allons bien."

Il leva les yeux vers elle. "Philip et Jenny sont à Providence."

Elle tendit le bras pour toucher l'épaule de Daniel. Il pensa que c'était pour trouver un réconfort, mais elle sourit.

"Philip m'a écrit pour me dire qu'ils viendraient. C'est pour ça que je suis ici. J'ai séché mes cours. Nous pouvons leur téléphoner à l'hôtel."

La mère ouvrit la porte à une grande et belle femme, emmitouflée dans des vêtements d'hiver et environnée par la vapeur de sa respiration, qui lui tendit les bras. La mère , qui se tenait à l'intérieur, sortit pour la serrer contre elle. Philip, derrière sa femme, tendit le bras droit par dessus son épaule et saisit l'épaule douce de sa mère dans sa main gantée. Jenny embrassa Daniel, il sentit qu'elle l'attirait vers lui et elle posa sa joue contre la sienne, puis Philip lui serra la main.

Jenny dit : "Je suis si heureuse". Elle avait l'accent du sud.

La mère dit : "La maison est sens dessous dessus.

— Viens Jen, dit Philip. Je vais te montrer où je suis né et où j'ai grandi."

Philip l'emmena dans la maison. La mère et Daniel les suivaient. Ils entrèrent et sortirent des chambres, Philip ouvrait et refermait la porte des placards, examinaient les meubles, les lampes, les photos au mur : "Regarde, c'est une photo d'Albert," disait-il, ou : "Est-ce que Ed a toujours la même dévotion pour *L'enfant Jésus*...on dirait qu'il a des centaines d'images pieuses en plus sur son bureau", ou "Regarde, le livre de trigonométrie de Julien est exactement le même que celui que j'utilisais quand j'étais au Collège La Salle." Jenny souriait.

Ce qui semblait étrange à Daniel c'était la familiarité de Philip pour Jenny ; d'une certaine façon, il s'était attendu à ce que Philip traite sa femme avec la réserve alarmée de sa mère ou de lui en face de Jenny ; il s' était attendu à ce que Philip la considère avec une certaine distance, même s'ils étaient près d'elle, avec la même crainte.

"Au loin, dit Philip, j'ai tout réduit, les êtres et les choses, à l'état d'images immobiles, aux photos que j'ai de vous, de la maison. J'avais l'impression que vous tous et la maison vous n'existiez qu'en images. Et maintenant..." Il sourit à sa mère.

La mère servit du thé dans de grandes tasses.

Philip dit : "J'ai essayé d'apprendre le français à Jen, maman."

La mère regarda Jenny, un peu surprise, et demanda : "Vous ne connaissez pas le français ?

— Non.

— Pas du tout ?

— Non." Jenny fit un beau sourire mais elle rougit et elle battit des cils. "Je vais essayer de l'apprendre.

— Demande-lui de dire quelque chose en français, dit Philip à sa mère;

— Oh...

— Vas-y, " dit Philip.

La mère eut un petit rire. "Très bien, voici l'épreuve, dites *reçu*.

— Quoi ?

— *Reçu,*" prononça la mère avec soin.

— Raysou," prononça Jenny avec la même attention.

Tous éclatèrent de rire, Jenny aussi, mais elle rougit encore plus et ses cils battirent à nouveau.

Philip dit : "Parfois, quand je suis particulièrement affectueux avec elle, j'emploie notre petit mot doux français. N'est-ce pas Jen ?"

Jenny dit : "Oui, mais il ne veut pas me dire ce que ça signifie."

Philip l'embrassa sur la joue et dit : *"Ma petite crotte noire.*

— Oh, Philip, " dit la mère et elle rit très fort.

" Qu'est-ce que ça veut dire ?" demanda Jenny, avec une voix qui avait monté d'une octave.

"Je ne peux pas vous le dire, " déclara la mère et elle mit les mains devant sa bouche.

"Vas-y, dis-lui, maman, dis-lui comment les Canadiens français peuvent être affectueux."

La mère se pencha vers Jenny et murmura : " My little black snot."

Jenny hurla ; "Non !"

Le visage de la mère rayonnait.

Au moment où ils partaient, la mère demanda : "Est-ce que vous allez habiter à Providence ?

— Non, dit Philip, dans une petite ville près de Boston où j'ai un bon travail." Il prit Jenny dans ses bras. "Je n'arriverai peut-être pas à faire d'elle une Canadienne mais j'en ferai une fille du nord."

Le père accrocha sa casquette dans le placard. Il regarda autour de lui comme s'il savait que quelque chose avait changé dans la maison mais il n'arrivait pas à savoir ce que c'était, la couleur peut-être, les murs, le sol, le plafond avaient une teinte légèrement bleutée. Sa femme lui demanda : "Qu'est-ce que tu as fait aujourd'hui ?" Il ne lui répondit pas. Il fronça les sourcils. Il alla dans les autres pièces et revint dans la cuisine.

Il dit : "Ils sont venus ici..."

La maison sembla devenir d'un bleu profond.

"Ils sont venus sous mon toit, dit-il.

— Jim !

— Tu les as vus. Tu les as vus ici, sous mon toit."

Les muscles du visage de la mère se tordirent ; elle serra les poings et les lança dans le vide. "C'est mon fils ! Mon fils et sa femme !"

Le père ouvrit la porte de la cuisine pour descendre à la cave. Il tint la porte ouverte. Il se retourna vers sa femme. Il dit calmement, mais sa voix tremblait : "Pas sous mon toit."

Le visage de la mère se détendit ; elle ouvrit les mains et les rabaissa.

Daniel, seul, errait de pièce en pièce. Elles lui semblaient très petites. Il entra dans la chambre de ses parents qui était presque entièrement remplie par les meubles. Il ouvrit l'armoire de son père dans laquelle il rangeait ses meilleurs vêtements et une centaine de cravates ; dans un tiroir, il trouva une ceinture porte-monnaie avec de vieilles pièces étrangères, beaucoup de pièces chinoises avec un trou carré au milieu, un bandage herniaire, des échantillons de minerai provenant de la mine dans laquelle il avait investi de l'argent avant de se marier, une montre gousset en or. Il regarda dans le coffre en cèdre, qui était à côté du lit, il savait que c'était un cadeau de fiançailles que son père avait fait à sa mère. Il fouilla dans des pantalons de flanelle blanche, des blazers bleus, de longs sous-vêtements, de la pure soie de Chine, des morceaux de voile de mariée.

Au-dessus du coffre en cèdre, était accroché un cadre long et étroit avec la photo d'un homme et d'une femme, lui dans un smoking des années trente, elle avec une robe blanche, courte et moulante qui faisait ressortir la forme de ses seins un peu bas. Le couple était au milieu des roses, sous une tonnelle, elle lui tournait le dos mais s'appuyait contre lui, il posait sa grosse main brune sur son bras blanc, et la joue de l'homme était à côté de celle de la femme. La photo venait d'une publicité pour une marque de savon qui, quand Reena l'avait vue dans une pharmacie peu après leur mariage, lui avait tant plu, qu'elle avait demandé à l'avoir, puis elle l'avait fait encadrer et l'avait accrochée dans sa chambre et celle de son mari.

Il s'allongea sur le lit de ses parents. Il se sentait faible et il dut faire un effort pour se relever quand il entendit ses parents entrer dans la maison.

Il s'en alla pendant que sa mère dormait. Son père lui assura qu'il lui dirait au revoir pour lui. Le train était bondé, et il dut s'asseoir à une place côté couloir avec un capitonnage si sale qu'il n'appuya pas la tête. Il déchira une feuille dans un cahier et écrivit une lettre à sa mère. Il écrivit pendant tout le voyage jusqu'à Boston.

"J'aimerais être à la maison. J'aimerais qu'on soit ensemble en ce moment. J'aimerais qu'on soit en train de boire du thé et de parler. Maintenant, je pense souvent à nous deux en train de boire du thé et de parler, assis à la table de la cuisine ou toi devant la planche à repasser et moi dans le rocking-chair. J'aimerais y être en ce moment. Je regrette l'odeur des vêtements qu'on repasse, le linge plié dans le panier. Par dessus tout, je regrette les tasses de thé, je regrette nos conversations. Je pensais que ces taies d'oreiller, bordées de soie, que Richard, Albert et Edmond t'ont envoyées, avec l'insigne de l'armée de terre ou des Marines d'un côté et des poèmes à la Mère de l'autre, étaient gênantes. Je ne comprenais pas alors que ce qui me semblait gênant ne l'était que parce que je ne l'avais jamais vécu. Tu me manques parce que je t'aime..."

Il s'arrêta. Il ne pourrait jamais envoyer une lettre destinée seulement à sa mère, sans y parler de son père. Il s'apprêtait à déchirer sa lettre mais il la rangea dans les pages de son cahier.

Dans le matin froid, la mère réveilla Julien en lui secouant les pieds à travers les couvertures. Il redressa la tête et elle dit : "C'est l'heure."

Habillé, il s'assit à la table de la cuisine mais ne mangea pas. La mère lui demanda d'une voix lointaine : "Qu'est-ce qu'il se passe ?" Il répondit : "Rien". Elle regarda son visage sombre, légèrement baissé. Elle dit : "Tu ne veux pas aller à l'école ce matin ?" "Non," répondit-il. "Il faut que tu y ailles." "Je ne veux pas." Elle ne voulait pas non plus qu'il y aille ; elle ne voulait pas rester seule à la maison. Elle dit : "Mais il le faut." Il se mordit la lèvre supérieure. Elle dit : "Je vais aller avec toi. Tu veux que j'aille avec toi ?" Julien lâcha sa lèvre supérieure et se mordit la lèvre inférieure. "D'accord, dit la mère. Je vais chercher un mouchoir et mon manteau."

Ils prirent le bus. Julien était assis à côté d'elle, en silence, et regardait par la fenêtre. Le bus descendit Mount Pleasant où, dans un voisinage de maisons de briques et de planches sur d'immenses pelouses, entourées de buissons, se trouvait le collège La Salle, au milieu de sa propre pelouse, avec ses propres buissons. Quand la mère et Julien descendirent du bus, elle dit : "Je vais rester ici, vas-y." "D'accord," dit Julien. Elle s'éloigna pour que les garçons réunis près de l'entrée ne puissent pas la voir et elle traversa l'avenue ; de l'autre côté, à l'arrêt de bus, elle regarda Julien s'approcher d'un groupe, l'un des garçons leva le bras pour le saluer et Julien disparut au milieu d'eux. Elle dut s'essuyer les yeux pour voir le numéro du bus.

Quand Daniel revint à la maison, son père lui dit : "Ta mère est au lit. Elle ne s'est ni lavée ni habillée depuis trois jours." Daniel alla la voir. Elle portait le peignoir du père par dessus sa chemise de nuit. Elle était à moitié relevée sur ses oreillers. Daniel s'assit sur une chaise à côté du lit. Sa mère regardait de l'autre côté mais il vit qu'elle pleurait. Le père entra et dit : "Maintenant, arrête ça, arrête de jouer la comédie." Elle répondit : "Je sais, je sais, je t'ai promis que j'irais mieux quand Daniel reviendrait, je t'ai promis que nous aurions de belles vacances, mais je ne peux pas, je ne peux pas." "Tu *peux,* " dit-il. Il avait l'air très fatigué. Daniel dit : "Papa, laisse- moi un peu avec elle." "Elle va pleurer." "C'est plus fort que moi," cria-t-elle. "Je ne peux plus le supporter, dit le père. Je vais monter jusque chez ma sœur Oenone." "Oui, dit la mère. Va, va, mon pauvre, tu mérites bien un peu de repos. Il fait tant de choses pour moi, Daniel, il me donne à manger, tout, et je ne peux rien faire pour le lui rendre..." Daniel dit à son père : "Va chez Matante Oenone. Je vais rester avec maman." Le père sortit. La mère commença à se balancer d'avant en arrière sur ses oreillers. Elle parla entre ses dents serrées. "Est-ce qu'il est parti ?" "Oui." "J'aimerais mourir pour qu'il ait la paix, dit-elle." "Non, non," dit Daniel. "Oh, si. " "Il mourra si tu meurs." Elle se balançait d'avant en arrière. "Qu'est-ce que je vais devenir ? Qu'est-ce que je vais devenir ? Oh, Daniel, mon cher Daniel, Daniel. Est-ce que ça te fait quelque chose quand je t'appelle Daniel ? Oh, Daniel, mon cher Daniel, qu'est-ce que je vais devenir ? Qu'est-ce que je vais faire ?" "Tu veux te lever ?" "Non, oh, non. Je ne peux pas. Je ne peux pas me détendre en dehors de mon lit et je ne peux pas me détendre dans mon lit. Tu sais, j'ai un nœud dans l'estomac, ici, et un bourdonnement dans les oreilles, tout le temps, et toutes les parties de mon corps me picotent. Et qu'est-ce qu'on va faire pour souper ? Qu'est-ce qu'on va préparer pour ton père et pour Ed quand ils vont rentrer du travail ? Je pense à ça tous les jours. Je n'arrive pas à affronter ça. Voir la nourriture suffit à me donner envie de vomir. Et ton père devient fou contre moi si je ne mange pas. Mais je ne peux pas manger. Qu'est-ce que je vais devenir, Daniel, qu'est-ce que je vais devenir. Je vais finir à l'asile d'aliénés. Il faut qu'ils viennent me chercher. C'est tout ce qu'il reste à faire. Et pense à la honte pour la famille. Penses-y. Oh, Daniel, mon cher Daniel, je ne veux pas faire honte à la famille.

— Mais il n'y a aucune honte. Tu es stupide.

— Oh, si, il y en a, cria-t-elle. Oh, Daniel."

Il essuya ses larmes sous ses lunettes et mit les bras autour d'elle. Une odeur se dégageait d'elle, une légère odeur de corps et de talc, mêlée à l'odeur de l'épais peignoir du père.

"Qu'est-ce que je vais devenir. Qu'est-ce que je vais devenir ?

— Tu veux un calmant ?

— Non, non. J'en ai déjà pris un et de toute façon ça ne me fait rien, plus maintenant." Elle cria entre ses dents serrées : "Oh, Daniel, mon cher Daniel, oh, mon cher Daniel, oh, je t'aime."

Il se recula et s'assit en retrait.

"Je vais gâcher tes vacances.

— Bien sûr que non.

— Tu préfèrerais être à l'université. Tu préfèrerais t'en aller tout de suite.

— Non pas du tout. Bien sûr que non. Ne sois pas stupide.

— C'est vrai, Daniel, c'est bien vrai ?

— Bien sûr.

— Oh, merci. Oh, merci beaucoup. Merci."

Il se pencha vers elle et l'embrassa.

"Je suis tellement fatiguée, dit-elle. Tellement fatiguée. Tellement fatiguée. Toutes les parties de mon corps sont fatiguées et je ne peux pas me détendre. " Elle hurla : "Jim, Jim !"

— Tu sais bien que papa ne peut rien faire.

— Oui, je le sais, mais j'aimerais qu'il soit là. Il me prendrait dans ses bras et me bercerait.

— Allez, maman, ça suffit.

— Oh, Daniel, mon cher Daniel, qu'est-ce que je vais devenir, qu'est-ce que je vais devenir ?" Elle tendit le bras pour lui prendre la main. Elle avait la main moite. Pendant un instant, elle serra la main de Daniel dans sa main moite puis, avec son autre main, elle en caressa le revers, les articulations et le poignet. Il essaya de retirer sa main comme s'il pouvait échapper à son étreinte, mais il abandonna. "Je t'aime Daniel, dit-elle, je t'aime comme une mère aime son fils. Je me souviens quand tu étais petit, je te mettais un costume bleu en tricot avec un béret blanc, je m'en souviens, et Edmond t'emmenait en poussette et tout le monde disait que tu étais très beau. Et je t'avais. Quand je pense que je t'ai porté, quand je pense que je t'ai porté neuf mois juste sous mon cœur, et que ton corps est sorti de mon corps."

Il avait la main couverte de sueur. Elle la serrait d'une main et de l'autre lui caressait le poignet.

"Oh, c'était un privilège."

Daniel essaya de retirer sa main. "Non."

Elle serra plus fort. "Si, si. C'était un privilège. C'était un privilège de te porter."

Daniel retira sa main de la sienne en tirant brusquement, puis il se leva.

Elle le regarda avec de grands yeux : "Qu'est-ce qu'il y a ?"

Il s'assit. Il ne répondit pas.

"Oh Daniel," dit-elle.

Le dimanche matin, elle alla à la messe avec eux. Elle était à peine capable de se tenir assise, debout ou à genoux ; elle priait en remuant les lèvres très très vite. Daniel lui aussi devait s'obliger à rester immobile. Il ne cessait de regarder sa mère. Il remarqua que des rides rayonnaient à partir de ses lèvres et du coin de ses yeux ; son nez était marqué de gros points ; un poil noir s'enroulait sous son menton. Il sentit que son corps se tendait pour s'éloigner d'elle.

La mère ne cessait d'entrer et sortir, d'entrer et sortir de la cuisine. Elle ouvrit la porte qui donnait sur l'entrée arrière et le père, qui ne lui avait rien dit quand elle n'arrêtait pas d'entrer et de sortir, lui demanda : "Tu ne vas pas dehors, n'est-ce pas ?" Elle répondit : "Non, je descends à la cave." Elle claqua la porte derrière elle. Ils entendirent claquer la porte de la cave. "Descends pour voir ce qu'elle fait," dit le père à Daniel. Il descendit. Il vit sa mère qui frappait sur un pilier avec deux grands morceaux de bois, un dans la main gauche et l'autre dans la main droite.

Edmond dit qu'il allait les emmener au lac pour chercher des pommes. C'était une journée claire et fraîche. La mère dit qu'elle ne pouvait pas venir. Le père dit : "Essaie, tu aimais bien la campagne." "Non," répondit-elle. "S'il te plaît, fais-le pour moi," demanda-t-il, et sa voix se brisa légèrement.

Dans la voiture, sur le siège arrière, elle resta accrochée à la courroie comme si elle tenait son corps tendu et effrayé en suspension. Le lac était clair et calme. La mère dit qu'elle ne pouvait pas aller chercher des pommes ; elle voulait faire un petit tour sur leur propriété. Le père dit à Daniel : "Garde l'œil sur elle, s'il te plaît", et il alla chercher des pommes avec Edmond et Julien en voiture. La mère descendit lentement vers le lac et s'avança sur l'appontement. Daniel la surveillait d'en haut. En dessous d'elle, l'eau étincelait ; les éclats de lumière brillaient et s'éteignaient, brillaient et s'éteignaient. Il vit qu'elle regardait l'eau fixement. Il sentit tous ses muscles se relâcher brusquement et il pensa : vas-y, maman, vas-y. Elle resta à l'extrémité de l'appontement jusqu'au retour de son mari et de ses fils.

Son père était assis dans le rocking-chair près de la fenêtre de la cuisine. A chaque fois qu'une voiture passait dans la rue, quelle que soit sa direction, il tournait la tête aussitôt pour voir si elle allait s'arrêter. Julien était assis d'un côté de la table, Daniel de l'autre. Daniel frottait le bâton d'encre du Japon d'Albert dans un peu d'eau sur un petit plateau de laque afin de faire de l'encre, et Julien s'exerçait à la calligraphie avec le pinceau d'Albert, en soutenant son poignet droit dans sa main gauche et en balançant la main droite qui tenait le pinceau pour tracer de haut en bas des traits souples et humides qui se terminaient par de brusques crochets pointus. Les deux frères étaient silencieux. Une voiture passa et sembla ralentir. Le père tourna rapidement la tête pour regarder et, en même temps, il fut prêt à se lever ; la voiture s'arrêta mais de l'autre côté de la rue et quelqu'un en descendit pour entrer dans la maison d'en face où habitaient les Italiens. Le père reprit son balancement. Sous le linoléum, là où il se balançait, le plancher craquait ; on aurait dit qu'il faisait craquer la maison dans les autres pièces. Le père croisait et décroisait les mains. Une voiture s'arrêta. La lumière froide et grise de cette fin de matinée se reflètait sur le pare-brise. Le père bondit sur ses pieds, ouvrit rapidement la porte de la cuisine et passa dans l'entrée. Les garçons entendirent les portes extérieures s'ouvrir. Elles restèrent ouvertes. Un courant d'air glacial entra. Les garçons entendirent claquer les portières de la voiture. Julien et Daniel regardaient fixement la porte de la cuisine. Albert entra le premier, à reculons, il se baissa et souleva le bras de sa mère. Richard se tenait derrière elle et lui tenait l'autre bras. Elle pouvait à peine marcher. Ils la firent entrer dans la cuisine en la tenant de chaque côté. Elle laissait aller sa tête. Le père entra derrière eux. Les deux fils aînés tinrent leur mère sans bouger pendant quelques instants, comme si l'air était devenu solide. Les mains de la mère pendaient et ses avant-bras se balançaient mollement ; elle redressa la tête et ses yeux semblèrent vides. Albert dit : "Très bien, allons jusqu'à ta chambre", et Richard et lui l'aidèrent à avancer. Les deux fils lui firent traverser lentement la cuisine et passer la porte de la salle à manger. Le père était derrière eux et il regardait sa femme comme si elle était morte. Il s'arrêta à la porte de la salle à manger et suivit des yeux Richard et Albert qui lui faisaient traverser la salle à manger puis la salle de séjour et entrer dans leur chambre.

Au bout d'un moment, Albert, qui avait toujours son manteau et son écharpe, revint dans la cuisine. "Écoute, papa, dit-il, il va falloir qu'elle aille à l'hôpital pour qu'on continue à la soigner." Le père le regardait fixement.

Quand Richard et Albert allèrent la voir à l'hôpital, elle demanda : "Où est votre père ?" "Il ne viendra pas", dit Albert. Richard se pencha et la serra dans ses bras mais elle ne mit pas ses bras autour de lui.

Le lendemain, Albert, Richard et Daniel vinrent lui rendre visite, et elle dit : "Je rentre à la maison." Richard dit : "J'en suis content." Albert dit : "Mais tu sais que ce sera comme avant, sinon pire." "Non, dit-elle. Je jure que je vais aller bien." Richard regardait Albert par dessus le lit. Daniel se tenait au pied. Albert demanda : "Est-ce que tu me promets que tu continueras ton traitement ?" "Oui, dit-elle. Je le suivrai, je te le promets." "Nous savons que tu n'en veux peut-être pas, mais tu dois continuer, pas seulement pour toi mais aussi pour papa et pour la famille. Tu nous le promets, à nous tes fils ?" demanda Albert. "Oui, d'accord, je vous le promets à tous." "Tout sera détruit si tu abandonnes," insista-t-il. Elle fronça les sourcils. "Je n'abandonnerai pas, dit-elle. Jamais." Daniel dit : "C'est à cause de papa que tu rentres à la maison." Elle le regarda. "Sans papa, tu resterais ici et tu continuerais à te soigner," reprit Daniel. Albert dit : "Papa va essayer que tu arrêtes ton traitement, tu sais, et ce sera une catastrophe. Il va essayer que tu arrêtes parce qu'il est persuadé qu'ils vont te changer et que tu ne seras plus sa femme. Il ne sait pas qu'ils vont améliorer ton état." "Je vous ai promis, dit la mère, je n'arrêterai pas." Elle regardait Daniel.

Son mari était au travail. Dans sa chambre, elle vit qu'il n'y avait plus rien sur le bureau ; il avait retiré toutes les bouteilles de parfum du petit plateau ainsi que les boîtes de poudre, les brosses, les peignes et les petits napperons et les avait mis dans des tiroirs.

Richard lui demanda : "Tu veux que je remette tout comme avant ?" "Non," dit la mère. Elle posa la main sur le plateau vide du bureau.

Richard dit : "Il a tout enlevé parce qu'il voulait qu'on regrette de t'avoir emmenée et parce qu'il savait que, tôt ou tard, tu reviendrais et il voulait que tu le voies pour que tu regrettes d'être partie. Crois-tu qu'il aurait fait ça s'il n'y avait eu personne pour voir le bureau vide ?

— C'est du chiqué," dit Daniel.

Quand il rentra, seul un froncement de sourcils indiqua que le père avait vu sa femme dans son rocking-chair. Elle se leva, s'avança vers lui et lui posa la main sur le coude. "Bonjour Jim," dit-elle. Il retira son coude. "Ne me parle pas," répondit-il. Il rangea sa casquette et son manteau dans le placard derrière le rocking-chair.

Richard, Albert, Daniel et Julien observaient leurs parents.

La mère demanda : "Je ne t'intéresse pas ?

— Non, dit-il, laisse-moi tranquille.

— Mais qu'est-ce que j'ai fait ? Je suis revenue de l'hôpital. Est-ce que tu es en colère contre moi parce que je suis un traitement ? C'est ça ?

— J'ai donné ma signature.

— Mais au téléphone, tu as dit au médecin que tu étais d'accord pour le traitement. Je t'ai entendu moi-même. Oui docteur, oui, docteur, certainement docteur. Qu'est-ce qui s'est passé ?

— Je t'ai dit que j'avais donné ma signature.

— Jim, comment crois-tu que je vais guérir ?

— Retourne à l'hôpital.

— Le traitement ne servira à rien si tu te conduis comme ça. Ça ne t'intéresse pas que je guérisse ? Jim ? Je suis ta femme. Je ne t'intéresse pas ?

— Tu m'intéressais. Tu m'intéressais quand tu étais encore ma femme."

Daniel hurla et ses parents et ses frères sursautèrent et se tournèrent vers lui : "Tu es en train de la tuer !"

Le père, les yeux rouges et humides comme s'il avait eu un rhume, dit : "C'est vous qui êtes en train de tuer ma femme. Vous êtes en train d'électrocuter ma femme !"

Il rentra dans sa chambre et referma la porte.

Elle dit : "Je ne supportais pas l'hôpital. Je n'arrêtais pas de regarder la porte. Quand j'ai vu Richard et Albert entrer sans votre papa, mon cœur s'est brisé. La femme qui était dans la même chambre que moi m'a demandé si votre père était mort. Elle m'a dit : "Il n'est pas venu votre mari, il n'est pas mort, n'est-ce pas ?" J'ai eu le cœur brisé parce qu'il ne voulait pas venir me voir et me prendre dans ses bras. Et maintenant, je ne supporte pas d'être ici." Elle était au milieu de la cuisine. Elle regarda ses fils en silence pendant un moment puis elle dit : "Quand j'étais jeune et que mon père et ma mère se disputaient, je ne le supportais pas. Ils se disputaient très longtemps.

Ça n'avait pas l'air d'inquiéter mes frères et mes sœurs mais moi, je ne pouvais pas le supporter. Et maintenant, je pense que je vous inquiète." Elle avait une voix calme.

Albert et Richard sortaient quand Edmond revint du travail. Il avait une tache d'encre sur le nez. Il laissa tomber sa gamelle avec bruit sur la table de la cuisine quand il vit sa mère. "J'ai dit que si tu quittais encore l'hôpital..." Albert lui dit : "Va te laver le nez." Les deux frères aînés quittèrent la maison.

Tandis que Daniel et Julien épluchaient des pommes de terre dans l'office, la mère tournait autour de la table de la cuisine. Soudain, elle alla vers la chambre et ouvrit la porte. Son mari était allongé sur le lit dans l'obscurité et fumait. "Jim, dit-elle, Jim, je ne peux pas supporter ça. Si j'ai fait quelque chose de mal, tu ne peux pas me pardonner ? Tu dis le *Notre père*. Tu dis : *"Pardonnez-nous nos offenses"* et tu ne veux pas me pardonner."

Daniel l'entendait depuis l'office. Il s'avança jusqu'à la porte de la salle à manger. "Maman" cria-t-il. "Maman !" Il ne pouvait pas la voir. Il criait comme si elle se trouvait loin de lui et il savait qu'elle ne l'écouterait pas, même quand il cria : "Tu n'as rien fait ! Tu ne comprends pas ? Pourquoi devrait-il te pardonner ? Il n'a rien à te pardonner ! C'est lui qui devrait te demander de lui pardonner ! Tu le sais !

— Jim, dit-elle, Jim, pourquoi est-ce que tu ne me parles pas ?

— Maman !

— Jim.

— Maman !" Brusquement, il fut terrifié qu'elle entre dans la chambre et qu'elle referme la porte derrière elle.

Elle dit : "Je vais abandonner le traitement. Même si les garçons ne sont pas d'accord, je vais l'abandonner."

Il bondit jusqu'à la porte de la chambre. Dans la lumière qui venait de la salle de séjour, il vit son père allongé sur le lit ; la chambre obscure était pleine de fumée. Daniel resta à l'entrée, à côté de sa mère. Il lui cria : "Non, tu n'abandonneras pas, non !"

Ses cris la firent grimacer, mais elle ne le regarda pas ;
c'était comme s'il n'avait pas été là, et il criait pour qu'elle se
rende compte de sa présence. Sa voix tendue et douloureuse se
brisa tout à coup en un hurlement aigu qui lui fit peur ; il crut
entendre ce hurlement de très loin, de très très loin, et il se
demanda ce que c'était.

"Non, non, non, tu n'abandonneras pas, non !

— Jim, s'il te plaît, s'il te plaît."

Daniel hurla : "Il est en train de gagner ! Il est en train de
gagner ! Tu ne vois pas qu'il est en train de gagner."

Elle regarda enfin Daniel mais à nouveau de très loin.
"Mais je veux la paix. Tout ce que je veux, c'est la paix à la
maison."

Le père dit : "J'ai donné ma signature. Va à l'hôpital. Va à
l'hôpital qu'on te fasse un électrochoc. Va te faire faire un électrochoc.

— Jim ! Qu'est-ce que je peux faire ?

— Tu as le choix. Moi ou les électrochocs.

— J'arrêterai les électrochocs."

Daniel hurla : "Non ! N'arrête pas !"

Le regard qu'elle lui jeta le ramena près d'elle ; elle avait
des yeux exorbités. "Laisse-moi tranquille." Elle passa devant
lui et entra dans la chambre.

Il se tint devant elle. "Sors de cette chambre !" Ses hurlements le faisaient trembler. "Sors de cette chambre ! Va suivre
ton traitement.

— Mais je veux la paix.

— Sors de cette chambre !"

Edmond cria de la cuisine : "Est-ce qu'on pourrait avoir
la paix dans cette fichue maison ? Qu'est-ce qu'il y a ? Qu'est
ce qu'il se passe encore ?"

Daniel entendit Julien qui fermait la porte de sa chambre.

— Sors d'ici !

— Non," dit-elle. Elle se tenait à mi-chemin, entre la porte
et le lit.

"Sors de cette chambre !" Son hurlement se brisa comme
la voix d'un adolescent ; il continua à crier avec une voix qui
n'était pas la sienne : "Sors d'ici, sors !" Elle s'éloigna de lui.

"Sors d'ici ! Sors ! Sors d'ici !" Elle courba le dos. Il comprit que ses cris l'effrayaient. Elle sortit de la chambre à reculons. Sans regarder son père, toujours allongé sur le lit, Daniel claqua la porte. Quand il parla, sa gorge lui fit mal. "Est-ce que tu ne comprends pas ce qu'il est en train de faire ?

— Mais tout ce que je veux c'est la paix, cria-t-elle. Tout ce que je veux c'est que notre famille retrouve la paix."

Daniel s'assit auprès d'elle dans la salle de séjour. Il avait envie de la laisser mais il se disait que s'il partait elle retournerait voir son père.

Elle dit : "Si seulement je pouvais m'endormir pour ne plus me réveiller. Je veux mourir. Je veux mourir. Promets-moi de prier pour que je meure. Promets-moi.

— Non, non, dit-il avec impatience. Je ne peux pas, je ne peux pas te promettre ça.

— Alors tu te conduis mal. Je n'aurais jamais pensé que tu te conduirais mal avec moi, Daniel, je n'aurais jamais pensé ça."

Richard et Albert revinrent avec des paquets qu'ils déposèrent sur un lit sans les ouvrir. Daniel et Julien mettaient la table. La mère était assise sur une chaise près de la porte de la cuisine comme une visiteuse mal à l'aise et qu'on ignore, et qui, à tout moment, peut se lever et partir. Les fils les plus âgés étaient assis sur les autres chaises de la cuisine ; ils parlaient d'elle et du père comme si elle avait été quelqu'un qu'ils ne connaissaient pas et qui ne pouvait comprendre ce dont ils parlaient.

"Il veut que sa femme soit avec lui, évidemment, dit Albert.

— Oui, dit Richard.

— Il veut ? demanda Edmond. Il ne peut pas supporter qu'elle ne soit pas là. Quand elle est allée au Massachusetts pour voir ses vieux amis, est-ce qu'il n'avait pas dit qu'elle pouvait y aller ? Mais pendant son absence, il n'a pas voulu manger ni nous parler. Quand maman est revenue, il était allongé par terre, devant le poêle. Et quand elle est allée chez sa mère parce qu'elle ne nous supportait plus, nous les

281

garçons, ni la maison, seulement pour trois jours, il a dit à notre mère que sa femme l'avait laissé avec les enfants, qu'elle l'avait abandonné..."

Richard leva la main pour l'arrêter. "D'accord, Edmond, d'accord...

— Mais c'est la vérité."

Richard secoua la tête. "Oui, oui."

Edmond éleva la voix : "Je m'en moque de ton "oui, oui". Ce n'est pas "oui, oui". Nous ne parlons jamais de ce qui se passe. Pourquoi est-ce qu'il ne veut pas revoir Philip ? Pourquoi ? Je sais pourquoi. Nom de Dieu, je sais pourquoi.

— Qu'est-ce que c'est ?" demanda Richard.

Edmond serra les lèvres.

"Je sais pourquoi," dit la mère.

Les fils se tournèrent vers elle.

"C'est à cause de l'argent," dit-elle, les mains sur les genoux, "c'est tout".

Ils restèrent silencieux ; Edmond lui aussi détourna le regard.

Elle dit : "Julien, va dire à ton père qu'il est l'heure de manger."

Le père se servit, mangea et se leva quand il eut fini. Les autres continuèrent à manger en silence. Le père alla jusqu'à son placard pour y prendre son manteau et sa casquette. Il enfila le manteau.

La mère lui demanda : "Où vas-tu?

— Je monte chez ma sœur Oenone.

— Maintenant ? Il est tard.

— Je vais rester chez elle.

— Rester chez elle ?"

Il isolait sa femme au milieu de ses fils en lui parlant comme s'ils n'étaient pas là. "Tu ne me reverras pas."

Le corps de sa femme s'affaissa sans bruit.

"Vous êtes tous contre moi, dit-il. D'accord. Je m'en vais. Demain je vais téléphoner à un avocat et nous prendrons des dispositions pour le divorce." Il se frappa la poitrine du doigt. "Personne ne me mènera en bateau. Je sais ce qui se passe.

Vous essayez tous de vous débarrasser de moi. Alors, très bien. Vous ne m'avez jamais supporté." Il parlait directement à sa femme. "Puisque vous dites tous que je suis la cause de cette situation, et bien, j'enlève la cause." Brusquement, il hurla : "Va te faire faire des électrochocs, vas-y, vas-y !"

Albert dit : "Papa, personne ne t'accuse de quoi que ce soit."

Le père le regarda.

"Est-ce que tu as peur du traitement ? lui demanda Albert.

— Oui, répondit le père, j'en ai peur.

— Et tu veux qu'elle arrête ?"

Edmond bondit et tendit le doigt vers sa mère : "Quand tu es partie à l'hôpital, est-ce que je ne t'ai pas dit que si tu le quittais, je ne voulais plus rien avoir à faire avec toi ? Est-ce que je te l'ai pas dit ? Et bien, je me moque de ce qui peut t'arriver. Arrête le traitement. Continue, arrête-le ! J'en ai assez de toi. Je vais m'en aller.

— Et où iras-tu, Edmond ? lui demanda la mère.

— Assieds-toi Edmond," dit Albert.

Edmond s'assit.

Albert dit à son père : "Elle ne peut pas arrêter le traitement."

Le père mit sa casquette ; il rabattit la visière sur son front. Il dit à sa femme : "Tu peux prendre tout l'argent sauf les dix huit cents dollars que ma mère m'a laissés. Et je vais essayer de garder cette maison. L'autre maison ne m'intéresse pas. Je vais habiter ici."

La mère se leva brusquement. Elle s'avança vers le père en le regardant fixement. Richard, qui était assis à côté d'elle, se leva aussi et tendit la main car il crut que sa mère allait tomber. Il resta le bras tendu tandis, qu'à genoux, elle se balançait d'avant en arrière. Tous ses fils se levèrent.

Albert se tenait au-dessus d'elle. Il avait la bouche tordue d'un côté, on voyait les tendons de son cou. Il hurla comme jamais personne dans cette maison ne l'avait entendu hurler : "Debout ! Debout ! Debout ! Ne reste pas à genoux, mets-toi sur tes deux pieds comme la mère d'un Marine ! Ton mari n'en peut plus ! Fais quelque chose ! Mets-toi debout et fais quelque chose pour l'aider, ton mari n'en peut plus ! Relève-toi ! Debout !"

Personne ne bougea. Elle cessa de geindre mais elle haletait. Ils la regardèrent se relever. Elle fixait toujours son mari. Elle dit, en remuant à peine les lèvres : "Ne t'en va pas. Reste. S'il te plaît. Tu détruis ton foyer. Reste pour Julien."

Il la contemplait avec le même regard fixe. Au bout d'un moment, il enleva sa casquette. Il dit : "D'accord. Je reste. Tu as gagné."

Daniel, debout, tenait un verre de lait. Il le lança contre le mur. Il vit que tout le monde tournait instinctivement le visage vers lui. Il hurla : "Gagné ? Gagné ? Tu as gagné maman ? Non, non ! C'est lui qui a gagné ! Il n'a rien cédé ! C'est toi qui as cédé ! Toi ! Il pense qu'il fait un sacrifice, qu'il est un martyr ! Oh, non, non ! C'est toi qui sacrifies tout ! C'est toi la martyre !"

Richard posa la main sur l'épaule de Daniel : "Allons, allons essayez de vous contrôler.

— Oh, non ! Il ne peut pas gagner !"

Richard parla d'une voix douce : "Je sais. Je sais ! Il a tout manigancé."

Daniel s'essuya les yeux et se détourna. Il entendit Richard crier. Il se retourna et vit Richard debout devant le père, les poings serrés. Le père avait sur le visage un air de surprise et de peur.

"Est-ce que ça aussi, ça fait partie de ton plan ? cria Richard. Hein ? Est-ce que ça fait partie de ton plan ?"

Albert s'avança vers lui. Quand son frère aîné se mit à sangloter, il le prit dans ses bras. Richard se recula.

"Merci," dit Richard et il s'assit.

Le père remit sa casquette et sortit.

La mère et ses fils s'assirent sur les chaises écartées de la table.

La mère dit à Julien : "Tu veux être avec ton père, hein ? Monte chez ta tante Oenone et dis lui que nous avons besoin de lui. S'il te plaît, Julien.

— Non, dit Julien.

— Tu t'entendais si bien avec lui. Il ne va pas te manquer ?

— Non."

Ils étaient toujours assis quand le père revint. Il ôta sa casquette et son manteau et les rangea dans le placard. Il dit à sa femme : "Il est l'heure d'aller se coucher." Elle se leva et le suivit. Les frères restèrent assis.

Le matin de Noël, Albert dit : "Papa, essaie ton pardessus pour voir s'il te va." Le père enfila le pardessus. "Mets-toi au milieu de la pièce qu'on puisse te voir." Le père se mit au milieu de la pièce. "Il faudrait relever le col," dit la mère. Daniel releva le col du pardessus et aplatit les épaules de la main. "Est-ce qu'il te va ?" demanda Albert. Le visage du père resta impassible mais il dit : "Oui, il me va."

La journée s'obscurcit rapidement. Daniel regarda au dehors. Les ombres du soir s'allongeaient dans la rue noire et déserte. Le père et la mère passèrent la plus grande partie de la journée dans leur chambre.

Quand les parents se réveillèrent, Albert prépara le thé. La cuisine était sombre et silencieuse. Dans l'obscurité et le silence, la mère dit : "Il faut que je vous dise, je ne vais pas tenir ma promesse, je n'aurai plus d'électrochocs."

Albert reposa sa tasse. "Tu dois faire ce que tu juges le mieux," dit-il.

Daniel conduisit Albert au petit aéroport militaire à la sortie de Providence. Des rafales de vent chargées de pluie plaquaient des feuilles mortes sur le pare-brise.

Daniel dit : "Tu sais, je crois que je ne t'ai jamais remercié pour ce que tu as fait pour moi.

— Qu'est-ce que tu veux dire ? demanda Albert.

— Dans la famille on ne se remercie jamais." Il se tut quelques instants. "Pour payer mes cours, ma chambre et ma pension à Boston College.

— Ce n'est pas seulement pour toi que je t'envoie à l'université, mon petit, je fais ça pour nous tous.

— Oui," dit Daniel. Il se tut à nouveau. "Mais il faut que je trouve un travail pour participer aux frais. On m'a averti que l'an prochain, la chambre et la pension se monteraient à 850 dollars, 150 de plus que cette année.

— Je crois que je pourrai m'arranger.

— Non, ne dis pas ça. Je ne peux pas m'attendre à ce que tu paies pour moi. Il faut que je trouve un travail.

Albert dit : "Pour prouver que tu es indépendant ?"

Daniel dit : "Je ne suis pas indépendant." Une feuille glissa sur le pare-brise. "En réalité, je ne veux pas travailler. Je sors d'une famille de travailleurs et pourtant, tu sais, quand je me dis : il faut que tu travailles, je me demande : travailler ? travailler ? Je ne sais pas ce que ça signifie. Est-ce que papa a jamais vraiment travaillé ? Oui, je suis fou. Ce sont des questions horribles. Il a travaillé parce qu'il y a été obligé et je travaillerai parce que j'y serai obligé. Et pourtant... tu sais, je ne gagnerai jamais beaucoup d'argent, j'en suis sûr, et ça ne m'inquiète pas. Mais travailler me terrifie.

— Tu pourrais travailler pour Dieu, dit Albert.

— Oui," répondit Daniel.

Daniel resta seul avec sa mère dans les journées vides et interminables qui suivirent le jour de l'an, et quand il l'entendit venir vers la cuisine où il se trouvait, il partit dans sa chambre, et quand à son tour, il alla dans la salle de séjour où elle se tenait, elle partit dans sa chambre. Il sentit que tous ses nerfs se relâchaient et quand il tendit le bras, il fut incapable de le contrôler, sa main alla plus loin qu'il ne l'avait voulu et il renversa un verre. Dans la maison silencieuse, il essaya de lire. L'espace qui séparait les mots et les lettres semblait s'agrandir ; il mit des heures à terminer un paragraphe. Le silence était si profond qu'il eut l'impression d'entendre un bruit sourd et constant et il se leva pour vérifier d'où cela venait. Il regarda dans la salle de séjour. Il vit sa mère debout au milieu de la pièce qui lui tournait le dos. Il l'observa pendant un long moment et elle ne bougea pas. Lui-même restait immobile et il sentait ses nerfs se contracter dans tout son corps. Il s'avança vers sa mère. Elle se retourna vers lui.

"Tu vas bien ? lui demanda-t-il.

— Oui.

— Je ne le crois pas.

— Si, si, ça va.

— Tu ne vas pas mieux et ton état ne cesse d'empirer.

— Non, Daniel, non."

Il eut un sursaut brusque. "Tu aurais dû continuer à suivre ton traitement."

Elle ne répondit pas ; elle semblait raide et calme.

"Tu aurais dû continuer." Sans savoir pourquoi des larmes se formèrent dans ses yeux et coulèrent sur ses joues.

— Je ne pouvais pas, dit-elle.

— Il n'est pas trop tard.

— Si.

— Oui, tu as raison, il est trop tard.

— Daniel."

Il regarda le visage de sa mère. L'idée qu'elle devrait mourir lui traversa l'esprit.

"Oh," s'écria-t-il en pleurant.

"Arrête, dit-elle.

— D'accord.

— Je ne pouvais pas continuer. Cela m'aurait détruit, cela aurait détruit la famille.

— Ça m'est égal," dit-il.

Elle regarda derrière lui. Il se retourna et vit son père à la porte. Il avait une traînée de peinture noire en travers de la joue. Il entra dans la salle de séjour.

"Tu ne veux pas que ta mère guérisse ?" demanda-t-il.

Daniel était un peu effrayé. Il sentit que son corps reculait en silence alors que, dans le même temps, il faisait un pas en avant et que ce corps qui s'avançait disait : "Si."

Le père parla d'une voix sombre mais calme. "Tu te trompes. Vous vous trompez tous. Moi je m'inquiète.

— Alors...

— Il a donné son accord puis il l'a retiré et vous vous êtes tous mis de son côté." En parlant, il tendit le bras et posa la main sur l'épaule de sa femme.

Le corps de Daniel qui avait reculé observait la scène à distance, et le corps qui s'était avancé tendit la main et tira sur le bras de son père dont la main glissa de l'épaule de la mère. La mère se rapprocha de son mari.

Daniel hurla : "Je sais ce que tu veux !"

La mère dit : "Non.

— Je le sais ! Je le sais ! Je sais ce que tu veux faire ! Je le sais ! Alors fais-le ! Fais-le ! Fais-le !" Derrière lui-même, il se demandait qui était la personne qui criait ou ce qu'elle criait.

Il vit sa mère qui regardait d'en haut le corps en avant, mais ses yeux ne le fixaient pas vraiment. Il l'entendit dire à ce corps : "Ton père a fait tellement de choses pour toi. Tu as vite oublié tout ce qu'il a fait. Sans lui...

— Oui, dit-il entre ses dents, sans lui je ne serais pas là, mais je ne veux pas être là."

Il vit le regard de sa mère le fixer et son bras se lever et s'abattre. La main de sa mère s'écrasa sur son visage.

Il resta immobile pendant quelques instants. Derrière sa mère, il voyait son père qui recouvrait son visage avec ses mains. Daniel essaya de sortir de la salle de séjour qui lui semblait être la salle de séjour d'une maison dans laquelle il n'était jamais entré.

Il alla immédiatement faire sa valise. Il téléphona à la gare afin d'avoir l'heure du premier train pour Boston. Il était dans quatre heures. Il s'assit dans la chambre de Julien.

Sa mère entra. "Tu t'en vas, dit-elle.

— Je pars une semaine plus tôt."

Elle le laissa seul. Il entendit Edmond rentrer et il alla dans la cuisine où, sans regarder personne d'autre, il demanda à son frère s'il pouvait le conduire à la gare. Edmond fit une grimace. "Ça ne fait rien, dit Daniel, je prendrai le bus." "Je vais t'emmener," dit Edmond. Daniel se mit en colère. "Non, dit-il, je prendrai le bus." Il hurla : "Je ne veux pas tu me conduises !" Edmond dit : "Je vais faire démarrer la voiture."

Daniel mit son manteau, son écharpe et ses gants dans sa chambre et traversa la cuisine avec sa valise. Il ouvrit la parte et descendit dans l'entrée. Il entendit sa mère demander : "Est-ce que tu t'en vas sans dire au revoir ?" Daniel se retourna. Sa mère se tenait en haut des marches. Derrière elle, le père était assis à la table de la cuisine et faisait une réussite. Daniel eut l'impression que son visage enflait.

"Tu t'en vas sans dire au revoir ?" répéta la mère.

Daniel vit que son père pleurait en faisant sa réussite. Son père dit, sans lever la tête : "Je t'en prie, Daniel.

— Viens serrer la main de ton père avant de partir. Si tu pars comme ça tu le regretteras. Tu ne seras plus jamais chez toi ici. Viens serrer la main de ton père.

— Je ne suis plus chez moi ici. Ce n'est plus possible. Je ne suis pas heureux ici.

— Tu y as été chez toi pendant dix-sept ans."

Il ôta ses gants, monta les marches, entra dans la cuisine et s'avança vers son père. Son père recula sa chaise et se leva. Son père tendit la main pendant un long moment. Daniel dit : "Si j'ai fait quelque chose qui t'a blessé, papa, excuse-moi."

Le père avait les yeux rouges. "Si tu n'es pas obligé de partir ce soir, reste. Pourquoi est-ce que tu ne restes pas, pour partir demain matin ?

— C'est impossible.

— Pourquoi ? demanda la mère.

— C'est impossible. J'ai du travail." Il se dit, non. Il répéta : "Il faut que je parte.

— Très bien, dit sa mère, au revoir", et elle essaya de l'embrasser, mais il se recula.

Edmond alluma les phares quand il monta en voiture. Il vit qu'on levait le store de la cuisine et sa mère qui se penchait derrière la fenêtre, les mains tendues de chaque côté du visage pour se protéger des reflets de l'intérieur afin de voir au dehors. Edmond démarra. Daniel ne regarda pas de côté, mais il savait que sa mère agitait la main pour lui dire au revoir.

Il dit à Edmond : "Je ne pars pas". Edmond arrêta la voiture et coupa le moteur. Ils restèrent un long moment dans l'obscurité. "Non, je m'en vais," dit Daniel.

Il trouva une carte d'anniversaire dans sa boîte aux lettres. Sa mère avait signé : Papa et maman. Au dos, elle avait écrit : "Tu as maintenant dix-huit ans et tu seras bientôt indépendant. Je suis sûre que tu veux être indépendant et tu as raison de le vouloir. Nous aimerions te voir. Viens à la maison, s'il te plaît, quand tu le pourras. Il faut que je te dise que je ne vais pas bien à 100 %, mais ça va. Nous n'avons pas eu de nouvelles de toi depuis longtemps. Nous t'espérons en bonne santé."

C'était une note distante et si elle l'était, c'était pour respecter son indépendance. Et tandis qu'il se concentrait sur l'écriture, il lui sembla que son esprit se mettait brusquement à bouger, que toutes ses perspectives intérieures du temps et de l'espace - qui, il le savait, n'étaient pas concentrées dans un point à l'arrière de son cerveau, mais qui, à un moment, convergeaient vers un point, un moment plus tard, vers un autre et seulement quand elles convergeaient - se déplacèrent, et il ne se trouva plus à Boston College en mars 1958, et sa mère ne se trouva plus à Providence, dans l'état de Rhode Island ; il ne savait plus où il était mais il savait qu'il contemplait l'écriture d'une personne très loin dans l'espace, très loin dans le temps, comme si elle était morte. Cela l'effraya. Il n'était pas retourné chez lui depuis un mois et demi, peut-être pour montrer qu'il était indépendant. Maintenant cette indépendance qu'il s'était imposée pendant tout le temps où il était resté loin de chez lui, le détachait non seulement de sa famille, de sa mère, de son père et de ses frères, mais aussi, brusquement, du temps et de l'espace dans lesquels il se trouvait. Il avait l'impression d'avoir été tellement éloigné de sa mère qu'il ne serait plus jamais capable de la voir, de lui parler ou de lui écrire à nouveau. Il avait besoin d'établir immédiatement un contact avec elle. Il voulait la rassurer en lui affirmant qu'il n'était pas indépendant et qu'il ne voulait pas l'être. Il avait un cours qui commençait dans cinq minutes mais pourtant il se précipita dans une cabine téléphonique pour l'appeler.

Il hurla : "Maman !"

Sa voix résonna au loin : "Oh, Daniel.

— Je vais revenir à la maison.

— Oh," dit-elle à nouveau.

L'anniversaire de sa mère était quatre jours après le sien ; il imagina qu'elle était née après lui, qu'elle était aussi jeune que lui, et qu'il était aussi vieux qu'elle.

Dans le train qui l'emmenait vers Providence, Daniel était assis près de la fenêtre sale, dans laquelle quand le train changeait brusquement de direction, il voyait son visage et, par laquelle, quand le train tournait à nouveau, il voyait les taudis du South End de Boston, des garçons qui couraient dans une ruelle, une affiche déchirée, une fenêtre aux vitres brisées, les cheminées d'une usine. Le train traversait des paysages de campagne, des bois aux arbres maigrelets et dénudés, il passa devant une maison de planches abandonnée dans un champ envahi d'herbes folles et entouré d'un mur de pierres, devant un immense dépôt de ferrailles rempli de carcasses de voitures et d'énormes tas de bidons d'huile cabossés, au milieu du dépôt, il y avait un arbre sans feuilles auquel on avait accroché de vieux pneus. Le soleil se coucha. Le train traversa des villes de briques avec des enseignes au néon qui clignotaient devant des murs de briques et devant le ciel toujours rouge, au - dessus. Dans le train, certains lisaient des journaux, d'autres fermaient les yeux.

Il finit par s'endormir en se réveillant souvent avec la sensation effrayante que le train avait fait demi tour.

Il eut aussi l'impression qu'il marchait vers chez lui, non pas en avant mais à reculons, et quand il vit sa maison, au coin de la rue, dans la lumière bleuâtre du réverbère, avec toutes les fenêtres obscures sauf celle de la cuisine dans laquelle, à travers les rideaux tirés, on pouvait voir une lumière pâle et jaune, il imagina qu'il y était arrivé par une sorte de renversement du sens qu'il avait de l'espace et du temps. Il s'arrêta un moment pour regarder la maison. Il se dit : je ne peux pas entrer. Il se le dit non seulement parce qu'il ne voulait pas y entrer et que son corps s'arrêtait, mais aussi parce qu'il avait la sensation que son corps ne pouvait pas traverser l'espace et le temps qui le séparaient d'elle. Il s'avança lentement vers la véranda et l'escalier, il ouvrit la première porte, sortit sa clef et ouvrit la porte de derrière. Dans l'entrée, il s'arrêta un moment.

La porte de la cuisine s'ouvrit, laissant passer un rayon de lumière qui allait en s'élargissant, et dans la lumière, se penchant pour voir, il y avait son père.

Daniel dit : "C'est moi papa.

— Je pensais bien avoir entendu quelqu'un," dit le père. Il tenait toujours la porte et il se pencha encore pour voir son fils.

"Je suis venu pour l'anniversaire de maman, dit Daniel.

— Je suis content", dit le père. Il semblait plus vieux que dans le souvenir de Daniel. Ses yeux s'enfonçaient dans ses orbites et ses pommettes ressortaient comme dans le visage de sa mère. Il ouvrit la porte. Daniel entra dans la cuisine et posa son sac. Julien était assis à table.

"Comment ça va ?" lui demanda Daniel.

"Je vais bien".

Daniel se tourna vers son père et brusquement son père le saisit par les épaules. Il les tint serrées. Il avait un visage impassible. Il dit : "Ta mère va être heureuse. Ta mère va être si heureuse.

— Où est-elle ?" demanda Daniel.

Le père le regarda pendant un long moment, puis il lâcha ses épaules.

"Elle est dans sa chambre.

— Elle dort ?

— Je ne crois pas.

— Est-ce qu'elle veut me voir ?

— Oh, oui."

Daniel enleva son manteau. Il se tenait au milieu de la cuisine. Il ne voulait pas aller dans la chambre de sa mère.

Le père demanda : "Tu as eu des nouvelles des autres ?

— J'ai reçu une lettre d'Albert. Il m'a envoyé un pyjama pour mon anniversaire et un petit chèque pour m'acheter ce que je voulais.

— Qu'est-ce qu'il t'a dit ?

— Oh, rien.

— Et Richard et André ?

— Je n'ai pas eu de leurs nouvelles."

Le père recula d'un pas. "Tu ne pouvais pas leur demander qu'ils t'écrivent un mot ?"

Daniel fronça les sourcils.

Le père dit : "Vous pensez tous que le mieux c'est que chacun se débrouille seul. C'est très bien, Albert envoie les chèques tous les mois, pour l'hypothèque et pour toi à l'université, mais ce serait différent s'il y avait une lettre.

— Oui, dit Daniel.

— Ce serait très différent pour ta mère."

Daniel recula lui aussi. "Je vais aller la voir, dit-il.

— Vas-y."

Mais il demanda à Julien : "Pourquoi est-ce que tu ne viens pas avec moi ?

— Non," répondit-il.

Il frappa à la porte. Il entendit : "Oui", et il entra dans la chambre faiblement éclairée. Elle était assise dans son lit. Elle n'était pas coiffée et sa peau brillait dans la lumière jaune de la lampe posée près d'elle. Elle referma le peignoir de bain de son mari autour de son cou quand Daniel s'avança vers elle.

Il s'avança vers elle comme s'il allait tomber ; il s'assit sur la chaise à côté du lit.

Elle parla entre ses dents : "Tu n'aurais pas dû venir. Tu n'aurais pas dû venir comme les autres.

— Tu savais que je reviendrais."

Elle leva les mains, les paumes ouvertes vers le haut, jusqu'à son visage.

"Ne me regarde pas."

Il pencha en avant son corps pesant pour la prendre dans ses bras.

"Oh, maman !

— Non, ne t'approche pas. Je sens mauvais. Je ne me suis pas lavée depuis quatre jours. Je ne veux pas."

Il posa la pointe de ses doigts sur son front.

Elle dit : "Je veux mourir.

— Oh, non, dit-il.

— Si.

— Je ne te laisserai pas mourir."

Il baissa les yeux vers elle ; elle le regarda mais ne dit rien. Il appuya les genoux sur le bord du lit et se pencha un peu au-dessus d'elle.

Il dit : "Maman..."

Elle dit : "Retourne à l'université."

Il secoua la tête violemment. "Je n'irai pas. Je n'irai pas.

— Tu dis ça parce que tu es resté longtemps sans revenir, tu sens que je suis comme ça parce que toi, parce que vous tous, vous ne revenez pas. Mais au bout de deux jours, tu voudras repartir. Et tu auras raison. Ce n'est pas à cause de toi ou de l'un des autres ou de ton père que je suis comme ça. Je suis comme ça à cause de moi.

— Non, dit-il.

— Si."

Il dit d'une voix sèche : "Je vais rester. Je vais rester. Tu verras.

— Tu n'y peux rien, Daniel. Ton père ne travaille plus

depuis deux semaines pour s'occuper de moi. Il va perdre son emploi. Il fait tout ce qu'il peut, tout. Il m'aime. Je sais qu'il m'aime. Et je l'aime aussi, mais je veux mourir."

Il se pencha encore au-dessus du lit et il sentit qu'il allait tomber sur les jambes de sa mère. Il poussa très fort des genoux contre le bord du matelas et secoua un peu son corps.

"Maman…"

Il sentit en lui, et son corps s'y abandonnait entièrement, il sentit un flot sombre qui l'envahissait, qui l'envahissait et le submergeait.

Il dit: "Je t'aime." Il se secoua. Il dit: "Je t'aime, je t'aime."

Elle dit: "Non, Daniel."

Il ne la regarda pas. Il sortit de la chambre.

Son père était allongé sur le canapé dans la salle de séjour. Il était sur le dos, le corps plié en deux et ses pieds dépassaient sur le côté. Ses deux mains étaient réunies sur sa poitrine. Il avait la tête renversée, la bouche ouverte, et ses paupières fermées ne laissaient voir qu'une fente blanche.

Daniel tremblait légèrement. Il alla dans la cuisine où Julien était assis devant la table. Daniel s'y assit lui aussi.

"Comment arrives-tu à supporter ça, jour après jour? demanda Daniel.

— J'écoute de la musique, dit Julien.

— Tu devrais venir me voir à l'université. Tu pourrais coucher au dortoir.

— Ça ira ici."

Edmond entra. Quand il vit Daniel, il grogna: "Tu es quand même venu.

— Oui." De temps en temps son corps sursautait, il avait la tête vide.

"Alors tu vas pouvoir prendre la suite. J'en avais assez.

— Tu peux t'en aller," dit Julien.

La mère appela de sa chambre: "Jim! Jim! Jim! Jim!"

Par les portes ouvertes de la cuisine et de la salle à manger, Daniel vit son père sauter du canapé dans la salle de séjour, pour se retrouver à moitié assis et à moitié couché, les chaussures heurtant le sol. Il retrouva son équilibre et alla rapidement dans la chambre de sa femme. Daniel entendit sa voix grave qui disait : "Oui, oui, oui," tandis que la mère continuait à crier comme s'il avait été au loin : "Jim ! Jim ! Jim !"

Edmond hurla : "Oh ! Si tu cries si fort, c'est que tu n'es pas près de te relever."

La mère hurla : "Mon chéri, mon chéri, je ne veux pas faire quelque chose de mal. Je sais que c'est un péché, mon chéri, je ne veux pas déshonorer notre famille, mais j'ai peur de devenir totalement désespérée. Jim, Jim, fais quelque chose. Fais quelque chose ! Je ne veux pas aller en enfer !"

Edmond alla jusqu'à la porte et hurla : "Arrête ! Arrête ! Personne ne peut t'aider ! Tu dois le faire toi-même !"

Elle poussa une sorte de rugissement : "Je ne peux pas ! Je ne peux pas !"

Julien dit : "Edmond." Edmond s'éloigna de la porte de la chambre, il parcourut la cuisine des yeux et s'assit. Il leva la main. "Je..."

Mais il se tut quand Julien se leva. Daniel vit son frère s'avancer jusqu'à l'entrée de la chambre où il resta sans bouger en regardant à l'intérieur.

Julien dit : "Maman.

— Quoi ?" demanda la mère.

Julien ne répondit pas.

— Qu'est-ce que je peux faire ?" demanda-t-elle.

Il dit : "Lève-toi, lave-toi, habille-toi, mets un peu de maquillage."

Au bout d'un moment, elle dit : "D'accord."

Dans la cuisine, les quatre hommes attendaient qu'elle ressorte de la salle de bains. Ils ne parlaient pas. Elle apparut vêtue d'une robe à fleurs, les cheveux peignés, le visage propre et poudré, avec du rouge à lèvres. Elle s'avança avec lenteur. Elle s'assit.

Le père dit : "C'est pour Julien, n'est-ce pas ? Tu as fait ça pour Julien ?

— Oui, dit-elle, mon dernier né.

- Est-ce que je peux faire quelque chose pour toi, maman ?" demanda Daniel.

Elle fut incapable de le regarder. "Non.

— Tu veux que je te prépare une tasse de thé ?

— Non."

Il dit : "Je t'ai apporté un cadeau."

Il ouvrit son sac, resté près de la porte de la cuisine, et il en sortit un paquet long et plat, enveloppé dans du papier blanc et attaché par une ficelle. Il le donna à sa mère. Elle le posa sur ses genoux et essaya de dénouer la ficelle.

"Attends, dit le père, nerveusement. Je vais prendre des ciseaux." Il coupa la ficelle.

La mère ouvrit la boîte ; elle contenait six couteaux dont les lames étaient coincées dans des fentes du carton.

Elle dit : "Ils sont très beau." Elle reposa la boîte sur la table.

"Nous allons fêter ça," dit Daniel.

Le père dit : "Je n'ai pas eu l'occasion de..."

Elle secoua la tête.

"C'est la plus belle fête que nous puissions avoir, dit le père, de voir que tu es avec nous."

Elle essaya de sourire.

"Et tout ça grâce à Julien, continua le père. Si ça ne montre pas le pouvoir qu'il a...

— Oui, dit-elle.

— Et est-ce que ça ne montre pas le pouvoir que tu as, toi aussi ? Tu peux changer, tu peux devenir une femme différente si tu le décides. Tu le peux, dit le père, tu le peux. Tu sais que tu le peux. Il suffit que tu le veuilles."

Elle secoua légèrement la tête. "Non, dit-elle, je veux mourir."

La tête de Daniel s'obscurcit et, dans cette obscurité immense, il entendit sa propre voix, comme si lui-même, infiniment petit, s'était tenu dans cette obscurité derrière son front, dire : "Je t'aime, je t'aime..." Elle le regarda pendant un moment, puis se leva et se dirigea vers la salle de séjour.

Il regardait sa mère, allongée sur le canapé. Elle était

immobile. Le père était assis devant elle. Lui aussi restait immobile. Daniel le vit lever une main vers son front et il imagina que, s'il écartait son bras, son père tomberait; Edmond regardait la télévision, Julien, assis à l'autre bout de la salle de séjour, leur tournait le dos.

Daniel pensa que la maison qui les entourait semblait avoir un très grand nombre de chambres, beaucoup plus qu'en réalité, et que s'il sortait de la salle de séjour il trouverait une infinité de portes s'ouvrant sur quantité de pièces, et lui, assis sur sa chaise, n'avait aucune idée de ce qui s'y passait; il entendait des bruits assourdis qui en provenaient, des coups lointains, un gémissement et, peut-être, des voix.

Il eut soudain le désir violent de sortir de cette maison, d'aller dehors, et en même temps, il voulut fermer la porte de la salle de séjour, toutes les portes pour barrer le chemin à ce qui voulait entrer.

Il sursauta légèrement quand une porte s'ouvrit dans une autre partie de la maison. Tous tournèrent la tête. Edmond se leva et alla vers la porte de la cuisine. Richard entra. Le père sourit en le voyant. Derrière Richard il y avait Albert et le père se leva. Philip entra après Albert et on eut l'impression que la chair du père devenait flasque et se détachait de ses os. Derrière Philip, il y avait André.

Philip dit: "Bonjour, papa."

Albert se tenait à côté de Philip. "Je l'ai ramené," dit-il.

André dit: "Nous sommes venus fêter l'anniversaire de maman."

Philip tendit la main. Le père réussit à tendre la sienne, mais en serrant la main de Philip il détourna les yeux.

Quand le père lâcha la main de Philip, Richard s'approcha de lui et lui prit le bras. Le père continuait à détourner le regard. La mère s'approcha brusquement de son mari et Richard s'écarta.

Elle dit à Philip: "Tu n'aurais pas dû venir.

— C'était le moment.

— Jim," dit-elle.

Elle alla jusqu'au bout de la pièce. Elle s'arrêta en leur tournant le dos et se mit à secouer la tête.

"Maman," dit André.

Elle se retourna vers eux sans cesser de secouer la tête.

Albert dit à son père : "J'ai fait ce que j'ai jugé être le mieux pour nous tous."

La mère s'avança à nouveau vers son mari, lui prit une main, la souleva, se rapprocha de lui, elle lui plia le bras et le serra contre elle en l'entourant de ses bras.

"Vous feriez mieux de vous en aller, dit-elle. Vous feriez mieux de vous en aller, tous autant que vous êtes."

Albert fit un geste vers son père.

"Allez vous en, dit-elle. Allez vous-en, laissez nous seuls, laissez nous seuls.

- Maman," dit Albert.

Elle tendit la lèvre inférieure, elle fronça le menton, avança la mâchoire et secoua la tête d'avant en arrière. "Nous nous aimons." Elle tourna la tête et enfouit le visage dans l'épaule du père, sous son aisselle. Il la serra contre lui. Philip recula en levant la main pour dire à ses frères qu'il s'en allait discrètement et rapidement.

Albert demanda : "Est-ce qu'on doit s'en aller, papa ?"

Le père secoua doucement la tête. "Non, non, non," dit-il.

Daniel, le seul éveillé dans la maison endormie, allait de la salle de séjour jusqu'à la salle à manger et la cuisine, pour retraverser la salle à manger et revenir dans la salle de séjour. Il touchait les meubles. Il s'assit, se releva. Il s'éloigna. Il fit tourner les lames du store vénitien pour regarder la lumière de la rue. Une voiture passa. Il referma le store. Dans la pièce faiblement éclairée, il regarda le long miroir au cadre doré qu'on avait offert au père et à la mère, comme cadeau de mariage, puis un vase avec des fleurs en papier, puis les livres rangés sur les étagères vitrées du bureau. Il ouvrit les portes. Il sortit un volume intitulé *Faire ses études secondaires tout seul* que son père avait lu pendant des années. Il le feuilleta et le remit en place. Il ouvrit le dessus du bureau. Certaines cases étaient vides, d'autres bourrées de papiers et de lettres. Il prit un petit paquet de vieilles enveloppes attachées par un élastique qu'il ôta. Il y en avait sept. Sur chacune d'elles, on pouvait lire, écrit par la mère, le nom d'un des fils, Richard A., Albert B., Edmond R., Philip P., André J., Daniel R., Julien E., et à l'intérieur il vit une mèche de cheveux qui provenait de la première coupe effectuée par le père. Il sortit chaque mèche et la glissa dans l'enveloppe ; des cheveux blonds et fins, des cheveux épais et bouclés, des cheveux bruns et raides. Le regard de Daniel se brouilla légèrement. Il remit les enveloppes ensemble et les replaça dans leur case. Il sortit un autre paquet. Il s'agissait de vieilles lettres. Debout devant le bureau, il en lut une dans le silence de la maison.

Sergent Albert Francœur U.S.M.C.

V.M.S.B. 342 M. C.A.T.

Newport, Arkansas

3 octobre 1944

Chère maman, cher papa,

Ce matin, j'ai volé sur un bombardier et j'ai vu un des plus beaux spectacles de ma vie. Quand nous avons décollé, il n'y avait pas de soleil à cause d'une épaisse couverture de nuages à 5 000 pieds, mais nous l'avons traversée pour déboucher dans la chaleur du soleil et, tout autour de nous, aussi loin que portait mon regard, s'étendait un immense paysage blanc avec d'énormes montagnes, des vallées étroites, des collines, des vallons et de vastes prairies lumineuses. Nous avons tourné au pied d'une des montagnes et fait du rase-mottes dans les vallées et au-dessus des collines et des prairies. Ce qu'il y avait de plus beau c'est que nous ne pouvions pas voir le sol et j'avais l'impression de me trouver dans un autre monde. J'étais heureux là-haut.

Aujourd'hui, en lisant le *Reader's Digest*, maman et papa, j'ai vu un article intitulé : "Une mère catholique étudie le contrôle des naissances." Maintenant, je suis fier d'un homme et d'une femme qui habitent 128 June Street, à Providence dans l'état de Rhode Island. En lisant l'article, j'ai découvert les opinions d'une femme moderne sur la vie dans le couple et je les ai comparées aux lois démodées par lesquelles l'homme et la femme cités plus haut s'étaient laissés gouverner. Après avoir lu l'article, j'en suis immédiatement arrivé à la conclusion que vous, maman et papa, vous êtes vraiment les deux personnes les plus merveilleuses que j'ai connues et que je connaitrai jamais. L'absence totale d'égoisme dont vous avez fait preuve en refusant une vie tranquille pour une vie de douleurs, de maux de tête, de misère et de travail pénible afin de suivre la volonté de Dieu, me rend très fier de vous dire que vous êtes mes parents bien aimés. Mon cœur manque d'éclater de fierté, d'amour et d'admiration pour des gens aussi merveilleux que vous. Oh, comme vous vous élevez au-dessus de la masse grouillante des pécheurs, comme un roi et une reine ! Vous êtes des êtres prodigieux, vous avez reconnu vos devoirs envers Dieu et vous les avez remplis. Je vous promets que mes frères et moi nous ferons le maximum pour que vous puissiez connaître un peu de cette béatitude dont le ciel est si rempli qu'une partie se déverse sur la terre. Que Dieu vous bénisse, maman et papa, je suis l'homme le plus fier du monde d'être votre fils, et je dis cela du plus profond de mon cœur et de mon âme. Je souhaite seulement remplir aussi bien mon devoir dans les Marines que vous avez rempli le vôtre auprès de Dieu.

Embrassez Daniel et Julien pour moi.

Je vous aime

Albert

P.S. : J'ai signé ma feuille de solde, samedi dernier, et je toucherai 90 dollars le 5 octobre. Vous recevrez très vite 70 dollars.

Daniel ouvrit la bouche pour tenter de laisser échapper ses sanglots sans bruit. Ses yeux pleuraient et son nez coulait. Il reposa les lettres, ferma le bureau et s'assit sur le canapé. Il devait reprendre sa respiration entre ses sanglots. Il ne pouvait pas s'arrêter. Il ouvrit grand la bouche et se contracta pour ne plus trembler. Il avait l'impression d'être en train de vomir et d'avoir l'estomac vide.

La porte de ses parents s'ouvrit. La chambre était plongée dans l'obscurité et il vit son père se pencher dans la faible lumière qui venait de la cuisine. Son père regarda vers lui.

"Tsi gars ?

— Oui, dit Daniel.

— Qu'est-ce qu'il y a ?"

Le père s'avança. En présence de son père, il sentit toute retenue l'abandonner et son corps se mit à trembler. Son père posa une main sur son épaule, près de son cou. Daniel laissa échapper une sorte de gémissement.

"*Tais-toi, tais-toi, tais-toi,*" dit son père.

Daniel secoua la tête.

Le père posa son autre main sur la nuque de Daniel et l'attira vers lui ; le corps de Daniel se pencha en avant et son visage s'appuya sur le peignoir de son père, juste en dessous de sa poitrine.

Daniel recula. Il avait le visage ruisselant. Son père tira un mouchoir de la poche de son peignoir et le lui tendit. Daniel s'essuya le visage et se moucha. Il rendit le mouchoir à son père qui le prit en regardant son fils.

La mère appela dans la chambre obscure. "Jim !"

Le père se retourna. "Va lui dire que je vais bien," dit Daniel.

Le père remit le mouchoir dans sa poche, "Va lui dire, toi."

Daniel se leva et s'avança de manière hésitante vers la porte de la chambre où il s'arrêta ; il ne pouvait rien voir à l'intérieur. Il dit : "Maman.

— Oui," dit sa voix.

Le père passa près de Daniel, entra dans la chambre et referma la porte. Daniel resta à contempler la porte fermée. Puis il alla jusqu'à la fenêtre à l'autre bout de la salle de séjour. Ses pensées s'élevèrent légèrement. Il avait l'impression que ce n'était pas lui qui avait pleuré mais quelqu'un d'extérieur. Il glissa un doigt entre deux lames du store et en souleva une pour regarder dans la rue déserte.

Il pensa : Prie Dieu notre Père.

Le Saint Esprit

Le Fils

La Vierge Marie

Tous ceux qui sont dans cet étrange pays d'en haut, dans leur grande demeure claire, prie pour la petite maison obscure dans ce pays ici-bas.

Prie pour que cet amour qu'ils éprouvent l'un pour l'autre, dont la lumière se reflète de l'un à l'autre, vienne sur nous comme une grâce, que nous puissions nous aimer comme ils s'aiment là-bas, que nous puissions refléter leur amour de l'un pour l'autre, ici-bas.

Prie pour la grâce qui illumine, prie pour la grâce qui transfigure.

Prie pour ce qu'ils savent et pour ce que nous ne savons pas, pour ce qu'ils voient et que nous ne pouvons voir, pour ce qu'ils entendent et que nous ne pouvons entendre, pour ce qu'ils touchent et que nous ne pouvons toucher, pour ce qu'ils sentent et goûtent et que nous ne pouvons sentir ni goûter.

Prie pour la conscience de leurs mouvements au-dessus de nous, que nous puissions nous mouvoir comme ils se meuvent.

O notre Père

O Saint Esprit

O Fils béni

O très Sainte Mère

Que nous puissions nous mouvoir comme ils se meuvent, que nous puissions nous réunir, nous séparer comme eux, que nous puissions nous mouvoir dans leur grâce.

Prie pour la maison, prie pour la maison sacrée.

Cet ouvrage a été composé à Arles
en Garamond Berthold par Relations
Couverture de Patrick Couratin et Frédéric Mei
pour Crapules Productions
Achevé d'imprimé sur les presses de l'imprimerie Rockson à Rognac
pour le compte des Éditions Bernard Coutaz au Mas de Vert à Arles.
Dépôt légal : septembre 1988.